Qui lit petit
lit toute la vie

Rolande Causse

Qui lit petit
lit toute la vie

Comment donner le goût de lire aux enfants
de la naissance à l'adolescence

Avec la collaboration d'Arlette Calavia
pour la bibliothèque idéale

Albin Michel

Collection « Questions de parents »
dirigée par Mahaut-Mathilde Nobécourt

Sommaire

Introduction

Lire, un jeu et un enjeu

Ce livre s'apprête à parcourir la pyramide des âges, du bébé à l'adolescent de 15 ans. Car l'enfant lecteur peut être un nourrisson, un petit à la crèche, un « grand » à l'école maternelle, un élève à l'école primaire, un adolescent commençant ou finissant le collège.

À travers son enfance, le petit humain vit de nombreuses étapes et des changements physiques, langagiers, mentaux, imaginaires. Du tout-petit qui apprécie le partage autour des albums au jeune qui dévore une saga longue et subtile, la littérature pour la jeunesse suit un parcours ludique, artistique, littéraire, qui emprunte des formes différentes et offre à tous ses réalisations très diverses. Cet ouvrage témoigne d'un secteur de l'édition en expansion, qui va des albums artistiques aux romans les plus complexes.

Mais loin de ce monde idéal, il y a aussi certains enfants, certains adolescents qui disent détester les livres. Comment leur donner ou leur redonner le goût de lire ? Comment faire pour que les temps de rupture que certains connaissent ne deviennent que des temps d'éloignement provisoire ? Dans cet essai, tout sera mis en œuvre afin que tous deviennent ou redeviennent lecteurs : grâce à une maïeutique douce et un choix de titres appropriés, enfants et adolescents pourront trouver ou retrouver progressivement le plaisir de lire.

Enfin, à notre époque, se pose le problème de concilier livres et télévision ainsi que jeux électroniques. Comment faire pour équilibrer le temps de ces différentes activités ?

Aujourd'hui, les albums pour tout-petits, les « livres de bébé », accompagnent dès les premiers mois ces temps de douceur où le nourrisson, serré contre celui qui lit, s'étonne, regarde, touche, hume et babille. L'objet livre devient pour lui un jeu, un jouet parmi les autres.

Mais bébé grandit, marche et parle. Il aborde alors la planète des albums aux illustrations colorées, des histoires, moments de joie partagée. Il découvre la langue et engrange mots et jeux de mots. Récit et images provoquent son imagination et enrichissent son imaginaire. Son intelligence se structure. Grâce aux rituels de lecture, ces albums passionnants lui donnent l'envie de savoir déchiffrer leurs signes mystérieux, l'envie d'apprendre à lire.

CP, CE1 : l'enfant sait lire. Mais ne le laissons surtout pas seul, continuons à lui dire des histoires. Et cela durant de nombreuses années encore. La voix est un cadeau ; le récit échangé, un temps de bonheur. Pour cet âge, il existe des albums amusants, tendres ou inventifs, des contes effrayants ou rassurants, des jeux d'imagination, des aventures lointaines et imaginaires...

Puis notre « grand lecteur », à son propre rythme, commence à lire des romans. Premiers courts récits qui font partie du rituel du soir, du mercredi, du week-end, des vacances... Fictions plus longues, à l'écriture vive, où le jeune s'identifie avec le héros de papier.

Pour eux, il existe aussi des livres d'art qui apportent savoir et beauté, des poèmes, fugitifs instants, fragiles lumières, éclats de mots, qui peuvent être lus au moment du bain, au jardin, durant les déplacements, ou accompagner un atelier d'écriture.

Les droits et devoirs des enfants ont donné naissance à

des livres de réflexion citoyenne. D'autres ouvrages encore évoquent toutes les situations difficiles que les jeunes peuvent rencontrer dans la cité, à l'école, près ou loin d'eux. La philosophie est également abordée de plus en plus tôt.

De même, certains grands et beaux albums à l'écriture raffinée pourront faire l'objet au collège d'un travail littéraire et graphique.

Par définition, tout excellent livre pour enfants doit être un livre que les adultes apprécient. Dans la sphère des romans, la littérature de jeunesse offre des petits chefs-d'œuvre créés par des écrivains reconnus pour lesquels jeunes et moins jeunes s'enthousiasment. Pourquoi les adultes ne liraient-ils pas ces récits afin de mieux en parler avec l'adolescent lecteur ? Pourquoi ne pas se pencher sur ces sagas que les jeunes aiment ?

Dans cet essai, tous ces livres seront racontés pour révéler ce qu'ils apportent à leurs lecteurs. Parmi la profusion de titres, priorité sera donnée à ceux qui sont devenus des « classiques », aux albums qui sont de réelles réalisations littéraires et artistiques, souvent travail des petits éditeurs, en cernant genres et œuvres romanesques pour la jeunesse. En raison d'une production trop abondante, il y aura forcément des oublis, mais ils seront corrigés – autant que faire se peut – lors des prochaines éditions. Faute de place, les titres à grand succès, les bandes dessinées et les documentaires[1] n'ont pas été traités.

Des anecdotes, histoires vécues autour des livres, ponctuent le texte, et des conseils aident à aborder la lecture avec détente et justesse.

En fin d'ouvrage, une bibliothèque idéale permettra un

---

1. Sauf dans le chapitre 13 : « Que faire pour ceux et celles qui disent ne pas aimer lire ? », p. 211.

choix complémentaire. Elle fournira un outil pour constituer une bibliothèque individuelle ou une petite bibliothèque collective. Bibliothécaires, enseignants, documentalistes, libraires spécialisés, qui font un excellent travail auprès des jeunes, pourront aussi les diriger vers des ouvrages de qualité.

Ainsi naîtront et grandiront des enfants lecteurs, des adolescents pour qui le livre sera une rencontre enrichissante et inoubliable. Lire offrira à tous découvertes, connaissances, émotions, mondes imaginaires, leçons d'énergie et plaisir de suivre une écriture qui progresse telle une musique.

1

Les enfants, et surtout les jeunes, lisent-ils encore ?

« Le temps est un enfant qui joue aux osselets,
la royauté appartient à l'enfant. »

Héraclite

Bébé bouquine, les autres aussi...

Confortablement calé dans les bras de sa maman, dès 2 mois, bébé peut s'intéresser à des albums édités pour lui : il apprécie la voix qui parle et, au fil des semaines, les livres deviennent des jouets qu'il aime retrouver comme ses cubes de mousse ou son ours en peluche. Ainsi l'abécédaire *Tout un monde*[1], balade-inventaire d'images, ou *Joyeux Noël, Pénélope !*[2], album à languettes et à tirettes, ou mieux encore un tout petit livre aux dimensions de Bébé : *Me voici, me voilà*[3]. Ces histoires douces vont ponctuer la journée à la crèche et à la maison.

Lors de la naissance de Pablo, sa grand-mère lui offre l'album *Le Chien*[4]. Un soir, alors que Pablo a 1 mois et demi, sa maman

---

1. *Tout un monde*, Katy Kouprie/Antonin Louchard, éd. Thierry Magnier.
2. *Joyeux Noël, Pénélope !*, Anne Gutman/Georg Hallensleben, Gallimard Jeunesse.
3. *Me voici, me voilà*, Mathew Price/Jean Claverie, Albin Michel Jeunesse.
4. *Le Chien*, Kimiko, coll. Loulou et Compagnie, École des loisirs.

téléphone et proclame : « Ça y est, Pablo adore ton livre ! – Déjà ? »
répond la grand-mère étonnée. Bien vite, elle rend visite à son
petit-fils et constate que, dans ses bras, le bébé semble observer
les images et écoute ses mots... Oui ! Pablo bouquine... Sa mère
l'a inscrit à la bibliothèque où elle emprunte des petits albums
créés pour les bébés.

Aujourd'hui, l'édition d'albums pour les nourrissons se
développe de plus en plus, et ceux-ci à l'évidence découvrent le charme des livres réalisés pour eux ; il y a même
un salon pour les bébés lecteurs à Quétigny (21800).

Dans les lieux de la petite enfance (PMI, haltes-garderies,
crèches), les professionnels ont à cœur d'acheter et de présenter des albums aux petits. Pratique de plus en plus courante, volontariste et passionnée. Ce type de livres a trouvé
sa place auprès des bébés grâce à l'action conjuguée de
ces professionnels du terrain et des institutions, grâce aussi
à l'attention constante des parents pour l'éveil des tout-
petits.

Quand il entre à l'école maternelle, l'enfant découvre
ensuite la palette des innombrables albums aux mots tendres et aux illustrations malicieuses. Souvent, il ramène un
album à la maison car les enseignants savent l'importance
du livre à regarder tant lors des séances collectives à l'école
qu'en tête à tête avec papa ou maman.

En même temps, bien des parents inscrivent leur fils ou
leur fille à la bibliothèque. Monde merveilleux où l'enfant
choisit pour les emporter chez lui ses albums préférés. S'il
sent que l'adulte aime raconter des histoires, il se glisse dans
ce bonheur qui, pour chaque livre, devient un plaisir renouvelé.

Que les livres circulent !

Il est important que les albums circulent entre école et maison et qu'ils soient lus, car l'écrit immuable, indépendamment du lieu, du moment et de la personne qui lit, représente un lien de continuité appréciable pour l'enfant.

Quand arrive l'école primaire, l'enfant qui a vécu dans une atmosphère de lecture continue d'apprécier le temps où son père ou sa mère lui lit un livre. Le texte de l'album devient plus dense, l'illustration plus raffinée. Le livre n'en est que plus aimé.

Suivent alors les premiers romans courts, avec ou sans illustrations. Lorsque, à la maison comme dans la classe, un rituel de lecture à haute voix a été créé, le récit demeure source d'aventures, de découvertes, joie de lire ensemble. Le jeune enfant comprend alors combien est large le champ de la littérature de jeunesse dans lequel il peut choisir. À cet âge déjà, s'il a navigué sur la planète des albums, s'il a bénéficié des contes, des poésies et de la ronde des romans, une graine de lecteur a poussé. « Sortir de l'école primaire avec une bibliothèque dans la tête » : cette image de l'inspecteur général Jean Hébrard fixe l'idéal à atteindre.

Aujourd'hui, l'album fait partie de la vie du petit à la maison, à la crèche, à l'école maternelle et primaire. Cependant, certains enfants qui ont vécu un apprentissage difficile de la lecture ou qui n'ont aucun environnement livresque peuvent détester lire : c'est à eux que s'intéresse en priorité cet essai.

> **Chacun son tour**
>
> À 7-8 ans, commence la lecture solitaire plus longue. Lorsque l'enfant aborde les premières fictions, il est bon de continuer le temps habituel de lecture à haute voix ou de partager ces histoires : le parent lit un chapitre, l'enfant en lit un autre.

Et les adolescents ?

Contrairement à ce que l'on entend, de nombreux adolescents lisent, et souvent des livres imposants. Une preuve : la littérature pour les jeunes se porte bien et, dans ce domaine, le nombre d'éditeurs augmente.

La directrice des éditions La Martinière Jeunesse affirme d'ailleurs que, « depuis trois-quatre ans, avec une croissance annuelle de 5 à 6 %, l'adolescence est nettement le secteur qui se développe, mouvement tant attendu qui peut repousser les frontières entre les ouvrages pour enfants et ceux pour adultes, ce que les Américains appellent le secteur jeunes adultes (*young adults*). Et ces livres permettent aux parents et aux adolescents d'échanger ».

Dans les livres, un bon nombre de jeunes retrouvent des thèmes et des problèmes qui les concernent ou qui concernent la société, qui les font réfléchir et qui les ouvrent vers les autres.

Dans une étude réalisée sur leurs loisirs culturels[1], on note que chez les 10-14 ans, 88 % lisent des livres, 87 % des journaux et magazines, 77 % des bandes dessinées.

Donc, merveille ! les ados lisent. Mais que lisent-ils ? Ils

---

1. « Les loisirs culturels des 6-14 ans », étude réalisée pour le département de la Prospective du ministère de la Recherche par Sylvie Octobre, La Documentation française, 2004.

aiment les romans d'aventure (69 %), l'épouvante et le fantastique (64 %), les séries à héros récurrent (60 %), les policiers (54 %) et les livres avec un thème (51 %). Ils apprécient l'imaginaire débridé des sagas et les récits de vie, échos du monde. Auteurs et éditeurs concoctent pour eux des séries de contes fantastiques qui leur permettent de retrouver cadres et personnages, mais aussi des romans aux qualités plus psychologiques.

La civilisation de l'écrit n'est nullement en voie de disparition, mais elle est en mutation. Les choix et les habitudes de lecture de nos adolescents ne sont plus ceux des générations précédentes : la lecture est devenue protéiforme. Dans une offre exponentielle, chacun picore et se crée une culture patchwork. Et comme « les lecteurs sont, avec des intensités similaires, téléspectateurs, auditeurs et utilisateurs d'ordinateurs », comme le constate Sylvie Octobre dans l'étude précédemment citée, l'offre et la demande subissent les effets de l'environnement médiatique, lequel impose ses rythmes, ses modes de fonctionnement, voire ses produits. Ainsi, les magazines dérivés de la télévision plaisent et les héros de film font vendre des livres.

Mais ces jeunes qui regardent la télévision et passent du temps sur l'ordinateur continuent à se détendre en lisant car, si la lecture demande un effort, elle permet aussi de se laisser aller, le corps au repos, l'esprit vagabondant loin de la réalité. Les jeunes téléspectateurs peuvent être d'excellents lecteurs et aller de l'ordinateur au livre sans problème et sans complexes. Ils construisent leur imaginaire à travers les livres lus pour la classe et pour le plaisir autant qu'à travers jeux et films.

Si l'on peut leur laisser leur engouement pour les sagas, et même en profiter, il est bon cependant de leur proposer d'autres romans, plus ancrés dans la réalité, dans le passé, dans le monde des adolescents d'autres pays. La littérature de jeunesse est influencée par le cinéma, les arts, les courants littéraires et historiques. Le livre demeurant pensée, l'adolescent y affinera ses raisonnements, accroîtra ses connaissances, éclaircira ses sentiments.

Malheureusement, certains jeunes refusent tout livre. Pourtant, même avec ceux-là, une approche différente, des livres appropriés peuvent permettre de revenir sur ce temps où l'enfant a mal vécu la présence de l'écrit (voir « Que faire pour ceux et celles qui n'aiment pas lire », p. 211). Car quel dommage, quelle punition, quelle privation de vivre sans fiction ! À toutes les époques de la vie, la lecture aide, divertit et enrichit.

Des livres pour tous les goûts

Expliquer aux enfants et aux jeunes tout ce que lire leur apporte est de plus en plus nécessaire. Il faut leur dire qu'ils peuvent ne pas être d'accord avec un livre, mais que, dans tout ce qu'une bibliothèque ou un CDI peut leur proposer, il y a bien un album, un roman, un documentaire qui leur plaira...

2

La nécessité et les immenses bienfaits de la lecture

« Je recommence, et voilà le miracle ! J'écoutais
ce que je lisais et la phrase avait un sens ! »

Françoise Dolto

Plaisir du jeu et du je

Plaçons-nous du côté de l'enfant qui écoute l'histoire : les mots lui en donnent le sens. Attentif, il interprète à sa manière les phrases qu'il entend. Parfois il ne capte pas tout. Peu importe ! Il en comprend assez, et, à l'occasion d'autres lectures, il saisira la totalité. Puis il se perd dans l'image, la prend comme partie prenante de la narration et s'enthousiasme.

L'enfant est un infatigable chercheur de plaisir (sauf s'il a vécu de graves traumatismes). S'il a été heureux durant la lecture d'une histoire, il s'en souvient, la redemande, l'écoute plusieurs fois et en explore toutes les subtilités jusqu'au moment où l'adulte lui suggère un autre album, départ vers une nouvelle aventure. D'histoire en histoire, le plaisir de lire se développe, s'affine et devient désir d'autres livres.

Mais qu'est-ce qui, dans l'histoire, l'enchante ?

Tout ce qui lui parle, toutes les informations qu'il y trouve,

tout ce qui le touche et provoque chez lui un effet de surprise ou de joie, comme un jeu.

De la naissance à l'âge adulte, le jeu participe de la
construction de l'être humain. Une histoire lue est reçue
comme un jeu. Comme le jeu en effet, la lecture éloigne le
lecteur afin de l'y faire mieux revenir. Lorsque l'enfant
écoute, lorsqu'il lit lui-même, il joue avec les personnages
et leurs représentations, dans le bonheur de l'aventure, du
suspense ou de la fantaisie onirique. Tout en structurant
ainsi son propre *je* par le biais de ces héros auxquels il
s'identifie, et par celui de la répétition, il éprouve le plaisir
du *jeu*. Et liée au désir accourt la demande : le bonheur
renouvelé de la lecture, peu à peu, développe le désir
d'entendre d'autres récits cocasses, d'autres contes merveilleux ou, selon l'âge, de lire d'autres histoires...

> Ludovic possède une petite bibliothèque. Un matin, il pleure. Il
> refuse d'aller à la crèche et désire accompagner sa mère à son
> travail. Devant les hésitations de celle-ci, le petit garçon de 2 ans
> résout lui-même le problème : il demande s'il peut emporter avec
> lui à la crèche son album préféré, *Petit cœur*[1].
> Soulagée, sa maman accepte et, chaque jour, il prendra ce livre
> avec lui. On ne sait pourquoi un matin, il l'oubliera et tout rentrera
> dans l'ordre.

À travers les mots et les images de son livre, avec l'auteur
et l'illustrateur, Ludovic cherche-t-il la personne qu'il aime ?
L'album n'est-il pas un lien avec celle-ci ? Ne vit-il pas la
présence de l'enfant du livre comme un simulacre de lui-
même ? Comme l'héroïne, il découvre les objets illuminés
de couleurs et cherche l'aimée... Par ailleurs, Ludovic ne
métamorphose-t-il pas *Petit cœur* en ami ?

Le psychanalyste anglais Winnicott a montré la valeur

---

1. *Petit cœur*, Élisabeth Brami/Georges Lemoine, Casterman.

irremplaçable du jeu chez l'enfant. Il n'est jamais innocent : il affine sa compréhension intime et satisfait ses besoins liés à la séparation et à la réparation. Dans le cas de Ludovic, le livre est devenu *objet transitionnel*. Il permet de supporter le passage de la maison-maman à la crèche-séparation comme l'ours ou toute autre peluche... Rappelons-nous la description faite par Sigmund Freud de son petit-fils jouant avec une bobine : « L'enfant jette au loin, *fort* [loin], hors de sa vue, une bobine ; puis comme elle est attachée à une ficelle, il la ramène à lui : *da* [là]. Ainsi répète-t-il la perte de sa mère mais aussi son retour. » Vient de se jouer ce que les lacaniens appellent l'accession au registre du symbolique.

Le temps de la lecture représente un lien entre l'extérieur et l'intérieur : écho de réalité et d'imaginaire, jeu d'être là et très loin, le livre répond à des besoins et, souvent, les satisfait. Dans le lien entre les générations qui se noue autour de lui, se libèrent aussi de la langue, du sensible, du mystère, du savoir, de l'art et du bien-être... Dès la petite enfance, ces albums lus dans une interaction tierce – adulte, enfant et livre – ménagent des moments exceptionnels où l'adulte offre sa voix et son temps.

> L'album préféré de Simon, 6 ans, est *Je ne joue plus*[1]. C'est l'histoire d'un garçon qui lutte et triomphe de tous les malheurs de la vie. Simon le montre à tous ceux qui viennent à la maison. Il proclame à qui veut l'entendre : « Mon papa, il me le lit tous les soirs. Le dimanche, il le lit plusieurs fois et nous l'appelons : "notre livre chéri". »

Agréable moment de complicité. Alors que chez Ludovic il autorisait un changement de lieu et devenait, on l'a dit, objet transitionnel, au cours de cet échange, le livre se révèle lien, *objet relationnel*.

---

1. *Je ne joue plus*, Rachel Hausfater-Taïeb/Oiliver Latik, Casterman.

Même chez les plus grands, chez ceux qui accèdent au roman, temps de détente, de distraction, d'imagination, confluent d'aventures qui arrivent à des personnages denses et subtils, la lecture aide à aller toujours plus loin, à la recherche de ce qui n'est pas encore compris, à la recherche de ce qu'on voudrait comprendre. Plaisir du je et du jeu, les livres continuent d'aider à grandir et à se construire.

La langue de tous les jours et la langue des livres

Pelotonné au chaud des bras, près du corps aimé, le tout-petit, dès ses premières années, profite des couleurs qui s'épanouissent et de la voix qui murmure. Il rit des mots qu'il tente de redire... Dans ce confortable tête-à-tête, il enregistre la langue et les situations réelles ou imaginaires.

Pour lui, il existe déjà deux langages.

Le premier est celui de la vie quotidienne, des échanges au sein de la famille et de l'école, celui qui lui sert à communiquer. Ce langage comprend les mots de tous les jours, les mots immédiatement nécessaires, ceux de l'apprentissage scolaire et ceux plus doux des moments de tendresse...

Le second langage est celui des textes. Langue précise, construite, riche et parfois poétique. Langue du récit, du conte ou du poème. Phrases élaborées, jeux avec les mots, recherche des sonorités, musique de la langue. L'auteur a travaillé son écriture. Il l'a pensée, soupesée, perfectionnée, ciselée avant qu'elle soit imprimée pour les jeunes lecteurs.

Jonathan a 3 ans. Les albums font partie de sa vie et sont ses objets préférés. Dès qu'un membre de la famille a un moment de libre, il demande que celui-ci lui lise une histoire. Un refus lui apparaît comme une punition. Alors, mécontent, il proclame : « Je n'ai plus de moments mémorables. » Sa maman lui demande ce que cela signifie. « Je m'ennuie, je n'ai plus de belles histoires. » Soudain elle se rappelle que, dans un album, elle lui a lu le mot « mémorable » et elle saisit qu'en le maniant il cherche à se familiariser avec lui. Elle lui en explique le sens et il le répète plusieurs fois comme une comptine. Ainsi, il perfectionne son apprentissage de la langue.

Ces mots des livres sont ceux de l'écrit, exacts, savants mais aussi inventifs, ludiques. La langue s'ouvre sur des *si j'étais oiseau*, s'envole dans le pays du jeu : *on dirait que...* Elle permet d'imaginer sans cesse et de mémoriser un grand nombre de vocables, d'expressions, de phrases qui, bien que simples, sont déjà littérature.

Comme Jonathan, l'enfant aime jouer avec les mots nouveaux, avec les métaphores qu'il ne peut découvrir que dans les livres, il les dit, les redit et, peu à peu, se les approprie tout en découvrant leur sens exact.

À 7 ans, David a reçu *Le Dictionnaire du bonheur des expressions*[1]. Il se promène avec son livre et crie : « Je ne suis pas une poule mouillée, mais une force de la nature ; je suis malin comme un singe, je m'en donne à cœur joie et toi tu manges comme un ogre... »

Comme David, tout enfant éprouve du plaisir à jouer avec les images, les assonances, les répétitions, les rimes. Le plaisir a commencé avec les échanges parlés, il se poursuit avec tous les textes.

Lorsqu'il grandit, il doit se soumettre au sens. Mais il apprécie les jeux de mots, les allitérations et les astuces qui lui permettent de rire de la langue. Il joue au sens et au non-sens et les mots peuvent devenir pirouettes cocasses. Dans un atelier d'écriture, l'enfant pourra entendre des poé-

---

1. *Le Dictionnaire du bonheur des expressions*, Michel Boucher, Actes Sud Junior.

sies et à son tour dire ses émotions à travers ses propres inventions.

Jane a 9 ans. À la bibliothèque, elle fréquente tous les mercredis un atelier de lecture-écriture. Elle y écoute des poèmes puis en écrit : « J'ai marché le long d'un grand ruisseau qui devenait un lac de larmes. »
Elle aime cette activité qu'elle désigne dans un texte comme l'« exprimation » de tous ses sentiments !

La lecture apporte l'enrichissement de la langue écrite qui peut ensuite se dire et se redire...

Le secret désir de savoir lire

Paco est âgé de 5 ans. À la bibliothèque, il a emprunté l'album *La Fugue*[1], d'Yvan Pommaux. À ses parents, il demande souvent la lecture de cette histoire. Un chat, malmené et détesté, est martyrisé. Un jour, l'animal fugue et recherche un garçon aperçu une seule fois qui avait le prénom de *Jules* inscrit sur son tee-shirt. Après une longue errance dans Paris, le chat retrouve l'ami de ses rêves.
Dans cet album, Paco repère les lettres du mot « Jules », puis d'autres qu'il connaît et les désigne. Il veut apprendre des syllabes et des mots ; bientôt il lit une phrase entière, puis deux. Sans que l'on en comprenne réellement la raison, il semble que cet excellent livre ait déclenché chez Paco le désir de vouloir savoir lire...

Apprendre à lire fait appel à deux systèmes : le premier est le décodage syllabique, c'est-à-dire l'art de reconnaître des syllabes (assemblage de consonnes et de voyelles) et de déchiffrer ; le second est la possibilité d'anticiper le sens, d'imaginer la fin d'un mot ou d'une phrase.

---

1. *La Fugue*, Yvan Pommaux, École des Loisirs.

Tout enfant qui n'a pas vécu des difficultés particulières est capable d'apprendre le décodage syllabique.

Par des études réalisées à l'école maternelle puis au CP, des chercheurs ont prouvé que l'apprentissage de la lecture se faisait plus aisément lorsque les élèves avaient fréquenté de nombreux albums. Non seulement les lectures à haute voix durant toute la petite enfance leur ont donné le désir de savoir lire, donc l'envie d'apprendre, mais elles leur ont aussi apporté la possibilité d'imaginer. Grâce à ces récits qui ont développé leur imagination, ils savent mieux deviner un mot, émettre une hypothèse, énoncer du sens. Leur activité préférée n'est nullement d'apprendre à lire, mais de savoir lire pour le plaisir de reprendre les livres aimés.

Les enfants qui, pour de multiples raisons, n'ont pas été sensibilisés aux histoires n'ont pas les mêmes facilités. Ce sont souvent ceux dont les familles n'achètent ni journaux ni livres et qui n'ont aucune pratique de l'écrit. Ces enfants-là risquent d'accumuler les difficultés. C'est contre ces échecs que des associations, des enseignants et des municipalités luttent afin qu'à tous les petits, à la crèche et à l'école maternelle, mais aussi dans les centres de loisirs et dans les colonies de vacances, de nombreux albums soient lus avec régularité.

D'ailleurs, même lorsque l'enfant sait lire, il est souhaitable de continuer à lui dire des histoires, car il faut compter de une à trois années afin qu'il puisse lire avec une aisance totale, celle qui procure un réel plaisir.

Les tropismes

L'être humain est entre autres fait de langage – ce qui le distingue des animaux –, de sensibilité et de pensée. Mais toute pensée est langage. La linguistique a montré quel mécanisme étrange tournait autour de celui-ci. Chaque mot a un sens premier (parfois un deuxième ou un troisième), plus un soubassement, un terreau affectif, une ombre portée, ce que Nathalie Sarraute appelle la sous-conversation. Cet écrivain a mis en évidence comment un mot, un simple mot, pouvait apporter le bonheur ou, au contraire, faire mal. N'avez-vous pas reçu un compliment de quelqu'un que vous estimez ? Aussitôt, vous vous sentez léger... À l'opposé, un mot, une expression, peut blesser sans que celui qui le prononce s'en rende compte.

L'auteur a appelé tropismes[1] ces sensations internes qui peuvent surgir à partir d'un geste, d'une parole, d'une mimique, d'un silence, d'une hésitation. Dans certains cas, les enfants ressentent avec intensité le moindre écart de langage.

> La mère de Joséphine est morte. Elle vit seule avec son père. Un matin de grand froid, elle arrive à l'école trop légèrement couverte. La dame de service, qui ne connaît pas son drame, lui dit : « Comment ta mère t'a-t-elle laissée partir ainsi ! » Joséphine éclate en sanglots. Sa maîtresse se précipite, elle l'enveloppe dans sa veste tout en tentant de la consoler. Elle l'entraîne dans la bibliothèque et lui propose de choisir un livre. Joséphine lui demande de lui relire *L'Étoile d'Érika*[2]. La maîtresse lui lit cette belle et triste histoire d'une enfant juive jetée tout bébé d'un train qui roulait à destination d'un camp d'extermination et sauvée parce que recueillie par une famille autrichienne. À la fin de la lecture, Joséphine s'apaise et entre dans la classe en serrant la main de la maîtresse.

Une simple phrase a transpercé Joséphine comme une arme et l'a renvoyée à son immense chagrin. Mais comme les mots, qui sont à manier avec délicatesse, les livres peu-

---

1. *Tropismes*, Nathalie Sarraute, Éditions de Minuit.
2. *L'Étoile d'Erika*, Ruth Vander Zee/Roberto Innocenti, Milan Jeunesse.

vent calmer une tristesse, surtout lorsqu'ils sont réclamés par l'enfant lui-même.

Les effets de ces lectures qui apaisent une difficulté ou une peine ne sont pas les mêmes pour tous les enfants. Les spécialistes ont constaté que toutes sortes de livres denses et attachants peuvent leur servir de « porte-voix », leur polysémie jouant comme une musique profonde et parfois inattendue...

La structure du récit

La littérature apporte aux enfants et aux jeunes la langue, les tournures, les métaphores, toute la richesse du style poétique ou prosodique. Elle leur offre aussi la structure du récit.

Si nous prenons la courte histoire qui fait le fil d'un album pour les petits, nous rencontrons une présentation, un développement, un suspense et un dénouement. Dans le texte, les personnages, enfants ou animaux se rencontrent, se parlent, se quittent, se retrouvent... Voilà une première narration.

Dès son enfance, le jeune lecteur fréquente sans s'en douter cette forme qu'il pourra par la suite reproduire et qui se complexifiera tout le long de ses lectures et de ses études.

Avec le roman, il abordera des modes de narration divers comme le journal, la correspondance, le monologue, la confrontation de plusieurs voix, la linéarité chronologique ou la fragmentation du récit, la construction en abîme, l'entrecroisement des histoires, etc.

Alice est en CM2 et a quelques difficultés en français. Cependant, elle aime écrire des histoires. Sa mère lui ayant lu de nombreux livres – albums et romans –, elle invente et crée des récits qui sont mal orthographiés mais toujours bien structurés. Ils sont plaisants, construits, fins et drôles... Ces histoires entretiennent Alice dans la langue, lui montrent qu'elle peut inventer, mener une narration. Après une série de séances chez une orthophoniste, Alice améliorera son orthographe et réussira peu à peu à apprendre les règles de grammaire...

On dit que la langue se perd ! Mais à travers les livres ne l'apprécions-nous pas pour ses sens multiples et les bienfaits de l'échange qu'elle nous permet ? N'aimons-nous pas au contraire jouer avec les mots dans une jonglerie inépuisable ? N'éprouvons-nous pas du plaisir à lire à haute voix ces poèmes, ces histoires, ces petits joyaux littéraires ?

L'imaginaire : un grenier

Un enfant est un petit d'homme biologiquement, affectivement et socialement. Il reçoit les espoirs et les fantasmes de ses parents et devra se construire en affrontant la réalité qu'il va découvrir. Il le fera en puisant dans son imaginaire.

L'imaginaire de tout enfant est le lieu de ses désirs mis à l'épreuve de ce qu'il peut faire, en tenant compte de certains interdits culturels. Il est l'espace virtuel où sont conservées les images mentales. Lié aux autres par le truchement de la civilisation et de ses représentations, il ramènera aux autres par l'épanouissement de la personnalité. Il peut se construire de façon relativement équilibrée ou bien des blocages peuvent apparaître qui vont jusqu'à la mort intérieure (l'autisme). Dans cet espace se logent d'abord les premières représentations de ses relations affectives : ce sont, dit Melanie Klein, les expériences corporelles du bébé liées à la satisfaction du désir ou au manque ; elles s'élaborent aussi à travers les sons, les mots, les chansons, les comptines, les ritournelles, les livres, et bien entendu les caresses et la voix qui s'adressent à lui. Des images-souvenirs viennent peu à peu se mêler aux émotions premières.

C'est dans l'imaginaire que l'enfant ira chercher les éléments de ses fantasmes et de ses rêves. Et cet imaginaire, c'est l'imagination qui vient l'enrichir : si on compare l'imaginaire à un grenier, l'imagination serait l'échelle pour y accéder ou en descendre. Sans elle, pas de vie possible. L'universitaire Bruno Duborgel décrit l'imaginaire comme la substance et l'imagination comme la source.

Pour les enfants, le livre est donc extrêmement important, qui vient faire fonctionner, fructifier, enrichir l'imagination, et les albums illustrés jouent un rôle bénéfique en les nourrissant de leur beauté esthétique et de leur force inconsciente. Chaque livre est pour eux une petite dramaturgie dans laquelle ils trouvent des éléments de construction de leur personnalité et de leur sociabilité. Dans la profondeur de leur être, un imaginaire langagier, poétique, artistique, musical, s'élabore selon les dons et les rencontres.

Il est indispensable de jouer à imaginer

L'imagination est donc l'échelle qui relie le grenier-imaginaire au lieu-jardin dans lequel l'enfant joue, créatrice et indispensable. Elle peut être provoquée, mise en jeu, par des propositions ludiques qui l'activent.

L'imagination est cette faculté humaine qui permet de mener sa vie, de réfléchir, de penser, d'inventer, de créer. Présente dans le domaine de la recherche artistique, scientifique, philosophique, elle y joue un rôle important. Mais elle est comme un muscle : si elle n'est pas en mouvement, si elle ne fonctionne pas, elle s'étiole. L'imagination s'entretient, se stimule, s'amplifie. La pensée l'entraîne dans une activité sans cesse renouvelée. Faire fonctionner l'imagination des enfants – et ce à tous les âges – est indispensable. Les histoires qui leur sont lues « débloquent », délient et actionnent l'imagination[1] qui se nourrit aussi du mystère des contes.

Dans les classes primaires et de collège, des enseignants ont cependant constaté que certains élèves avaient des difficultés à faire la différence entre le réel et l'imaginaire, la réalité et la fiction. Il est donc nécessaire de toujours repréciser ces notions. Elles permettent de mieux cerner la réalité. Les prolongements de la lecture – questions, réponses, discussions – permettent de replacer l'un par rapport à l'autre (le fameux « c'est vrai », « c'est faux »). Ces échanges autour d'un livre sont aussi indispensables car ils mettent une distance positive entre les émotions premières et leur compréhension.

L'imagination en perdition

Chez certains enfants, l'injonction « Imagine ! » peut avoir quelque chose d'impensable. Ils sont face à une impossibilité : celle de saisir une langue qui ne leur a pas été donnée dans l'amour dont ils avaient absolument besoin. Un texte pour enfant oscille entre le fantasme de l'écrivain et celui du lecteur : le jeune qui ne peut pas s'y glisser ressent parfois la gravité d'une parole comme une blessure. Dans ce cas, seul un réapprentissage, dans la douceur d'une présence, permettra peut-être d'aller vers un mieux-être langagier. L'envol dans la poésie, l'humour, l'image artistique peuvent apporter quelque apaisement (voir p. 117).

Alors que certains enfants privés d'échanges familiaux

---

1. Lire *Une lettre à Grand-Mère*, Paul Rogers/John Prater, Kaléidoscope.

compensent par leur vie imaginative, chez d'autres, dépourvus de cette possibilité, c'est le passage à l'acte qui peut l'emporter. Dans cette situation, paradoxalement, si le jeune essaie de verbaliser et s'il répond par un contenu verbal qui n'est pas celui que l'adulte espère, il est puni et se sent rejeté : il répond alors par un acte physique, pour lequel il sera sanctionné. D'où l'importance à accorder à la verbalisation.

Un enseignant de CM2 avait remarqué que, pour certains élèves, la langue était souffrance. Chez eux, la télévision était allumée du matin au soir. Quand cet instituteur a découvert la collection « Sagesses et malices », il a commencé de lire à haute voix chaque jour quelques brèves histoires de *Nasreddine, le fou qui était sage*, tentant ainsi de redonner l'amour des mots à ces élèves. Amusés puis enthousiasmés par ces contes courts, espiègles, rieurs ou sages, il a continué avec *Sagesses et malices de M'Bolo, le lièvre d'Afrique*[1]. À la fin de l'année, ses élèves en difficultés lui donnèrent l'impression d'être plus à l'aise pour parler et imaginer.

À l'adolescence

L'imaginaire, qu'il soit personnel ou collectif, a engrangé des mythes, des contes, des poésies... À tout âge, il est ce grenier où s'entreposent désirs, fantasmes, pulsions, rêves, images, parfums, goûts et dégoûts, voix et musiques, ce jardin secret où se cachent les bons et les mauvais sentiments, les événements heureux ou malheureux avec leur cohorte de sensations et d'émotions.

Pour les adolescents, lire d'excellents romans réalistes, fantastiques, historiques ou policiers continue de développer l'imagination. Celle-ci crée de nouvelles images, de nou-

---

1. Collection « Sagesses et malices », Albin Michel Jeunesse.

veaux textes, de nouvelles formes, de nouvelles idées. C'est une conquête qu'il faut poursuivre inlassablement, car elle offre à l'être l'énergie inventive. Grâce à ses représentations, la pensée se forme et, intervenant tout au long du développement de l'enfance et de l'adolescence, elle structure l'intelligence.

Chacun a besoin de se composer des identités multiples, des fables, et de se risquer dans des rêves incroyables. Chacun a besoin de vivre une quête de soi entre réalité et mensonge vital. La lecture apporte ce domaine fantasmé des héros à qui on peut emprunter une part de vie, de force, de sentiments, de passions...

Curieux des connaissances

Lire développe une qualité : la curiosité. Curiosité quant à l'histoire, aux lieux, aux personnages, à l'époque, curiosité quant au style. Un être curieux sait observer, écouter, engranger, questionner, s'ouvrir aux autres et s'épanouir lui-même.

En conséquence, la lecture développe également un certain savoir. Elle permet de découvrir d'autres expériences, d'autres destinées, d'autres valeurs, d'autres pensées, d'autres paysages, d'autres mondes, d'autres arts. Lire, c'est évoluer auprès d'étranges personnages inconnus ou voir des êtres qui nous ressemblent. Lire représente un temps de rencontres secrètes.

En 1990, une bibliothécaire fit un mémoire sur les romans pour jeunes publiés aux États-Unis (qui étaient à l'époque plus en prise avec la société contemporaine qu'en Europe). Elle ne connaissait pas encore ce pays mais, à la lecture de toutes les fictions américaines, elle fit un extraordinaire voyage à travers ce vaste territoire. Lorsque, quinze ans plus tard, elle alla à New York, elle put marcher sur les traces de ses héros à Central Park et dans le métro...

Lire représente une expérience sociale : c'est découvrir les continents, mais aussi le passé, l'esclavage, le racisme, l'holocauste, les guerres et toutes les abominations qu'elles entraînent. Lire, c'est parcourir son époque, rencontrer des jeunes confrontés à des situations révoltantes, enfants en exil ou enfants des camps. C'est encore écouter la voix de ceux qui sont au chômage, de ceux atteints du sida, de ceux qui sont dépourvus de famille. Lire, c'est comprendre, s'indigner et tenter de déchiffrer ce qui se cache dans l'histoire de l'humanité. C'est penser, malaxer des idées, approcher des situations, des sentiments, toute cette intériorité qui permet aux jeunes de mieux saisir ce qui se passe en eux, autour d'eux, loin d'eux.

Sylvie avait 12 ans. Son père venait de mourir et sa mère s'enfermait dans le désarroi et le chagrin. Elle courait à la bibliothèque de son quartier où une jeune bibliothécaire qui la connaissait bien lui préparait chaque semaine une pile de livres : grands albums qui pouvaient la réconforter, folles aventures de quatre héros et de mille dindes sur les routes américaines[1] ou romans qui évoquaient son cas comme le très émouvant *Voyage à rebours*[2]. Sylvie dévorait tout. Aujourd'hui, elle affirme que la lecture l'a sauvée.

Lire est une expérience sociale plus ou moins valorisée (beaucoup à l'école, peu dans les médias, pas du tout à la télévision), mais qui se partage, qui donne lieu à de fructueux échanges entre amis et qui permet de réagir et de réfléchir ensemble sur les mêmes écrits.

---

1. *La Longue Marche des dindes*, K. Karr, coll. Neuf, École des loisirs.
2. *Le Voyage à rebours*, S. Creech, Gallimard Jeunesse.

Repos, délices et style...

Lire, c'est être seul, le corps abandonné, dans la tranquillité. Certes, la lecture exige un effort intellectuel mais elle offre aussi un délassement.

Lire, c'est avoir auprès de soi un livre, l'ouvrir ou non, le lire, le reposer, réfléchir et le reprendre à son rythme.

Lire, c'est rencontrer des personnages ou des situations idéales, c'est engranger d'incroyables souvenirs...

Lire, c'est errer entre intériorité et extériorité.

Lire, c'est aussi découvrir un style. L'écriture s'apprécie dans de courts textes comme dans de longues fictions. Lire, c'est se laisser aller à l'aspect musical des mots, être emporté par le rythme, le tempo, l'harmonie de certaines phrases. La langue peut être surprise, bercement, ravissement...

3

Mais qu'est-ce qu'un excellent livre pour enfants ?

> « Il n'y a pas de littérature pour enfants, il y a la littérature, il n'y a pas de couleurs pour enfants, il y a les couleurs, il n'y a pas de graphisme pour enfants, il y a le graphisme qui est un langage international d'images. »
>
> Marc Soriano

Coups de cœur !

Peut-on affirmer que si l'enfant est plongé dans un bain de livres de qualité, il se met naturellement à les fréquenter et à les aimer ?

C'est l'été, la ville de Stains a consacré un budget important aux livres. Nous sommes dans un centre de vacances, un critique spécialisé a choisi, acheté et disposé des albums, des contes, des livres qui disent des sentiments et des émotions que vivent les enfants, des romans qui peuvent être lus solitairement dans le parc ou le soir par l'animateur... Dans ce lieu, les livres sont partout : dans la bibliothèque, dans les chambres, dans la salle à manger, dans une panière sur la terrasse. Heureuse constatation, dans cette atmosphère livresque, tous les enfants âgés de 6 à 12 ans – et même ceux qui disent ne pas aimer lire – fréquentent la littérature

de jeunesse à tous moments de la journée, comme si c'était une habitude, un passe-temps naturel, un jeu plaisant.
Il faut préciser qu'ici il n'y a ni télévision ni jeux électroniques.

Quels albums, quels romans ont été mis entre les mains de ces vacanciers ?
Depuis 1970-1975, dates de l'explosion de la littérature de jeunesse contemporaine et de grande diffusion, les éditeurs ont créé chaque année de très grands livres, qui au fil du temps sont devenus des classiques.
Max et les Maximonstres de l'Américain Maurice Sendak, publié aux éditions Delpire puis à l'École des Loisirs, a fait scandale lorsqu'il est sorti en 1967 parce que Max répondait à sa mère et s'échappait dans l'imaginaire. Les parents actuels ne voient dans ce livre qu'humour et fantaisie... La façon dont ils se comportent avec leurs enfants s'est modi-fiée. Il existe une proximité plus grande entre les généra-tions. Les créateurs s'inspirent de ces évolutions mais aussi des difficultés que peuvent rencontrer les jeunes.

À la bibliothèque, Lula, colombienne par son père, française par sa mère, recherche les albums dans lesquels il y a des héros métissés. Un jour, elle découvre *Wahid* [1]. Dans cet album, le Français Maurice et l'Algérien Habib ont tous deux fait la guerre d'Algérie. Thierry, le fils de Maurice, tombe amoureux d'Assia, la fille d'Habib. Un petit Wahib naît, issu de deux cultures et enfant de l'amour. Lula emprunte l'album et, le soir, elle est heureuse de le lire à ses parents, se reconnaissant peut-être dans cet enfant de deux pays...

Par ailleurs, la littérature de jeunesse est devenue adulte. Ce qui ne signifie pas qu'elle s'est dirigée vers les adultes mais qu'elle possède des albums qui sont des livres incontourna-bles et des romans que l'on peut appeler littéraires car ils

---

1. *Wahid*, Thierry Lenain/Olivier Balez, Albin Michel Jeunesse.

possèdent des qualités qui perdurent, ce sont des ouvrages remarquables et valables de génération en génération.

Chaque année, dans une grande diversité et dans la surabondance (en 2003, 5 870 ouvrages), un petit nombre de créations et un bouquet de titres réimprimés fournissent ces livres indispensables qui ponctuent les pages de cet essai.

L'album essentiel

Un album essentiel est avant tout un album qui intéresse adultes et enfants, et qui possède des niveaux de lecture enrichissants pour tous. Le livre ne fournit pas une réponse protectrice à vues pédagogiques mais il appartient à la littérature qui permet de découvrir, de s'émouvoir, de rire mais aussi de s'inventer des solutions et des rêves. L'histoire constitue une première approche du monde réel et imaginaire de l'enfant : sachant qu'elle a une influence sur lui, il est nécessaire que son contenu soit ouverture, débordement d'imagination et d'émotions qui soient à sa portée.

L'album s'inscrit tel un outil du développement de l'enfant. Des illustrations non conformistes lui donnent la possibilité d'être surpris, enthousiasmé, et de s'interroger. Source d'où jaillissent ses étonnements, elles provoquent aussi sa réflexion.

Il n'y a pas un enfant mais des enfants et, dans un choix d'albums, chacun pourra découvrir ceux qu'il aime.

Pour le texte, l'album doit posséder toutes les qualités d'un récit bien mené avec une approche pertinente du sujet, sans didactisme mais avec délicatesse, et adaptée à l'âge visé. Il peut être jeu d'imagination, reflet d'humour, expression des sentiments, découverte de héros vivant dans d'autres pays ou dans le passé ou chemin de poésie. Ses qualités stylistiques se réfèrent au choix des mots, à leur juste utilisation sans devenir simpliste, à la finesse de la langue, au rythme et à la musicalité. L'éditeur Christian Bruel affirme que créer un personnage dans un album pour enfants s'appuie sur une véritable dramaturgie avec des secrets, des non-dits, des zones d'ombre : « Un héros doit avoir les mystères de tout être humain. »

Dans leurs choix littéraires, les adultes possèdent un jardin secret et des auteurs préférés. Ils apprécient des genres différents. L'enfant, être polymorphe, a besoin de cette même palette afin de vagabonder et de trouver distractions, reflets de sa vie, secrets personnels et réponses à ses inquiétudes qui le constituent et lui permettent de grandir.

Inscrivez-les à la bibliothèque !

Pour mieux découvrir cette diversité, il est recommandé d'inscrire l'enfant à la bibliothèque la plus proche – et ce dès son plus jeune âge. (Presque toutes les bibliothèques municipales inscrivent les bébés dès leur naissance.) En la fréquentant, il découvrira tous ces albums, reflets de vie et éclats de rires.

Magique illustration

L'album est un savant équilibre entre texte et illustrations, une mélodie à deux voix, une alchimie où mots et images se lient, laissant surgir une harmonie délicate. Nous excluons ici l'album sans texte et l'album dans lequel le suspense n'est qu'imagé (voir « Que faire pour ceux et celles qui disent ne pas aimer lire », p. 211).

Dans la lecture à haute voix, l'enfant s'installe, écoute, rêve, réfléchit... Le texte se déroule et la compréhension se met en place. Mais que se passe-t-il du côté des images ?

Si le texte s'adresse à la pensée logique, à un déroulé minuté dans le temps par exemple, l'illustration offre un jeu d'observations infinies où l'on peut s'égarer. L'image fait partie de la pensée lente et poétique.

L'enfant lecteur oscille de l'image globale à une lecture kaléidoscopique des détails. Dans le plaisir de feuilleter les pages, il peut avancer, revenir en arrière, se plonger dans le fourmillement d'éléments, mettre de la distance, voir avec plus de précisions que l'adulte les personnages, les couleurs, les menus détails, les drôleries. Lecture multiple dans laquelle chacun engrange un stock d'informations et utilise son propre rythme infraverbal. À cette lecture, le corps s'allège, une partie de soi est ailleurs, au-delà des mots qui disent le réel. L'image enclenche une musique interne.

L'illustration la plus appréciée des enfants est celle qui apporte un supplément d'informations, des ajustements, des particularités, des détails incongrus, des hors-textes étranges. Plus fabuleuse, plus mystérieuse, sa lecture devient contrepoint : le texte dit, mais l'image divague, s'échappe, fugue, s'envole vers d'autres interprétations.

Aujourd'hui, de nombreux enfants passent de longs moments devant la télévision et son défilement d'images imposées. En opposition, l'album leur offre un moment de calme, une pause indispensable, un temps de jeu sans limites, un hors-temps onirique.

Depuis longtemps l'institutrice de Florian, bien qu'elle n'ait pas d'enfant, achète des albums de Grégoire Solotareff pour ses élèves de CE1. Elle a plaisir à lire, à montrer et remontrer les illustrations à ses élèves. Un jour, Florian, 8 ans, s'arrête devant la vitrine d'une librairie où il vient de voir *Le Diable des rochers*[1]. « Ce livre-là, il est de Solotareff et je ne le connais pas ! » Devant l'enthousiasme de son petit-fils, la grand-mère entre dans la librairie et l'achète. Elle

---

1. *Le Diable des rochers*, Grégoire Solotareff, École des Loisirs.

avoue s'être passionnée autant que lui pour cette étrange histoire : un rejeté quitte définitivement le village et vit solitaire, dans une grotte au bord de l'eau. Il y recueillera une petite fille qui a chuté des rochers... La grand-mère a été étonnée de voir Florian regarder très longuement les illustrations qui ressemblent à des peintures et de le surprendre à relire plusieurs fois cette histoire pleine de mystère... Fier, le lendemain, il a emporté l'album à l'école.

Le cheminement des images

Ces illustrations s'inspirent-elles des fresques de la préhistoire, de l'art des cathédrales, de la peinture de la Renaissance, des impressionnistes, des surréalistes ? Au XIXᵉ siècle, les impressionnistes ont exprimé les vibrations de la lumière, les fauves et les nabis celles de la couleur. Après, l'art contemporain, avec le cubisme, a puisé à la diversité des continents. Abstraction, lyrisme coloré et réinventé, art conceptuel ont suivi...

À travers les siècles, à travers les pays, le dessin et la gravure ont suivi leur propre cheminement. Les illustrateurs de livres pour enfants s'enrichissent de l'imaginaire collectif qu'ils s'approprient tout en inventant leur style propre. Ce métier bien particulier lie art et littérature. Ses créateurs s'appuient toujours sur un texte, qu'il soit le leur (auteur-illustrateur) ou celui d'un autre (illustrateur). Chacun à sa manière transmet la chaîne de l'art tout en créant une œuvre singulière dans un secteur où l'innovation est constante et la création florissante.

Le jeune lecteur entre dans un album avec ses compétences. Mais sa compréhension du texte et de l'image progresse. De livre en livre, l'enfant perçoit de mieux en mieux. Bientôt, dans certains albums, il entend la poésie, s'enthousiasme pour les illustrations qui lui font côtoyer l'art et, plus tard, pourront le mener vers les musées.

Une pléiade de grands illustrateurs

Des années 1970 à nos jours, une pléiade d'illustrateurs aux styles différents est apparue.

Courant surréaliste avec Galeron, Couratin, Kellec. Courant poétique avec Georges Lemoine, traces légères, souffles délicats, perles-larmes de sa *Petite Sirène*[1] ; avec Michèle Nickly, à la fragilité japonisante ; avec Michèle Daufresne, Jacqueline Duhême, Philippe Davaine, Michel Boucher. Courant onirique avec Frédéric Clément, temps arrêté, beauté effleurée, miroir magique des rêves. Courant naïf avec Danièle Bour.

Chez Alain Gauthier, l'illustration se rapproche de la peinture : formes étranges, tableaux peints à l'huile qui frisent la perfection. Puis viennent Grégoire Solotareff, créateur de grandes plages colorées où des personnages fragiles, étranges, évoluent, et Nadja, qui a illustré *Chien bleu* et *L'Enfant de sable*[2] par des gouaches dans lesquelles la matière – eau, sable – l'emporte, évoquant des tableaux de Nicolas de Staël. La saga des *Norbert*[3] de Kring, un personnage pour les tout-petits, est faite de planches peintes dans lesquelles l'enfant se retrouve et peut mystérieusement jubiler. Nathalie Novi crée des aplats de couleurs envoûtantes, aux élans d'acrobates ou de danseuses, dans les albums *La Géante Solitude*[4] ou *Et les petites filles dansent*.

Autres vrais talents, Claude Lapointe et son *Marchand de fessées*[5], Philippe Dumas et *La Petite Géante*[6], Jean Claverie avec ses contes cocasses, Jacques Duquennoy[7] et Antonin

---

1. *La Petite Sirène*, Andersen/Georges Lemoine, Gallimard Jeunesse.
2. *Chien bleu* ; *L'Enfant de sable*, Nadja, École des Loisirs.
3. Série *Norbert*, Kring, École des Loisirs.
4. *La Géante Solitude* ; *Et les petites filles dansent*, J. Hoestland/N. Novi, Syros.
5. *Le Marchand de fessées*, Pierre Gripari/Claude Lapointe, Grasset Jeunesse.
6. *La Petite Géante*, Philippe Dumas, École des Loisirs.
7. *Le Tout Petit Poisson de rien du tout*, Jacques Duquennoy, Albin Michel Jeunesse.

Louchard[1] à travers leurs albums drôles pour petits[2]. Il faut citer aussi Lorenzo Mattotti et son clown *Eugenio*[3], l'hyper-réaliste François Roca, James Prunier... Sans oublier François Place et ses mondes imaginaires, Zaü, grand dessinateur, et la force sculpturale des illustrations de Claire Forgeot.

Il y a encore André François, célèbre affichiste qui vient de mourir et son album célèbre, *Les Larmes de crocodile*. Étienne Delessert, qui vit et travaille aux États-Unis ; l'inclassable Nicole Claveloux, qui réunit un talent de peintre et d'illustratrice ; et May Angeli, grande graveuse[4]. L'auteur-illustrateur Elzbieta transmet à travers sa sensibilité la dureté du monde. Sara[5] sait tout dire avec des papiers découpés.

Par ailleurs, Alan Mets et Claude Boujon élaborent des personnages ou des animaux provocants, sympathiques et désopilants.

L'approche est humoristique, peut-être plus proche du dessin, chez Pef, Bruno Heitz, Kochlin, Corentin, Les Chats pelés, Emmanuel Pierre, Serge Bloch, Olivier Douzou, Daniel Maja, Mireille Vautier, Alain Le Saux et ses interrogations langagières...

Arrive maintenant une nouvelle génération : Béatrice Alemagna, Éric Battut, Annie Buget, Laurent Corvaisier, Isabelle Chatellard, Kathy Couprie, Nathali Fortier, Alex Godard, Stéphane Girel, Anne Herbauts, Emmanuelle Houdard, Jacques de Loustal, Christophe Merlin, Madeleine Poli, Anne Romby, Marcelino Truong, Nathaëlle Vogel, et d'autres...

Depuis les années 1970, la France est riche d'artistes qui créent moins qu'ils ne pourraient le faire et nous n'avons

---

1. *Perdu*, Antonin Louchard, Albin Michel Jeunesse.
2. *Pat* ; *Tom peint des pommes* ; *Trouille*, Albin Michel Jeunesse.
3. *Eugenio*, Marianne Cockenpot/Lorenzo Mattotti, Le Seuil Jeunesse.
4. *Voisins de palmiers*, May Angeli, éd. Thierry Magnier.
5. *Le Loup*, Sara, éd. Thierry Magnier.

parlé ici que des plus représentatifs, tous publiés par des éditeurs français.

Des pays étrangers nous viennent aussi de beaux albums, œuvres d'illustrateurs reconnus.

Chaque album réussi bénéficie d'un format bien choisi, d'une couverture qui permet une approche plaisante, d'un papier mat ou glacé, de fonds ou d'aplats colorés, d'une mise en pages frisant la perfection : choix des caractères, découpage, lisibilité. Un livre exemplaire contient un texte littéraire, une illustration artistique et un graphisme approprié et raffiné comme l'album *Feng* de Thierry Dedieu [1].

Un excellent album pour enfants emporte au-delà du sens dans un ressenti profond et une jubilation esthétique.

Quels sont vos illustrateurs préférés ?

Parents et enfants, apprenez à distinguer les différents courants illustratifs, lisez le nom des illustrateurs et jouez à choisir vos préférés.

La fiction romanesque

Un excellent roman pour jeunes doit enthousiasmer également les adultes. Il comprend un ou plusieurs thèmes mêlés qui intéressent le lecteur, qu'il ait comme point d'ancrage le présent, le passé, le monde, ou l'onirique, le fantastique, l'enquête...

Dans 90 % des cas, le héros est un jeune qui possède une mosaïque de qualités et de défauts, une vraie personnalité avec toutes ses oppositions, qui offre au lecteur une possibilité d'identification. Mais une interprétation fine des autres personnages se révèle nécessaire.

---

1. *Feng*, Thierry Dedieu, Le Seuil.

La construction, la progression, le suspense du récit jouent un rôle important. Les situations doivent être étudiées par rapport au réel ou au monde imaginaire choisi. L'action n'est pas indispensable mais très appréciée ; enchâssée dans une écriture poétique, mêlée à un sens dramatique qui fait s'entrecroiser des destins, elle peut donner d'excellents textes (*Les Princes de l'exil*[1], *Le Clan des Otori*[2]).

Les meilleurs dialogues sont simples, directs et vivants. Le style, facile à lire, doit exclure toute facilité démagogique – certains textes pour jeunes adoptent une langue qui se rapproche du langage parlé et il peut y avoir un glissement vers la vulgarité qui n'est nullement un atout pour faire lire. En français, il y a une dichotomie entre langue parlée et langue écrite. Dans le roman, l'adolescent peut se révéler sensible au travail stylistique de l'auteur : il découvre alors les possibilités de manier différemment la langue et peut s'en inspirer.

Chaque auteur possède son style. Le roman peut être un texte d'humour, un récit ou un drame de notre époque, une évasion et un voyage à travers un continent, une épopée historique, un récit iniatique, fantastique, de science-fiction ou une énigme policière...

Aidez-les à dépasser les a priori !

Pour faire lire les adolescents, il faut chercher le type de romans qu'ils aiment. Ils peuvent se documenter dans les bibliothèques ou les librairies spécialisées. Il faut encore leur faire dépasser les impressions et les a priori que peuvent leur inspirer les couvertures, car les codes utilisés sur une couverture de livre, choisis par l'éditeur, ne constituent pas toujours des accroches valables pour les jeunes ou ne restituent pas la valeur littéraire de l'ouvrage.

---

1. *Les Princes de l'exil*, Nadèjda Garrel, Gallimard Jeunesse.
2. *Le Clan des Otori*, Lian Hearn, Gallimard.

4

La planète des livres

« L'Europe n'adviendra que si nous lisons la littérature étrangère. »

Jean Perrot

Bien que la création française augmente, de nombreux
albums et romans sont traduits de langues diverses.

De Belgique

Aujourd'hui des livres de langue française sont également édités, pour un petit nombre, en Belgique. L'artiste
belge Gabrièle Vincent, décédée en 2003, représentait des
instants subtils d'enfance dans la série *Ernest et Célestine*[1].
Croqué avec légèreté, un gros ours protecteur partage la vie
d'une souris délurée. Des albums indispensables dans lesquels complicité et tendresse s'unissent ! Gabrièle Vincent
a aussi réalisé sous le nom de Monique Martin *Un jour un
chien*, un livre qui peut donner le goût du dessin ; *L'Œuf*,
un album de mystère dans une ambiance contemporaine,

---

1. Série *Ernest et Célestine*, Gabrielle Vincent, éd. Duculot.

et *Les Marionnettes*[1], une série d'anecdotes superbement dessinées.

Carl Novac est poète et écrivain pour enfants. « Je suis un collectionneur d'instants et pour moi un album est une idée qui vient, qui danse un peu et s'en va », affirme-t-il. De beaux textes font preuve de son art. Ses deux derniers albums sont *Sentimento*[2] sur l'exclusion et *Le Géant de la grande tour*[3] sur les attentats du 11 septembre à New York, une tentative pour expliquer l'inexplicable aux enfants.

Professeur à l'académie de Boisfort à Bruxelles où il enseigne la BD, le scénario et l'illustration, Louis Joos illustre avec talent des poèmes de Verlaine et Baudelaire[4], ainsi que des albums comme *Le Voyage d'Oregon* (texte de Rascal)...

Il faut encore citer Jeanne Ashbé, Claude K. Dubois, Mario Ramos et bien d'autres...

Du Québec

Au Québec où le désir de lire apparaît plus fréquent que chez nous, l'éditeur La Courte Échelle publie en français mais vend très peu dans notre pays. Il s'est tourné principalement vers la traduction à destination des pays asiatiques et de langue espagnole.

Au contraire, les bibliothèques québécoises achètent les albums et les romans français et en font grand usage.

1. *Un jour un chien* ; *L'Œuf* ; *Les Marionnettes*, Monique Martin, éd. Duculot.
2. *Sentimento*, Carl Novac/Rebecca Dautremer, éd. Bilboquet.
3. *Le Géant de la grande tour*, Carl Novac/Ingrid Godon, éd. Sarbacane.
4. *Verlaine* ; *Baudelaire*, Louis Joos, éd. La Renaissance du livre (Belgique).

D'Allemagne et d'Italie

D'Allemagne nous viennent *Monsieur Tougris, le ramasseur de pensées*, ainsi que d'autres albums de la même série, écrits par Monika Feth et illustrés par Antoni Boratynski[1]. Nikolaus Heidelbach a illustré les *Contes* de Grimm et réalisé l'album *La Treizième Fée*[2], à sa manière surréelle et talentueuse.

Dès 1965, l'Italien Leo Lionni a été un des premiers à élaborer des albums pour les tout-petits qui, avec le temps, sont devenus des classiques, comme *Petit Jaune et Petit Bleu*[3] – lorsque Petit Bleu et Petit Jaune s'embrassent, ils deviennent verts ! –, avec des illustrations au graphisme fort faites de taches ou de collages comme dans *Un poisson est toujours un poisson* ou *La Petite Bulle rouge :* des livres qui entraînent vers une lecture poétique.

Deux Italiennes, Adela Turin et Nella Bosnia, ont créé une série d'albums féministes et sympathiques (*Bonobos à lunettes* ; *Rose Bonbon* ; *Arthur et Clémentine et un heureux malheur*) republiés par Actes Sud Junior.

L'artiste italien Bruno Munari a inventé dès les années 1960 des albums originaux. *L'Histoire des trois oiseaux* dévoile la complexité des êtres. *Qui, Quoi, Que* est un trio d'oiseaux que nous découvrons à travers volets et petits trous. Dans l'album *Dans le brouillard de Milan*, nous nous perdons dans la brume de pages de calque puis, sur des papiers de couleur, nous visitons un cirque et, à sa sortie, nous errons de nouveau dans le brouillard... Ou *Dans la nuit noire*[4], nous errons de papier noir en calque, une prome-

---

1. *Monsieur Toutgris, le ramasseur de pensées*, Monica Feth/Antoni Boratynski, Actes Sud Junior.
2. *Contes* de Grimm et *La Treizième Fée*, Le Seuil Jeunesse.
3. *Petit Jaune et Petit Bleu* ; *La Petite Bulle rouge*, Leo Lionni, École des Loisirs.
4. *L'Histoire des trois oiseaux* ; *Dans le brouillard de Milan* ; *Dans la nuit noire*, Bruno Munari, Le Seuil Jeunesse.

nade à l'échelle des insectes d'une prairie, puis entrons dans une grotte sur papier bistre où nous découvrons un trésor, des peintures rupestres et un fossile. Munari est un concepteur qui toujours surprend.

Grand illustrateur, Roberto Innocenti ne peut être oublié. Son bel album *Rose Blanche*[1] est devenu un classique.

D'Europe du Nord ou du Sud

Un artiste hollandais, Harrie Geelen[2], se remarque par ses traits épais et rugueux, ses couleurs chaudes et ensoleillés, ses cadrages qui lui viennent du cinéma animé qu'il pratique, et son humour.

La Suède, souvent en avance sur le plan pédagogique, possède également des illustratrices reconnues telles Lena Höglund, Lena Landström et son album *Les Nouveaux Hippopotames* ou Eva Erikson[3].

Deux albums inoubliables, le premier un conte fantastique, *Le Gardien de l'oubli*[4], et le second *La Rédaction*[5], qui parle de la dictature au Chili, sont illustrés par le talentueux espagnol Alfonso Ruano.

Voyage aux pays anglo-saxons

Il faut savoir que presque la moitié des titres de littérature de jeunesse sont des traductions. Un grand nombre sont anglo-saxonnes. Dans la littérature de jeunesse apparaît le

---

1. *Rose Blanche*, Roberto Innocenti, Gallimard Jeunesse.
2. *Le Livre de Yann*, Harrie Geelen, Autrement Jeunesse.
3. *Susie au magasin*, Eva Erikson, École des Loisirs.
4. *Le Gardien de l'oubli*, Joan Manuel Gisbert/Alfonso Ruano, Syros Jeunesse.
5. *La Rédaction*, Antonio Skarmeta/Alfonso Ruano, Syros Jeunesse.

lointain héritage d'une tradition anglaise où humour, invention et poétique prédominaient (voir Lewis Carroll et Tolkien).

Outre-Manche, l'humour l'emporte. Parmi les grands créateurs d'albums, l'Anglais Anthony Browne[1] sait surprendre, captiver, stimuler l'imagination et émouvoir. Les lecteurs découvrent de surprenants détails, d'étranges signes, des métamorphoses surréelles. Il faut parcourir les albums *Marcel le champion ; Marcel le magicien ; Marcel le rêveur*. Créateur à part entière, cet artiste choisit des thèmes comme la peur, la solitude, le divorce ou les rapports entre frères et sœur dans *Le Tunnel*. Construits en volets, d'une beauté surprenante, ces livres précis ou enchantés peuvent montrer des moments difficiles de l'enfance : *Tout change* ou *Mon papa*[2]. Des mots justes et graves viennent réconforter, tandis que l'image mène vers une lecture humoristique.

D'autres illustrateurs d'Angleterre ont pour point commun l'humour. Albums aux traits légers, à la drôlerie piquante : c'est Babette Cole et *Le Problème avec ma mère, mon père, ma grand-mère...* ou *Poils partout*[3], des réponses aux questions essentielles dans un style à mourir de rire...

Le couple Allan Alberg – il écrit – et Janet Alberg – elle illustre – a créé la série *Bizardos*. Des héros en forme de squelettes qui font peur et rire en même temps. De ces deux auteurs, un album humoristique, *La Famille Petitplats,* un autre tendre, *Prune, pêche, poire, prune*[4]. D'eux encore, *Le*

1. *Le Tunnel* ; *La Marâtre* ; *Histoire à quatre voix* ; *Tout change, Papa...*, Anthony Browne, Kaléidoscope.
2. *Marcel le champion* ; *Marcel le magicien* ; *Marcel le rêveur*, Anthony Browne, Kaléidoscope.
3. *Le Problème avec ma mère* ; *Le Problème avec mon père* ; *Le Problème avec ma grand-mère*, *Poils partout*, Babette Cole, Le Seuil.
4. *La Famille Petitplats* ; *Prune, pêche, poire, prune*, Allan et Janet Allberg, Gallimard Jeunesse.

Gentil Facteur, un recueil cocasse de lettres adressées à des personnages de contes de fées.

Sans oublier Tony Ross et sa drôle de *Petite Princesse qui veut son p'tipot*[1] ou l'anthologie de poésie française illustrée de sa plume.

Aux États-Unis, l'artiste Chris van Allsburgh crée des albums à l'hyperréalisme sans texte comme *Harris Burdick* qui, bien qu'en noir et blanc, est ouverture vers d'autres histoires, ou *L'Épave du Zéphir*[2], récit fabuleux d'un vieil homme qui, lorsqu'il était enfant, a voulu s'envoler avec son bateau vers un pays magique. Ses illustrations font songer au peintre Edward Hopper, vagues puissantes et eaux calmes, ciel tourmenté et voûte étoilée, moments arrêtés, poésie suggérée...

Avec des albums comme *L'Énorme Crocodile*[3] illustré par Quentin Blake et *Le Doigt magique*[4] mis en images par Henri Galeron, avec ses excellents romans pour jeunes comprenant *James et la grosse pêche* (devenu film), son best-seller *Charlie et la chocolaterie*[5] (également adapté au cinéma) et le récit plus tendre *Danny champion du monde*[6], histoire de la complicité entre un père braconnier et son fils, Roald Dahl est un des très grands auteurs de la littérature de jeunesse.

Né au pays de Galles, de parents norvégiens, en 1916, il part pour l'Afrique à 18 ans. Pilote de la Royal Air Force, il est gravement blessé pendant la Seconde Guerre mondiale. À l'âge de 50 ans, il commence à écrire pour les jeunes. Son imagination fantaisiste, son humour décapant accompagné de quelques zestes de tendresse conquièrent parents et

---

1. *La Petite Princesse qui veut son p'tit pot*, Tony Ross, Folio Cadet, Gallimard Jeunesse.
2. *Harris Burdick* ; *L'Épave du Zéphir*, Chris van Allsburgh, École des Loisirs.
3. *L'Énorme Crocodile*, Roald Dahl/Quentin Blake, Folio Benjamin Gallimard Jeunesse.
4. *Le Doigt magique*, R. Dahl/H. Galeron, Folio Cadet, Gallimard Jeunesse.
5. *James et la grosse pêche* ; *Charlie et la chocolaterie* ; *Matilda*, Roald Dahl, Folio Junior Édition Spéciale, Gallimard Jeunesse.
6. *Danny champion du monde*, Roald Dahl, Stock et Le Livre de Poche Hachette.

enfants, enseignants et élèves. Entre 1980 et 1990, onze millions d'exemplaires ont été vendus et grâce à lui de nombreux enfants sont devenus lecteurs. Il a écrit ses livres dans une petite cabane, au fond de son jardin, dans la campagne anglaise. Depuis sa mort survenue en 1990, sa seconde femme gère la fondation Roald Dahl qui se consacre aux causes soutenues par cet écrivain : l'illettrisme, la dyslexie et l'encouragement à la lecture, thème de *Matilda*, paru deux ans avant sa mort. Sa dernière publication, *Mieux vaut en rire*, est sortie, comme ses autres titres, aux éditions Gallimard.

Il existe de grands romanciers – et de grandes romancières – anglo-saxons pour la jeunesse chez qui espace et sens du romanesque l'emportent : C. Creech, K. Cusman, R. Cormier, N. Farmer, K. Karr, Gail Carson Levinery, Lois Lowry, M. Morpurgo, Jacqueline Willson et d'autres... Ne sont-ils pas le lointain reflet des romancières anglaises, Virginia Woolf, Katherine Mansfield, ou des écrivains américains comme Twain, London, Faulkner, Dos Passos, Oates ?

Envol japonais

Au Japon, l'illustration suit souvent la tradition. Il y a une continuité de l'art japonais dans le conte *La Femme oiseau*[1]. Dans ce pays, il y a peu de maisons d'éditions mais elles prennent grand soin de la réalisation de leurs albums et du respect des vœux des créateurs. Grâce aux clubs pour enfants, des échanges fructueux se réalisent entre des éditeurs français et japonais.

L'illustrateur japonais Mitsumasa Anno, très connu, choisit dans ses albums, *Loup y es-tu ?*, *Ce jour-là*, *Comment la terre*

1. *La Femme oiseau*, Yagawa Sumiko/Akaba Suekichi, éd. Circonflexe.

51

est devenue ronde, des angles originaux, des cadrages sur tout un paysage, une distance optique créative qui plonge le lecteur dans un univers particulier où éléments et animaux se perdent dans le paysage[1].

Kazuo Iwamura est le créateur de la série *La Famille souris*[2]. Puis il a inventé *Les Réflexions d'une grenouille* et *Les Nouvelles Réflexions d'une grenouille*[3], livres d'humour et de sagesse.

Yoshida Toshi, qui a dirigé une école de graphisme, a commencé à l'âge de 75 ans une carrière d'artiste avec de longs albums sur les animaux d'Afrique. L'enfant découvre l'immensité africaine et les drames qui peuvent survenir[4] entre les animaux. Le regard glisse sur le vaste décor aux couleurs de feu et cerne le détail qui émeut.

De Komagata Katsumi, deux livres rares : *L'Aventure dans la mer* est une traversée maritime à travers les petits trous de cet album spirale ; dans *Ça y est, je vais naître*[5] *!*, les pages translucides et orangées montrent le chemin dans le ventre de maman.

À l'opposé, dans certains albums japonais (ou dans des dessins animés du même pays), il est fort désagréable de rencontrer des enfants aux yeux tout ronds. Ils sont conçus pour l'exportation, les Japonais pensant que cette manière de dessiner les personnages est bénéfique pour la vente de leurs livres à l'extérieur du Japon.

---

1. *Loup y es-tu ?* ; *Ce jour-là* ; *Comment la terre est devenue ronde*, Mitsumasa Anno, École des Loisirs.
2. *Les Souris*, *La Famille souris*, Kazuo Iwamura, coll. Lutin poche, École des Loisirs.
3. *Les Réflexions d'une grenouille* ; *Les Nouvelles Réflexions d'une grenouille*, Kazuo Iwamura, Autrement Jeunesse.
4. *La Querelle*, École des Loisirs.
5. *L'Aventure dans la mer* ; *Ça y est, je vais naître !*, Komagata Karsumi, éd. Les trois Ourses.

Le tour du monde de la sensibilité

Qu'en est-il des autres pays non cités ? À cette question, on pourrait répondre que la littérature de jeunesse suit l'économie. Les albums, même si leurs sujets sont les autres continents, sont bien souvent publiés dans les pays dits riches. Dans de nombreux pays africains, américains du Sud et asiatiques, des expériences intéressantes ont lieu : réalisation d'albums, de romans, éditions à partir de travaux avec des enfants, mais peu nous arrivent... Pourtant, la petite maison d'édition béninoise Ruisseaux d'Afrique vient de créer une collection sympathique d'albums pour enfants.

Cette diversité internationale, même si elle est surtout européenne, anglo-saxonne et japonaise, nous montre cependant que la sensibilité est universelle chez les jeunes et que les excellents albums appartiennent à tous les enfants du monde.

En rencontrant des livres réalisés loin de chez eux, ceux-ci s'ouvrent à d'autres mondes... La variété des graphismes leur permet de saisir d'autres traditions plastiques. Creuset de traductions de qualité, ces créations offrent une lecture plurielle et une ouverture à d'autres cultures et d'autres modes de vie.

5

Comment donner le goût de lire ?
Les bébés lecteurs

« ... la page nous prend doucement contre son sein, elle nous berce, nous apaise, sa petite lumière est la plus douce. »

Dominique Sampiero

Tout petits, ils lisent déjà...

Bébé a 2 mois et maman lui montre l'album *Gros Doudou*[1]. Au chaud dans ses bras, il écoute les mots comme une berceuse et ouvre de grands yeux afin de distinguer les taches de couleur de ce petit livre, oreiller doux à caresser. Dans ce temps de tendresse, les premiers mois du nourrisson s'enrichissent de l'apport de ces albums réalisés pour lui comme *Didou sait tout*[2]. Entre mots et images, le tout-petit « lit » à sa manière.

À 7 ou 8 mois, le bébé marche à quatre pattes. Soudain son père s'assoit à ses côtés, ouvre *Où est Spot, mon petit chien*[3] ?, un jeu de cachettes et de retrouvailles rieuses. Déjà, dans un coin de sa chambre, il possède quelques livres,

---

1. *Gros Doudou*, Joëlle Jolivet, Albin Michel Jeunesse.
2. Série *Didou* : *Didou sait tout*, Yves Got, Albin Michel Jeunesse.
3. *Où est Spot, mon petit chien* ?, Eric Hill, Nathan.

première petite bibliothèque car bébé grandit et aime bouquiner. Il apprécie *Loup* [1], un album qui commence avec un nez, un œil, puis un autre œil, une mâchoire terrifiante... Et devient un méchant loup qui mange... une petite carotte... Un *Loup* pour jouer et avoir des bisous...

Dans la pièce, Bébé rampe et va vers ses livres, il les observe avec les yeux, les effleure avec les mains, les tourne et retourne en babillant. Dans sa bibliothèque, un des livres qu'il aime et qu'on lui montre souvent est *Tout un monde* [2], promenade en images réalisée par deux illustrateurs reconnus : Katy Couprie et Antonin Louchard. Avec maman, ou papa, le tout-petit parcourt ce bel imagier, un vrai succès déjà vendu dans onze pays. L'enfant y rencontre les différents lieux de sa vie, la maison, la rue, l'effervescence de la ville mais aussi la beauté de la nature, les animaux, les arbres, les jouets et bien d'autres choses encore... À travers cet inventaire à regarder dans n'importe quel ordre, il fréquente un véritable livre d'art, car les visages, les oiseaux, les fleurs sont représentés par des photos, des dessins, des peintures ou des gravures. Ce livre ludique lui permet de saisir certaines formes, il découvre un environnement qui parle à son imagination et lui apporte, dans la diversité, une maîtrise du réel. Jubilation de la découverte et de la reconnaissance qu'il peut partager avec ses aînés dans *Au jardin* [3], où se croisent splendidement fleurs, insectes et plantes...

Max a 1 an. Sa mère a transformé en bibliothèque un petit meuble à tiroirs où il fouillait à tous moments. Chaque soir, le même rituel s'organise. Max cherche dans son meuble et prépare une pile de livres. Ce soir, papa lit. Très souvent, Max choisit *Quatre petits coins*

1. *Loup*, Olivier Douzou, éd. du Rouergue.
2. *Tout un monde*, Katy Couprie, Antonin Louchard, éd. Thierry Magnier.
3. *Au jardin*, Katy Couprie/Antonin Louchard, éd. Thierry Magnier.

de rien du tout[1]. Il montre la ronde des Petits Ronds et ce pauvre Petit Rectangle qui ne peut entrer dans leur maison parce que la porte est ronde. Puis il serre souvent dans ses bras *T'choupi*[2], dernier livre avant de dormir. Papa lit et Max observe la ferme avec T'choupi. Après, sachant que c'est le moment, le petit garçon accepte de se coucher et s'endort bien vite.

Le tout-petit est attentif à la voix qui murmure... Il lit avec les yeux, les oreilles, la bouche, les mains. Comme Max, tous les bébés vivent le livre à travers tous leurs sens en éveil. Et les albums deviennent des jouets aux plaisirs multiples.

À d'autres moments, maman ou papa peuvent lire *Ou Li Bou niche*[3] : « La pie niche haut/L'oie niche bas/Le hibou niche ni haut ni bas/Où Le hibou niche ?/ Devant le gant ?/ Derrière la barrière ? » Une belle manière d'introduire des connaissances et d'admirer des objets en pâte à modeler aux couleurs attirantes.

Mais chut, dans la pièce ouatée de silence, Bébé apprécie l'histoire du poussin qui s'égare loin de maman poule mais revient bien vite. Il touche les pages de *Bonjour poussin*[4], il se love au plus près de sa grand-mère et répète des sons. Bébé vit là un moment unique.

Aujourd'hui, il marche. Avec ses doigts, il aime manipuler les albums à languettes. Il ne réussit pas toujours, mais alors l'adulte, tout en disant le texte, l'aide. Les livres à tirettes, à cachettes sont importants car, à cet âge, le jeune enfant vit l'absence momentanée de ses parents comme une perte. Ces albums ludiques font disparaître mais aussitôt réapparaître personnages et objets. Ainsi, dans *Cache-Cache dans*

---

1. *Quatre petits coins de rien du tout*, Jérôme Ruillier, éd. Bilboquet.
2. Série *Découvre avec T'choupi*, Thierry Courtin, Nathan.
3. *Ou Li Bou niche*, Lynda Corazza, éd. du Rouergue.
4. *Bonjour poussin*, M. Ginsburg, École des Loisirs.

la jungle[1], le bébé Jazzy est perdu... et retrouvé... Ce livre assure que l'être qui est parti continue d'exister, même hors du champ de vision, et resurgira bientôt. Il apporte la confiance et l'assurance du retour du parent aimé.

Va-t'en Grand Monstre vert[2] ! s'anime. Page après page, Grand Monstre vert apparaît, mais quel plaisir de continuer le livre et, page après page, de le voir disparaître... Un superbe album qui se manipule à tous moments, permet de vaincre la peur et surtout d'en rire...

Maniements de tirettes qui animent les livres décrivant les différents moments de la vie d'une souris avec la série *Mimi*[3] de Lucy Cousins, étapes que l'enfant a plaisir à revisiter. Livres ludiques aux jeux de répétitions infinies qui donnent envie de dire et d'engranger les mots.

Dans la bibliothèque idéale de bébé, il y a de courts récits, souvent répétitifs et drôles[4]. Deux albums, *Y'a pas que moi*[5] et *Bébés Chouettes*[6], offrent les prémices d'un langage nouveau, plus abondant et plus énigmatique que les échanges de tous les jours. Ils enrichissent l'enfant et favorisent son désir d'histoires.

Pour passer un moment heureux, lisez : *Très, très fort*[7] ! Petit Homme est aimé et fêté par toute la famille le jour de son anniversaire. Un album qui chante, danse, et où la joie se répand autour de Petit Homme. Une illustration colorée et en mouvements.

Ces albums pour les bébés sont venus des pays nordiques, ils ont été publiés en France à partir de 1985. Mais aujour-

---

1. *Cache-Cache dans la jungle*, Lucy Cousins, Albin Michel Jeunesse.
2. *Grand Monstre vert*, Ed Emberley, Kaléidoscope.
3. *Mimi va nager* ; *Mimi va dormir* ; *Mimi au jardin* ; *La Maison de Mimi*, Lucy Cousins, Albin Michel Jeunesse.
4. *Bonsoir Lune*, M.W. Browne, et *Le Beau Ver dodu*, N. Van Laan/M. Rousso, Kaléidoscope.
5. *Y'a pas que moi*, Michel Boucher, Albin Michel Jeunesse.
6. *Bébés Chouettes*, Martin Waddell/Patrick Benson, Kaléidoscope.
7. *Très, très fort !*, Trish Cooke/Helen Oxenbury, Père Castor Flammarion.

d'hui de nombreux éditeurs français éditent des collections pour les tout-petits. Crèches, bibliothèques, associations[1] favorisent ces premiers contacts avec les albums et défendent la cause des bébés lecteurs. Les tout-petits aiment les livres qu'ils apprécient comme des jeux, des moments de tendresse partagés et une découverte des mots et du monde.

Aucune crainte : même si le bébé rencontre très tôt les livres, il ne les déchirera pas. Cela ne lui viendra même pas à l'idée. Mais si, par accident ou lors de maux de dents, il mordille une couverture ou froisse une feuille, il faut lui montrer que l'album est plus beau en excellent état, le réparer, et il cessera.

Lire pour oublier les petits chagrins

Devenu familier, l'album peut aider dans les instants difficiles. Ainsi, l'excellent *Livre des bruits*[2], qui décrit les divers sons des animaux et de la vie courante, peut faire oublier un petit chagrin...

Quand vous vous promenez, allez à la bibliothèque avec votre bébé. Dans la douceur de vos bras, montrez-lui et lisez-lui des livres, il vous écoutera. Vous pourrez en emprunter ; ainsi, vous lui constituerez une petite bibliothèque qui se modifiera régulièrement.

Des albums comme les grands

Dans sa poussette, l'enfant observe. Dans les transports en commun, il capte les moindres détails. À la ville, il touche, regarde, enregistre... Au parc ou à la campagne, il

---

1. Très intéressant travail d'ACCES, Association culturelle contre les exclusions et les ségrégations, et Développement du livre pour la petite enfance, formation... 20, rue Souflot, 75005 Paris. Tél. 01 40 51 72 43.
2. *Le Livre des bruits*, Soledad/Bravi, coll. Loulou et compagnie, École des Loisirs.

inspecte brins d'herbe et fleurs épanouies... Que de découvertes, que de conquêtes au gré des promenades ou des vacances ! Et, dans les albums, il est surpris par *Beaucoup de beaux bébés*[1], s'émeut avec *Tu ne dors pas, Petit Ours*[2] ?, s'étonne en feuilletant *Ma maman*[3] ou le majestueux *Album d'Adèle*[4] du grand illustrateur Claude Ponti.

Tout ce qui peut se passer *Ailleurs au même instant*[5] : « un nuage soudain se colore, une hirondelle s'envole... », dans un petit album carré qui ouvre sur l'espace, permet à Bébé d'aborder le plus loin, le très loin... Un livre important.

Puis viennent *Rouge Thildou* ; *Bleu Linou* ; *Jaune Kajou* ; *Vert Zabou*[6], quatre albums raffinés sur les couleurs, mais aussi sur l'école, la mer, la campagne et le jardin. Des livres à posséder dans sa bibliothèque.

Et un très grand album, œuvre d'artiste, *L'Histoire courte d'une goutte*[7] de Béatrice Alemagna. Un texte sur la modeste et aventureuse vie d'une goutte d'eau. Comme un poème de Francis Ponge...

Pour se consoler d'une séparation, l'enfant appréciera *Marie est partie*[8] : une boule de chagrin la remplace, mais un jour futur ce ne sera plus qu'une cerise et puis un point, bientôt plus rien, et la joie revient... Un premier livre de sensibilité.

Très tôt, le petit apprécie les formulettes et les ritournelles. Avec parents, grands-parents, maîtresse, il joue et regarde

---

1. *Beaucoup de beaux bébés*, D. Ellward, éd. Pastel, et *Bébé Corbeau*, J.A. Rowe, éd. Nord-Sud.
2. *Tu ne dors pas, Petit Ours ?*, M. Wadell/B. Firth, École des Loisirs.
3. *Ma maman*, A. Browne, Kaléidoscope.
4. *L'Album d'Adèle*, Claude Ponti, Gallimard Jeunesse.
5. *Ailleurs au même instant*, Tom Tirabosco, éd. La Joie de Lire.
6. *Rouge Thildou* ; *Bleu Linou* ; *Jaune Kajou* ; *Vert Zabou*, Manou Ravella/Marianne Barcilon, éd. Ricochet.
7. *L'Histoire courte d'une goutte*, Béatrice Alemagna, Autrement Jeunesse.
8. *Marie est partie*, Isabelle Carrier, éd. Bilboquet.

Enfantines [1], beau livre illustré par Philippe Dumas. Berceuses et chansons se disent allégrement et se répètent, nourrissant l'enfant de rythmes qui demeureront dans sa mémoire.

Aux éditions Actes Sud Junior et dans la collection « Les Petits Bonheurs », il existe *Comptines pour saisir la balle au bond* ; *Comptines en forme d'alphabet* ; *Comptines pour compter* [2] et bien d'autres titres... Ainsi *qu'Ohé ! les comptines du monde entier !* [3], pour jouer avec la géographie et avec les langues, un plein cargo de comptines en quarante langues différentes et en français...

Puis c'est l'entrée à l'école maternelle. Il est important de sortir du cocon familial et d'aller voir comment les journées, loin de la maison, se passent. *À l'école des ours* [4], ils sont onze garçons et une fille, Jaki, la douzième, espiègle : durant une journée en classe, elle fait des bêtises mais, le soir, elle se montre responsable et console ses onze frères. Un livre pour commencer l'école et grandir. Comme *Le Train des souris* [5], un petit album tendre dans lequel la maman, inquiète de voir ses douze souriceaux partir seuls vers l'école, dévide deux pelotes de laine pour leur tracer le bon chemin...

Dans *Gaspard et Lisa s'ennuient* [6], de la série *Les Catastrophes de Gaspard et Lisa*, deux curieux petits animaux vivent des aventures comme un voyage à Venise, une visite

1. *Enfantines*, Philippe Dumas, École des Loisirs.
2. *Comptines pour saisir la balle au bond*, François David/Yves Besnier ; *Comptines en forme d'alphabet*, Thomas Scotto/Pascale Boutry ; *Comptines pour compter*, Corinne Albaut/ Michel Boucher, coll. « Les Petits Bonheurs », Actes Sud Junior.
3. *Ohé ! les comptines du monde entier !* Albena Ivanovitch-Lair/Andrée Prigent, éd. Rue du Monde.
4. *À l'école des ours*, Hiroyuki Aihara/Nami Adachi, éd. Tourbillon.
5. *Le Train des souris*, Kazuo Iwamura, voir aussi la série *La Famille souris*, École des Loisirs.
6. *Les Catastrophes de Gaspard et Lisa* : *Gaspard et Lisa s'ennuient*, Anne Gutman/Geog Hallensleben, Hachette Jeunesse.

au musée ; *Gaspard à l'hôpital* est plus grave. L'un et l'autre présentent de belles pages, comme des peintures, de Georg Hallensleben, et un texte sur la manière d'apprivoiser la vie. Du même artiste, mais aux éditions Gallimard-Giboulées, dans la collection « Drôles de petites bêtes », chaque petit animal s'accorde avec un prénom. C'est *Pat le mille-pattes* et ses extraordinaires souliers, *Léon le bourdon* ou le malicieux *Georges le rouge-gorge*. Aux petits, il est préférable de raconter l'histoire, on la lira quand l'enfant sera un peu plus grand. Mais les pages peintes, avec un humour qui réjouit adultes et enfants, en font des albums artistiques, ainsi que, du même illustrateur toujours mais écrit par l'éditeur Thierry Magnier, *Solange et l'ange* [1], l'histoire drôle et poétique d'une cochonnette qui va au musée et devient l'amie d'un ange figurant sur un tableau.

Viennent des histoires sensibles telles les *Norbert* [2] d'Antoon Krings, qui présentent un véritable enfant et ses petits ennuis. Des albums peints de superbe manière.

Qu'il fait bon retrouver ses albums aimés : livres découpés [3] pour mieux feuilleter, parler et rire..., livres caresses [4] où la voix dit et les yeux se perdent dans de belles plages de couleur [5]..., livres miroirs autour de découvertes fabuleuses [6]...

1. *Solange et l'ange*, Thierry Magnier/G. Hallensleben, Gallimard Jeunesse.
2. *Norbert s'ennuie*, Antoon Krings, École des Loisirs.
3. *Tout nu, tout vêtu*, Nathalie Lété, éd. Thierry Magnier.
4. *Mandarine, la petite souris*, Noëlle et David A. Carter, Albin Michel Jeunesse.
5. *Loulou*, G. Solotareff, École des Loisirs.
6. *Quand papa dort*, J. Ormerod, éd. Milan.

Où, quand, comment lire ?

Qui peut lire ces histoires aux enfants ? Tous les membres de la famille, tous ceux qui s'occupent des petits.

Où ? Partout, à la maison comme à l'extérieur (avec le biberon, n'oubliez jamais un livre). Dans le bain, chez le médecin, l'été au parc, en classe...

Quand ? Si le rituel du soir est indispensable, on ne lit pas seulement avant de dormir. L'album n'est pas un somnifère mais un plaisir, un appel à rire, à échanger, à vivre... À l'école, le livre se vit comme un jeu, aux moments choisis par la maîtresse.

Comment lire ? L'enfant aime qu'on raconte en bruitant, en théâtralisant... Et en montrant longuement les illustrations... Ainsi, tout seul, il reprendra les livres et les contemplera longuement...

6

2-8 ans : des albums incontournables

« La lecture pendant laquelle les mille sensations de poésie et de bien-être confus qui s'envo-
lent avec allégresse du fond de la bonne santé
viennent composer autour de la rêverie du lecteur,
un plaisir doux et doré comme du miel ».

Marcel Proust

Un déluge d'histoires

De 3 à 7-8 ans, les enfants vont naviguer parmi les nombreux genres : albums aux jeux poétiques qui distraient et
font sourire, livres d'humour, albums qui apprennent à vivre
ses émotions[1], à triompher de ses caprices[2], de ses peurs[3]
ou de ses colères[4], à découvrir et aimer l'autre, les autres[5],
albums imaginatifs[6], graphiques[7], contes[8]...

1. *Le Jardin secret de Lydia*, Sarah Stewart/David Small, Syros.
2. *Nabuléla*, Fiona Moodie, Gallimard.
3. *Jojo sans peur*, B. Heitz, éd. Circonflexe.
4. *Tibili, le petit garçon qui ne voulait pas aller à l'école*, M. Léonard/A. Prigent, Magnard.
5. *Le Message de l'Eskimo*, F. Richard/T. de Coster, Albin Michel Jeunesse.
6. *Elmer, Elmer encore et encore, Elmer et le vent*, David Mc Kee, Kaléidoscope.
7. La superbe *Petite Fille qui marchait sur les lignes*, de Christine Beigel/Alain Korvos, éd. Motus.
8. *Mabo et l'hyène*, Chloé Gabrielli/Caroline Palayer, ou *Nook sur la banquise*, Chloé Gabrielli/Cécile Gambini, « Contes des cinq continents », Nathan.

Chaque album que l'enfant rencontre contient un univers riche d'histoires.

La première fois que la chatte Minou voit la pleine lune, elle croit que c'est *Un petit bol de lait dans le ciel*[1] et a très envie de le laper... Lune ronde, bol rond, yeux ronds, une histoire aux bercements répétitifs, joliment illustrée en noir et blanc.

Plusieurs lectures s'offrent à l'enfant, lexicale et poétique par le texte, plastique et esthétique par l'illustration. Il se perd dans l'image selon sa fantaisie au gré d'une contemplation lente. Avec le plaisir d'entendre des histoires naît le désir d'en écouter d'autres et de regarder d'autres livres.

Un espace bien à lui pour ses livres

Dans sa chambre ou/et dans la salle de séjour, chaque enfant doit avoir un lieu à lui où il retrouve ses livres. Un tapis, des coussins, quelques rayonnages ou une étagère sur laquelle les albums sont rangés et souvent dérangés. Coin douillet où, selon les disponibilités, les grands lisent les livres aux petits ; mais ceux-ci peuvent aussi les prendre seuls, les feuilleter, les admirer, faire semblant de les relire...

Le rire triomphe

Préférerais-tu[2] *?* est un album cocasse de l'Anglais Burningham où l'auteur pose la question du choix entre être écrasé par un éléphant ou être avalé par un serpent. Des jeux absurdes qui, par leur invraisemblance, provoquent une petite peur et des rires en chapelet...

Il existe des histoires qui se veulent drôlerie et joie de

---

1. *Un petit bol de lait dans le ciel*, Kewin Henkes, Kaléidoscope.
2. *Préférerais-tu ?*, Burningham, Flammarion.

vivre comme *Le Cochon dans la mare*[1]. Par un été très chaud, un cochon observe oies et canards qui se baignent avec délices dans la mare. Soudain, « splash », il s'y jette aussi. Scandale chez les volatiles car on n'a jamais vu un cochon faire ça ! Lorsque le fermier rentre, tous les animaux le dénoncent. Mais le vieux Bill se déshabille et tout nu rejoint son cochon ! Alors tous les animaux le suivent. Jeux d'onomatopées et de répétitions, mais aussi plaisir de l'eau et cris de satisfaction...

Dans *Les Mots de Zaza*[2], un petit livre incontournable et drôle, Zaza, souris malicieuse, collectionne les mots : mots doux, mots de tous les jours et gros mots ! Le jour de son anniversaire, l'affreux chat attaque toute la famille impuissante, mais Zaza fait sonner la cloche des gros mots et le matou meurt foudroyé ! Alors Zaza est fêtée comme il se doit.

Porculus, un autre cochon – encore un – aime se rouler dans la boue. Mais un jour, sa fermière nettoie de fond en comble sa porcherie. Alors il fuit ce domaine trop propre. Il se réfugie au bord d'un ruisseau où un essaim d'insectes le pique. Il quitte ce lieu pour une décharge. Là, vautré dans une flaque, il se cogne contre des appareils ménagers hors d'usage et se blesse. Il s'en va et erre jusqu'à l'entrée d'une ville où l'on est en train de cimenter un trottoir. Quelle bonne boue grise et chaude ! Porculus s'y roule et s'y installe, mais très vite se retrouve prisonnier du ciment qui a durci. Foule et pompiers l'entourent. Surgit sa fermière qui le délivre, le fait monter dans son automobile et lui promet de ne plus jamais faire le ménage dans sa porcherie ! *Porculus* est un livre classique, polysémique, qui, de génération en génération, remporte toujours le même succès parce

---

1. *Le Cochon dans la mare*, M. Waddell/J. Barton, Kaléïdoscope.
2. *Les Mots de Zaza*, Jacqueline Cohen/Bernadette Després, coll. « Les belles histoires », Bayard poche.

qu'il côtoie la boue, le sale, parle de la révolte, de la fugue et du retour à la maison. L'auteur-illustrateur, Arnold Lobel, a écrit une pléiade d'histoires cocasses qui charment grands et petits comme *Une paire d'amis*, *Ranelot et Bufolet*, deux inénarrables crapauds, ou la chouette *Hulul*[1] qui, lorsqu'elle n'a plus d'eau, se fait du thé « aux larmes » !

Il y a encore *L'Art du pot*, temps d'apprentissage qui peut se vivre dans l'amusement ; *L'Art des bises*[2], tout sur le fait d'aimer ou de détester les baisers, et *L'Art de lire*, pour s'étonner, voyager, rêver... Trois albums de Jean Claverie mêlant, dans une acidité tendre, textes et images.

Dans *De la petite taupe qui voulait savoir qui lui avait fait sur la tête*[3] (qui possède même une traduction en breton), une taupe sortant de terre reçoit sur le crâne quelque chose de mou et brun. Qu'est-ce donc ? Furieuse, elle part à la recherche de l'odieux qui a fait cela ! Infernale ronde où les animaux se disculpent en montrant leurs excréments. Un conte qui, loin de toute scatologie, garde le ton qui plaît tant aux enfants. Ce petit chef-d'œuvre est de deux Allemands, Werner Holzwarth pour le texte et Wolf Erbruch, jeune illustrateur qui a réussi son entrée dans l'univers enfantin.

Avec *Crictor*, Tomi Ungerer, le grand illustrateur alsacien qui vit en Irlande, a réalisé un album drôle, car une vieille dame a comme animal tout à fait familier un serpent qui s'allonge sans cesse... Le même illustrateur dans *La Grosse Bête de Monsieur Racine*[4] a su créer un récit très tendre à

---

1. *Porculus* ; *Hulul* ; *Sept histoires de souris* ; *Oncle Eléphant* ; *Une paire d'amis*, Arnold Lobel, École des Loisirs.
2. *L'Art du pot* ; *L'Art des bises* ; *L'Art de lire*, Michèle Nickly/Jean Claverie, Albin Michel Jeunesse.
3. *De la petite taupe qui voulait savoir qui lui avait fait sur la tête*, Werner Holzwarth/Wolf Erbruch, éd. Milan.
4. *Crictor* ; *La Grosse Bête de Monsieur Racine* ; *Les Trois Brigands*, Tomi Ungerer, École des Loisirs.

partir d'un suspense. Monsieur Racine possède un poirier aux fruits rares. Mais ces poires disparaissent sans que personne sache qui les vole ! Monsieur Racine épie et surprend une bête énorme et sombre. Avec courage, il s'approche, touche sa peau... C'est une couverture qu'il tire et... deux enfants apparaissent. Monsieur Racine, content de cette découverte, leur offre deux poires... Un conte d'espièglerie et de gourmandise qui rapproche les êtres. D'Ungerer encore le classique : *Les Trois Brigands*.

Un autre album, *L'Ogre, le Loup, la Petite Fille et le Gâteau*[1], de l'illustrateur Corentin, représente un vrai et cocasse casse-tête. Un ogre horrible habite dans un château au bord d'un fleuve. Sur la rive opposée, il va découvrir une petite fille, un gâteau et un loup. Dans son petit bateau, il ne peut emmener qu'un seul passager. Comment faire ? Il prend la petite fille afin que le loup ne la mange pas ! Il repart, emmène le loup qui immédiatement menace de manger la petite fille ! Alors l'ogre le reprend dans son embarcation. Au retour, il charge le gâteau. C'est la petite fille qui va dévorer cette délicieuse gourmandise ! L'ogre ne peut laisser le gâteau à côté de la petite fille, il le reprend. Problème insoluble, jusqu'au moment où des crocodiles renversent l'embarcation... Faite de grandes pages et de demi-pages qui rythment les allées et venues, une fantaisie drôle et savoureuse à déguster dès 3 ans.

Albums de sensibilité

Après, ou en même temps que les histoires drôles, voici des albums à lire qui font le lien avec les désirs, les difficultés rencontrées, les solutions à envisager, les tendresses à par-

---

1. *L'Ogre, le Loup, la Petite Fille et le Gâteau*, Corentin, École des Loisirs.

tager. Des livres d'émotion, objets transitionnels, qui apportent des réponses plus ou moins secrètes...

> Sophia aime lorsque son papa vient la chercher chez sa nounou. Dès leur retour à la maison, une habitude a été prise. Papa s'assoit sur le divan, Sophia court choisir un album et papa lit. Aujourd'hui, la petite fille a apporté *Le Petit Être*[1]. Papa lit l'histoire de ce petit être qui offre tous ses trésors pour avoir un ami. Dans cette bulle, Sophia écoute attentivement et admire les somptueuses peintures qui illustre l'album. Puis elle déclare : « Moi, j'ai beaucoup d'amis, plein d'amis, ce sont mes livres ! »

Ouanji[2] le petit panda est seul, seul, et ne sait que jouer de la flûte. Il s'ennuie et rêve de voler. Quand il essaie, il tombe. Un jour, un vieux héron l'emmène sur ses ailes et, grâce à ce grand voyage, il découvrira une semblable... Sur papier sépia, les illustrations d'Adrien Chapuis ont le charme des dessins et des tableaux anciens...

Violette et le secret des marionnettes[3] raconte l'histoire d'une petite fille qui raffole des marionnettes. La nuit, elle se laisse volontairement enfermer dans le parc pour les rejoindre. Les poupées la questionnent, elle les console en leur racontant des histoires... En vacances, Violette retrouve ses amies qu'elle serre dans ses bras. Sa mère s'étonne. Mais Violette garde son secret. Finesse de ton et complicité : Geneviève Brisac nous emmène et Nadja nous peint l'enfance, sa beauté, son mystère.

Rouge Cerise[4] est un chant à la beauté de la terre, une plainte pour la disparition de ces instants naturels qui offrent le bonheur. L'espoir mêlé au doute ! « Oh ! Pourvu que

---

1. *Le Petit Être*, Jeanne Benameur/Nathalie Novi, éd. Thierry Magnier.
2. *Ouanji*, Adrien Chapuis, éd. Lo Païs d'enfance, éd. Du Rocher.
3. *Violette et le secret des marionnettes*, Geneviève Brisac/Nadja, École des Loisirs.
4. *Rouge Cerise*, François David/José Saraiva, éd. Sarbacane.

jamais ne disparaissent les couchers de soleil rouge cerise. »
Un chef-d'œuvre délicat.

Lili Plume[1] est la gardienne des objets perdus : une taille
de guêpe, des centaines de voix, de nombreux chagrins, les
têtes de ceux qui ont égaré la leur... Mais Lili Plume aime
aller au bord de la mer rire et pleurer... La Canadienne Natali
Fortier illustre son album d'une collection d'objets attirants
et d'une envolée de Lili, toujours énergique, toujours secou-
rable, toujours en mouvement...

Un autre album, *Le Bouquet de roses*[2], parle de remerciements, d'émotions et de souvenirs. Un acteur en visite au
Japon reçoit d'une vieille dame un kimono de soie. Pour la
remercier, il lui fait parvenir un bouquet de roses qu'elle
garde et dont elle broie les pétales fanés puis les déguste.
Des images pastel, où tous les roses sont déclinés, montrent
la délicatesse des sentiments et des échanges.

Multipliez les rituels !

Instituez de nouveaux rituels : histoire lue dans un
moment de liberté, avant la sieste, avant le repas, pendant
ou après le bain, ou profitez du hasard d'un temps libre...
Mais laissez l'enfant choisir son album... Ainsi se développe
le goût des livres.

Je t'aime ! Tu m'aimes ! En toute égalité !

Dans *Pou-Poule*[3] de Loufane, Lola est triste. L'élu de son
cœur est venu et reparti. Et tout le poulailler se moque d'elle.
Alors elle s'en va à travers les bois et, un jour, aperçoit cet
animal si différent qu'elle aime tant... De longs cadrages

---

1. *Lili Plume*, Natali Fortier, Albin Michel Jeunesse.
2. *Le Bouquet de roses*, Claude Helf/Nathalie Novi, Desclée de Brouwer.
3. *Pou-Poule*, Loufane, Kaléidoscope.

chatoyants, des paysages flamboyants comme leur étrange amour partagé...

L'artiste Elzbieta assure que « l'enfant et l'artiste habitent le même pays. C'est une contrée sans frontière. Un lieu de transformations et de métamorphoses ». Elzbieta travaille beaucoup ses textes sur le mode littéraire ou musical. Elle aborde des sujets poignants comme l'amour et la jalousie dans *Un amour de Colombine* ou dans *Le Mariage de Mirliton*[1]. Toutes les difficultés rencontrées quand on aime, mensonges, rumeurs, malveillance, s'y entremêlent. L'album *Petit-Frère et Petite-Sœur*[2] – avec un oiseau – dit, lui, la complicité réconfortante et les jeux...

Ne m'appelez plus jamais mon petit lapin de Grégoire Solotareff[3] est une belle histoire où s'expriment les coquetteries, les moqueries, mais aussi la gravité d'être amoureux. Le héros a grandi et déteste être appelé « mon petit lapin » par celle qu'il admire. Un album où tendresse et impertinence féminine apparaissent. La vie des filles et des garçons telle qu'elle est dans la cour de récréation, avec attirances, rejets, sornettes et désir d'aimer et d'être aimé à égalité...

Au sein de la famille

Le foyer familial peut se composer d'un ou de deux parents ou être une famille recomposée. *Le Papa qui avait dix enfants*[4] voit sa vie comme une table de multiplication : dix bouches à nourrir et deux cents ongles à couper ! Épuisé, ce papa quitte sa progéniture mais bien vite s'ennuie

---

1. *Un amour de Colombine* ; *Le Mariage de Mirliton*, Elzbieta, éd. Pastel.
2. *Petit-Frère et Petite-Sœur*, Elzbieta, Albin Michel Jeunesse.
3. *Ne m'appelez plus jamais mon petit lapin*, Grégoire Soltareff, album et coll. Lutin poche, École des Loisirs.
4. *Le Papa qui avait dix enfants*, B. Guettier, Casterman.

de ses dix gamins. Un livre qui défend les pères célibataires responsables de leur descendance comme le fait aussi *Papa se met en quatre*[1] : un jour, maman est absente et papa garde ses sept enfants tout en récurant la cuisine de fond en comble. L'humour se mêle à la vie quotidienne...

Quand deux artistes se rencontrent, ils créent *Les Enfants de la lune et du soleil*[2]. Un jeu d'images d'Henri Galeron et un texte émouvant de François David. Beau livre sur le métissage ou comment avoir la peau blanche, noire ou ambrée, et être un enfant « doré, adoré »...

La littérature pour enfants aborde aussi d'autres problèmes familiaux dans des sociétés différentes. Un saut vers le pôle est proposé avec l'album *Igloo*[3] d'Alain Mets. Un jeune Esquimau a enfin la joie de partir à la chasse avec son père vers le Grand Nord. Mais la tempête se lève, un bison attaque et blesse gravement le père qui peut mourir de ces blessures. Le fils le sauve et le soigne. Il guérit. De superbes illustrations qui mènent le lecteur vers un pays de neige et de glace. Un voyage iniatique qui apprend à grandir.

Dans le bel album *Solinké du grand fleuve*[4], Solinké et son père vivent seuls sur une île. Le soir, le petit garçon regarde une étoile dans le ciel et pense à sa mère morte. Un jour, son père part à la pêche et ne revient pas. Désormais, à la nuit, Solinké voit deux étoiles qui brillent côte à côte, alors un immense chagrin l'envahit. Mais chaque jour, à ses côtés, comme pour le distraire, un immense oiseau dépose une plume d'une couleur différente. Solinké chasse la peur, assemble les plumes et, un après-midi, l'oiseau l'emporte vers la terre, vers les autres hommes qui l'accueillent. Des illustrations de François Roca aux cadra-

1. *Papa se met en quatre*, Hélène Riff, Albin Michel Jeunesse.
2. *Les Enfants de la lune et du soleil*, François David/Henri Galeron, éd. Motus.
3. *Igloo*, Alain Mets, École des Loisirs.
4. *Solinké du grand Fleuve*, A. Jolaz/F. Roca, Albin Michel Jeunesse.

73

ges cinématographiques, d'immenses plans nocturnes bleu-violet, un ciel aux marbrures orangées ou des gros plans sur Solinké, petit bonhomme attendrissant. Un album plein de mystère...

Difficultés d'aujourd'hui...

Dans certaines familles, des problèmes peuvent surgir : pauvreté, chômage, maladie, vie loin du pays d'origine. Le divorce ou la séparation des parents (un enfant sur trois vit avec sa mère ou son père) sont des moments difficiles pour l'enfant. Le couple monoparental et/ou le retour tardif de mères harassées par le travail et les longs transports, l'absence du père pour des raisons professionnelles (de plus en plus de couples unis vivent séparés par obligation), l'éloignement des grands-parents menacent parfois l'équilibre de l'enfant.

Camille a 6 ans et sa grande sœur lui lit *L'Heure des parents* [1] écrit par Christian Bruel et illustré par Nicole Claveloux. Elle rit et est attentive à chaque père, chaque mère... Papa-robot lui plaît... Tiens, juste une maman, comme chez son ami Ariel qui ne connaît pas son père... « Drôles de parents, chacun y trouve les siens. Quand j'étais petite, je voulais que maman soit fée et papa magicien, ils sont tous deux informaticiens », lit la grande sœur. « Relis », lui dit Camille, cherchant à mieux comprendre cet album qui va devenir son livre de chevet...

Christian Bruel, auteur et éditeur de *L'Heure des parents*, a vu juste. Chaque enfant veut vérifier que ses parents sont bien les siens. En son for intérieur, il joue à s'en inventer d'autres, au gré d'un désir inconscient. Mais aujourd'hui, un enfant peut être élevé par une mère célibataire, par deux

---

1. *L'Heure des parents*, Christian Bruel/Nicole Claveloux, coll. Alter ego, éd. Être.

mères, par deux pères. Vaste sujet qui fait débat dans notre société. L'éditeur donne ici à l'enfant la possibilité d'un choix imaginaire qui respecte toutes les familles. Album d'ouverture, joyeuse ronde illustrée avec humour par la talentueuse Nicole Claveloux. Christian Bruel confie : « Pouvoir, entre texte et images, roder ses manières d'être au monde et côtoyer toutes sortes de personnages complexes, denses, fussent-ils réduits à l'essentiel, me semble une chance fragile qu'il nous faut partager d'urgence avec le plus grand nombre d'enfants. »

L'auteur-illustrateur Pili Mandelbaum sait exprimer les mêmes subtilités. *La Petite Fille à la valise*[1] est mécontente de devoir aller de la maison de sa mère à celle de son père, divorcés : un beau livre sur une enfant qui vit mal la séparation de ses parents.

Le grand illustrateur Anthony Browne parle de la société et de ses enfermements, mais aussi de l'amitié. *Une histoire à quatre voix*[2] est un album original par sa forme : quatre voix en quatre chapitres. La première est celle d'une mère morose qui se promène avec son fils Charles et son chien. La seconde, celle d'un père sans travail qui marche avec sa fille. La troisième, celle de Charles qui rencontre une fille et joue avec elle. La quatrième, celle de Réglisse, la fille, qui devient l'amie de Charles. Les chiens se recherchent. Les enfants se rencontrent et sympathisent, les adultes n'échangent même pas un regard. Les illustrations et la typographie de cet album sont en relation avec ce que ressentent les personnages. Pour la mère silencieuse, de simples traces de pas ; pour le père, chômeur chaleureux, la fantaisie inventive de la rue. Pour les enfants, la beauté du monde et une fleur offerte, une fleur appréciée...

---

1. *La Petite Fille à la valise*, Pili Mandelbraun, éd. Pastel.
2. *Une histoire à quatre voix*, Anthony Browne, Kaléidoscope.

Bientôt, il entrera dans notre foyer...

Dans une partie du monde des enfants meurent de faim, dans l'autre des parents souhaitent adopter un ou plusieurs enfants. Mais ce n'est ni simple ni facile et cela demande souvent temps et patience...

En attendant Timoun[1] est un album aux illustrations délicates, construit sur le mystère de l'attente. De page en page, on apprend qu'il viendra, mais? On sait qu'on l'aimera, mais? Arrivera-t-il vite, mais? De longues journées d'attente, le regard tourné vers la mer... Enfin au loin, une embarcation... Il approche... Il est là, l'enfant adopté, bientôt adoré... *Timoun* en malgache veut dire adopté. Un texte comme une complainte au rythme doux et répétitif. Une réussite d'une extrême finesse.

L'auteur, Rose Lewis, dans *Mon bébé du bout du monde*[2], s'adresse à sa petite fille adoptive pour lui dire la magie de leur première rencontre et le bonheur partagé de vivre ensemble, sans oublier la maman chinoise qui n'a pu la garder. Un album d'émotions et de tendresse avec de prenantes aquarelles de Jane Dyer.

L'illustratrice Sophie est née en Corée et a été adoptée par des parents belges. Adulte, elle a refait le voyage vers ce pays et découvert que son prénom était Passion. À la suite de ces retrouvailles, son compagnon et écrivain Rascal a créé un beau texte qu'elle a illustré. *Moun*[3] est cet album qu'elle a dessiné sur des feuilles de papier de riz. L'aquarelle et l'encre lui ont permis d'accompagner le récit d'une enfant déposée dans un panier, là-bas, de l'autre côté de la mer, et recueillie, ici, par une famille aimante. Pourtant chaque soir,

1. *En attendant Timoun*, Geneviève Casterman, éd. Pastel.
2. *Mon bébé du bout du monde*, Rose Lewis/Jane Dyer, Syros Jeunesse.
3. *Moun*, Sophie/Rascal, éd. Pastel.

l'héroïne va sur la jetée voir le soleil se coucher et adresse des pensées à ceux qui sont loin, très loin...

J'ai peur, j'ai trop peur !

Arthur refuse d'aller se coucher et murmure en pleurant : « J'ai peur dans ma chambre, je ne veux pas être tout seul. Très vite maman revient avec un album au titre évocateur, *Du bruit sous le lit*[1], qu'elle lit à son fils. Dans l'histoire, un petit garçon couché entend les paroles menaçantes d'un monstre et, sous le lit, il aperçoit des yeux et des dents... Le monstre menace et le garçon timidement répond. Mais son père entre et crie : « C'est pas fini ce boucan ! Le seul monstre ici, c'est toi, mon fils... Dors maintenant. » Médusé par l'audace de la phrase paternelle, le héros s'endort. Le livre est fini. Alors Arthur consent à dormir. Les jours suivants, il réclame *Du bruit sous le lit*, puis dit bonsoir et, la porte demeurant ouverte, s'endort sans problème.

Françoise Dolto disait que « l'enfant est un sujet de larmes, de colères, d'émois ; sa vie est faite d'étapes ». Les albums sont des bains de complicité où il peut trouver l'audace de vaincre ses peurs, de maîtriser un chagrin furtif, d'en finir avec une désobéissance passagère. Avec *Du bruit sous le lit*, nous voyons comment l'enfant peu hardi triomphe de ses frayeurs.

Presque chaque événement vécu peut être abordé par le biais d'un album. Chez le jeune enfant, des besoins non satisfaits, une séparation trop brutale ou trop longue, des difficultés vécues au sein de la famille (maladie, accident, mort d'un être cher, guerre, exil...) risquent d'entraîner des images angoissantes, développant des appréhensions comme celles dues à l'obscurité, aux ombres que l'on ima-

1. *Du bruit sous le lit*, Jean-Marc Mathis, éd. Thierry Magnier.

gine terrifiantes, aux lieux où pourraient se cacher des animaux cruels.

Aux petits, on peut lire *Loup noir*[1]. Un garçon avance dans la forêt, il ne voit pas qui le suit, à pas de loup. L'animal se jette sur lui... Mais un arbre chute... Sans texte, ce théâtre en noir et blanc nous fait glisser de la peur au soulagement. Ainsi, le lecteur comprend mieux ses peurs et se sent capable de les dominer. Un récit comme le classique *Il y a un cauchemar dans mon placard*[2] permet aussi d'éloigner les craintes du soir.

Après un livre sur les peurs, il est bon de changer de registre et d'admirer les pages de *Couleur couleurs* ou de *Ponctuation*[3] qui ressemblent à des peintures ou raconter un livre joyeux et différent comme *Le clown rit*[4].

Grandir, c'est maîtriser les peurs – qui sont normales –, les effrois (état qui survient quand on tombe dans une situation dangereuse), les angoisses (état caractérisé par l'attente d'un danger, même si celui-ci est inconnu), les cauchemars et toutes les peurs symboliques. Il existe des livres qui expriment le jeu de désir et de répulsion autour des loups[5], des sorcières[6], des brigands[7], des fantômes[8], des ogres géants[9], des monstres[10], des pirates[11]...

1. *Loup noir*, Antoine Guillopé, Les albums Duculot, Casterman.
2. *Il y a un cauchemar dans mon placard*, M. Mayer, Folio Benjamin, Gallimard.
3. *Couleur couleurs* et *Ponctuation*, Kveta Pacovska, Le Seuil Jeunesse.
4. *Le clown rit*, Jacques Duquennoy, Albin Michel Jeunesse.
5. *Loup*, Olivier Douzou, éd. du Rouergue.
6. *Victor et la sorcière*, O. Lacaye, coll. Lutin poche, École des Loisirs.
7. *Les Trois Brigands*, Ungerer, École des loisirs.
8. *Opération fantôme* et *Les Fantômes à la cave*, Jacques Duquennoy, Albin Michel Jeunesse.
9. *Chhht !*, Sally Grindley/Peter Utton, éd. Pastel.
10. *Monstres*, B. Fontanel, éd. Mango.
11. *Demain je serai pirate*, Antonin Louchard, Albin Michel Jeunesse.

Frissons et fous rires

Lisez un ou deux albums sur des héros apeurés, ils aideront les enfants à perdre leurs appréhensions. Mais juste avant de s'endormir, pourquoi ne pas choisir ensemble un album drôle ?

Par ailleurs, les séparations ne doivent jamais être cachées mais dites, répétées, expliquées, elles seront vécues plus simplement par enfants et adultes.

Peurs réelles

Dans la vie courante, il existe des dangers qui développent des craintes : tomber, se cogner, se heurter à quelqu'un dans la rue, comme l'appréhende *Marcel la Mauviette*[1]... Mais quand un singe malingre se cogne contre Pif la Terreur, le plus redoutable singe du quartier, celui-ci, soudain effrayé, s'excuse et Marcel triomphe. Un album cocasse pour aborder les premières sorties.

L'enfant éprouve aussi la crainte des examens médicaux, de la maladie, l'anxiété à propos de l'hôpital, l'appréhension de maux qui le mettent à l'écart comme dans l'album de Pili Mandelbaum *Les Mains de Jonas*, où il est question de l'eczéma qui empoisonne la vie d'un garçon. Avec *Un jour n'est pas l'autre*, cet auteur-illustrateur sait parler d'un enfant gravement malade (le mot leucémie n'est pas écrit)[2] dans un texte d'une extrême pudeur.

Jean-Loup[3] est un bel album dans lequel l'auteur-illustrateur Solotareff transforme en conte une angoissante rencontre

---

1. *Marcel la Mauviette*, Anthony Browne, Kaléidoscope.
2. *Les Mains de Jonas* ; *Un jour n'est pas l'autre*, Pili Mandelbaum, éd. Pastel.
3. *Jean-Loup*, Solotareff, École des Loisirs.

pour lui donner un dénouement comico-théâtral. Un livre pour vaincre la peur.

N'ayez pas peur des sujets sensibles

Vous pouvez lire sans crainte aux enfants ces albums aux sujets parfois sensibles. Ces histoires vous aideront à aborder des sujets difficiles ; ils permettront de mieux parler de l'autonomie et des conseils de prudence...

La crainte de la mort

À travers les sens, le jeune perçoit des sensations. Jeux manuels, plaisir de la caresse, toucher qui peut être marqué par des souvenirs, goûts et dégoûts. Des peurs peuvent être liées aux sens.

Elsa refuse de toucher la terre qu'elle juge « dégoûtante ». À l'école maternelle, elle s'obstine à ne pas vouloir participer à l'activité jardinage. La maîtresse en parle à sa mère qui évoque la mort récente d'une tante. Elsa a été à l'enterrement et a voulu faire tomber de la terre sur le cercueil. Ce jour-là, Elsa n'a-t-elle pas ressenti précocement une association insupportable entre terre et mort ?

Avant l'événement fatal, on peut répondre à l'étonnement de l'enfant devant la vieillesse par le livre-jeu *Ni oui, ni non*[1], de Michèle Daufresne. C'est un tissage entre mots simples, mots graves et tableaux délicats... « Et toi, aimerais-tu être moins vieille ? – Oh oui ! – Tu vas bientôt mourir, Mamie ? – Bientôt peut-être... – Oh non ! »

Mais il y a désespérance d'être séparé d'un être aimé

---

1. *Ni oui, ni non*, Michèle Daufresne, éd. Bilboquet.

enlevé par la mort. Dans le texte-poème de Pierre Coran, *Manon Cœur de citron*[1], une petite fille invente comment parler « là-haut, très haut » à papy. Les illustrations de Zaü cernent le texte et les émotions surgissent. Une superbe façon de parler de la mort.

Comme dans l'album devenu classique *Au revoir Blaireau*[2], dans *Jojo la mache*[3], il y a répétitions, séparations, effacements. Jojo disparaît petit à petit vers le ciel. Une idée triste dite avec humour.

À partir de 10 ans, on peut lire *Mère absente, fille tourmente*[4], illustré par Georges Lemoine. Quant à la belle histoire de Papouli qui a recueilli l'orphelin Federico[5] avec lequel il plante des arbres afin de construire et d'éloigner le chagrin, elle est à lire à tous les âges. Cette lecture permet de mieux comprendre qu'il est possible de survivre à certaines souffrances.

Se sentir coupable

C'est vers 3-4 ans qu'apparaissent les premiers émois dus à la culpabilité. Si l'enfant fait une bêtise, il se gronde ou gronde sa poupée.

Dans la rue, le grand frère de Tom a refusé de donner la main à sa mère et a couru trop loin. Sa maman lui donne une fessée. Dans sa poussette, Tom éclate en sanglots. Il s'est senti atteint par la faute et la punition de son frère, il s'en sent coupable et pleure longtemps.

---

1. *Manon Cœur de citron*, Pierre Coran/Zaü, Père Castor Flammarion.
2. *Au revoir Blaireau*, S. Varley, Gallimard Jeunesse.
3. *Jojo la mache*, Olivier Douzou, éd. du Rouergue.
4. *Mère absente, fille tourmente*, Rolande Causse/Georges Lemoine, Gallimard Jeunesse.
5. *Papouli et Federico*, *Le Grand Arbre*, G. Vincent, Casterman.

La culpabilité est un sentiment lourd à porter. Elle engendre la faute. Dans les cas graves, elle mêle responsabilité et remords. Le temps ne permet pas de revenir en arrière : l'angoisse alors s'aggrave du sentiment de l'irréparable.

Dans le magnifique album de l'Américain Maurice Sendak *Quand papa était loin* [1], Ida a promis à son père de bien garder son tout jeune frère. Un moment d'inattention, et les démons volent le bébé. Elle part à sa recherche, traverse des lieux qui l'effraient et culpabilise par rapport à la promesse faite. Enfin, juste avant le retour paternel, elle retrouve et ramène son petit frère. Un album sur la peur, la culpabilité, les zones d'ombre, dont les illustrations romantiques rappellent la peinture.

Peurs de papier, peurs maîtrisées

Du nourrisson à l'adolescent, tout un cortège d'appréhensions, peurs réelles ou symboliques, chagrins et culpabilité, peuvent surgir. Mais les héros de papier, qui vivent des moments difficiles [2], atténuent les frayeurs car ils en donnent des représentations tangibles et maîtrisables.

Le bestiaire

Un bestiaire fabuleux permet aux peurs enfantines de trouver des exutoires. Il existe dans la réalité des bêtes qui menacent de tuer pour manger : le loup, l'ours. Bien que, dans la plupart des livres, ceux-ci ne soient pas méchants, le petit enfant frémit toujours entre désir et peur d'être dévoré.

Le loup peut être aussi le plus aimable des loups ! Ainsi,

---

1. *Quand papa était loin*, Maurice Sendak, École des Loisirs.
2. *Le Tournemire* ; *La Tempête*, Claude Ponti, École des Loisirs.

Le Loup sentimental[1] quitte ses parents avec la liste de tous ceux qu'il doit manger : chèvre et chevreaux, Chaperon rouge, trois petits cochons, Pierre, Poucet et ses frères. Il les rencontre mais se laisse attendrir. Si bien que c'est affamé que ce loup trop sentimental pénètre chez l'ogre et le dévore. Alors, rassasié et généreux, il libère tous les petits enfants prisonniers du méchant ogre. Du même auteur : *Le loup est revenu*. Tous les animaux ont peur du loup et se réunissent. Dès qu'il entre, tous l'attaquent. Mais le loup ne souhaite que partager leur savoureux dîner !

Maxime Loupiot[2], lui, a comme vocation d'être fleuriste. Son père, loup chasseur-dévoreur, invente tous les stratagèmes pour l'empêcher de travailler parmi les fleurs. Mais il échoue. Une histoire de loup pour mieux écouter son enfant...

Le loup est attirant pour les enfants car il est à la fois celui qui menace[3] et celui que l'on peut vaincre à son aise, grâce aux mots et aux images[4].

Pour les plus grands, à lire *Dix-neuf fables du méchant loup*[5].

Bien souvent en peluche, l'ours, ce « doudou » de toutes les douceurs, peut paraître calme et chaleureux (voir la série *Ernest et Célestine* p. 45). Cependant, il peut aussi être un danger et l'enfant doit en triompher. Dans *Où est mon nounours*[6], un petit garçon a laissé tomber son ours fétiche dans les bois. Il part à sa recherche et se trouve nez à nez avec un ours énorme et bien vivant. Stupéfaction ! Cet animal géant serre entre ses grosses pattes le minuscule ours en

1. *Le Loup sentimental* et *Le loup est revenu*, G. de Pennart, Kaléidoscope.
2. *Maxime Loupiot*, Marie-Odile Judes/Martine Bourre, Père Castor/Flammarion.
3. Pour grands : *L'Homme aux loups*, A. Jonas/G. Giandetti, Le Seuil Jeunesse.
4. *Le Déjeuner des loups*, G. de Pennart, Kaléidoscope ou coll. Lutin poche, École des Loisirs.
5. *Dix-neuf fables du méchant loup*, Jean Muzi/Gérard Franquin, Castor Poche Flammarion.
6. *Où est mon nounours*, Jez Alborough, Kaléidoscope.

peluche du garçon ! Désespoir et peur réelle. Que faire ? Mais tout finit bien : chacun retrouve son « nounours »... Un excellent équilibre entre texte court et grandes illustrations qui étonnent, un jeu entre nanisme et gigantisme dans cet album de Jez Alborough. Le lecteur passe par toute une gamme de sentiments, humour compris, et découvre qu'être différent, c'est parfois être semblable.

Mythologie enfantine

Le dragon est un animal ailé, griffu, avec une queue de serpent. Cette créature, terrestre ou aquatique, vit la plupart du temps dans une grotte surplombant une cité. De là, elle crache des flammes et menace les habitants. Malgré sa cruauté, le dragon peut se révéler gourmand, généreux, et serviable. Comme dans *Tyranno le terrible*[1] de Hans Wilhem, artiste allemand vivant aux États-Unis : Tyranno essaie de martyriser Igor, un enfant dinosaure, mais celui-ci réussit à le dompter en lui offrant une glace géante, un vrai délice ! Un autre très aimable dragonnet est celui de l'illustratrice Sophie dans l'album *Rouge Sorcière*[2] qui transporte la sorcière vers son congrès...

Le géant et l'ogre, qui peuvent apparaître comme des adultes par rapport à l'enfant, sont fréquemment sujets d'albums. Ainsi, dans *Le Géant de la forêt*[3], aux illustrations fauves de Ruth Browne, parmi des géants effrayants, grouille tout un peuple d'animaux minuscules.

Dans l'album *Le Géant de Zéralda*[4] de Tomi Ungerer, le monstre est un dévoreur d'enfants. D'une lointaine cam-

---

1. *Tyranno le terrible*, Hans Wilhem, Kaléidoscope.
2. *Rouge Sorcière*, Sophie, éd. Pastel.
3. *Le Géant de la forêt*, Ruth Browne, Gallimard Jeunesse.
4. *Le Géant de Zéralda*, Tomi Ungerer, École des Loisirs.

pagne, la courageuse Zéralda part à la ville vendre ses produits. Cet ogre énorme la guette derrière un rocher. Un faux pas, il tombe et s'écrase sur la route. Apitoyée, Zéralda le soigne. Comme il marmonne sa faim d'enfants, elle lui cuisine la moitié de ses provisions. Il se régale et l'invite au château. Son père les rejoint. Tous les géants et ogres de la région apprécient les festins de Zéralda. Et, un jour, elle épousera « son géant ». Un livre sur la dévoration mais aussi sur le plaisir d'être gourmet. On jubile de voir cette petite fille dompter et régaler ogres et géants.

Dans *La Comédie des ogres*[1], Fred Bernard a choisi une forme rarement utilisée : le théâtre. Une pièce en trois actes : I. L'ogrillon reçoit en cadeau un petit garçon nommé Paul. II. Avec lui, il se sauve vers la mer et les humains. III. Capturé, le jeune ogre est délivré par Paul. Un album original sur la différence, la solidarité, l'amitié, illustré avec talent par François Roca.

Dans *La Petite Géante*[2] de Philippe Dumas, les illustrations fines et émouvantes représentent une poupée qui se sent petite, petite dans le monde de sa « géante » qui n'est autre que l'enfant.

Lutins, farfadets, trolls et gnomes, peuplades de l'infiniment petit, sont les héros de nombreux contes celtiques et gaéliques, mais aussi de l'album *L'Imagier farfelu de Lulu le lutin*[3] traité avec drôlerie et subtilité graphique par Emmanuelle Houdart.

Livres drôles, *Les Gnomes* et *Le Livre secret des Gnomes*[4] montrent la vie quotidienne, les habitations, les vêtements, les mœurs de ces minuscules créatures pas toujours bienveillantes.

---

1. *La Comédie des ogres*, Fred Bernard/François Roca, Albin Michel Jeunesse.
2. *La Petite Géante*, Philippe Dumas, École des Loisirs.
3. *L'Imagier farfelu de Lulu le lutin*, Emmanuelle Houdart, La Martinière Jeunesse.
4. *Les Gnomes* et *Le Secret des Gnomes*, R. Poorvielt/W. Huygen, Albin Michel.

Les fantômes sont ces êtres invisibles qui souvent font entendre leurs chaînes dans les châteaux d'Écosse. L'auteur-illustrateur Jacques Duquennoy a créé une série d'albums, véritable théâtre de charmants fantômes, tout blancs sur fond noir. D'*Opération fantôme* au *Dîner fantôme*[1], ces héros sont comme les enfants, peureux, hésitants, timides, malades ou satisfaits lorsqu'ils prennent la couleur des mets qu'ils dégustent...

Les squelettes deviennent des jeux de manipulation avec l'album animé *La Maison hantée*[2], royaume des fantaisies les plus étonnantes et les plus effrayantes comme un squelette caché dans une armoire. Un livre de surprises qui captive...

Véritable classique, *Bizardos*[3] est l'histoire de deux squelettes blagueurs qui se promènent la nuit avec leur chien-squelette. Mais patatras ! Les os du chien s'emmêlent. Comment le remonter ? Une représentation réussie qui peut répondre à de secrètes interrogations. Un succès assuré auprès des enfants.

Pour les jeunes lecteurs, les pirates sont des coquins borgnes, boiteux, buveurs. Ils vont sur les océans, à la recherche de la meilleure farce[4], de la plus prestigieuse aventure[5] et du trésor le plus fabuleux, comme dans l'histoire sympathique *Mélanie et les pirates*[6]...

Sorciers, sorcières lisent leur grimoire et, dans un chaudron, préparent d'horribles potions. Ils réussissent à transformer un prince en grenouille[7], une princesse en esprit, un magicien en petit pois et un garçon en diamant...

1. *Opération fantôme*, *Dîner fantôme*, Jacques Duquennoy, Albin Michel Jeunesse.
2. *La Maison hantée*, Jan Pienkowski, Nathan.
3. *Bizardos*, Allan et Janet Ahlberg, Folio Benjamin, Gallimard, et la série des *Bizardos*, illustrée par André Amstutz, Folio Benjamin.
4. *Zoé Pirate* (pour les petits) Pascal Teulade/Jean-Charles Sarrazin, Albin Michel Jeunesse.
5. *Les Pirates*, Colin et Jacqui Hawkins, Albin Michel Jeunesse.
6. *Mélanie et les pirates*, Hans Peterson/Mette Ivers, J'aime lire, Bayard.
7. *Un jour mon prince viendra*, éd. Pastel.

La Sorcière Camomille[1], farfelue voyageuse, est aimée des enfants lecteurs, ainsi que *L'Académie des sorcières*[2] où, dans une forêt de mousse noire, de sombres desseins s'élaborent...

Tout au long du grand *Livre des Créatures*[3], Nadja illustre et raconte tout ce peuple d'animaux ou d'êtres fantastiques du monde entier. De la sorcière connue Baba Yaga au génie volant Keen-Keeng, de Tourmentine touffe d'herbe d'oubli à la nymphe des bois Hama Dryade, d'Inadadi le géant des glaces à Liéchi l'esprit de la forêt, un inventaire de personnages mystérieux et surnaturels qui fascine petits et grands grâce aux textes et aux illustrations.

Les dinosaures sont récemment apparus dans le bestiaire enfantin avec le développement de l'étude de la préhistoire, grande curiosité de l'histoire de l'humanité. Cette espèce disparue charme les enfants par sa diversité : atlantosaures, brontosaures, mégalosaures, diplodocus... Du poisson à l'oiseau, du géant carnivore au petit herbivore, les dinosaures se sont imposés dans son univers. Le très bel album *J'ai vu un dinosaure*[4] aux magnifiques illustrations de Chris Sheban conte, par la plume de Jan Wahl, comment une petite fille imagine et rencontre stégosaure, dimétrodon, tricératops, iguanodon, tyrannosaure, ptérodactyle qui se mêlent à ses activités de la semaine. Un petit dictionnaire explique ces bêtes préhistoriques qui font réfléchir à l'évolution mais aussi rêver...

Dans l'album *L'Ami du petit tyrannosaure*[5], le monstre a dévoré tous ses amis et se sent très seul. Un souriceau essaie de l'aider en lui cuisinant d'excellents gâteaux et en lui

1. *La Sorcière Camomille*, Enric Larreula/Roser Capdevilla, La Martinière Jeunesse.
2. *L'Académie des sorcières*, A. Civardi/G. Philpot, Albin Michel Jeunesse.
3. À partir de 8 ans, *Le Livre des Créatures*, Nadja, École des Loisirs.
4. *J'ai vu un dinosaure*, Jan Wahl/Chris Sheban, Gallimard Jeunesse.
5. *L'Ami du petit tyrannosaure*, Florence Seyvos/Anaïs Vaugelade, École des Loisirs.

enseignant la patience et la persévérance. Tyrannausaure demeure affamé mais ne veut pas perdre ce nouvel ami. Ce bel album drôle parle de la boulimie, de la constance et de l'indispensable amitié.

À travers ce cortège de sorciers et de sorcières, de géants, d'ogres et de magiciens, de dinosaures divers, les pensées les plus interdites peuvent effleurer les jeunes lecteurs parce que ce ne sont jamais eux qui les pensent, mais la terrible sorcière ou l'ogre le plus cruel.

Des livres pour dire les émotions indicibles

Tous ces livres amusent, montrent les différences, brassent des notions d'imaginaire. Les enfants les aiment et se les approprient. Ils peuvent donner, tout en distrayant, forme et expressions à des détestations passagères, à des peurs indicibles ou à des angoisses non exprimables.

Rien ne va plus...

L'enfant grandit, et quel est donc le ressenti qui résonne en lui et qu'il aimerait pouvoir maîtriser ou éloigner ? Selon la fratrie, il y a la jalousie, la colère, l'impossibilité de réussir, l'impression d'être mal aimé, l'envie de faire mal, le passage à l'acte de méchanceté, la culpabilité, la honte, le silence. Sur l'autre plateau de la balance, il y a la famille, l'amitié, l'amour, la tendresse, la complicité, la joie, l'assurance, l'envie de connaître et de faire plaisir...

Méchante[1], bel album de Nadja (auteur de l'incontournable *Chien bleu*), traite de la violence. Quatre garçons cassent la poupée aimée de Paula. Alors elle rencontre une mysté-

---

1. *Méchante*, Nadja, École des Loisirs.

rieuse femme qui propose de la lui réparer. Revenue, la poupée crie vengeance. Soumise à ses ordres, Paula fait gronder les garçons. Mais la fillette se sent seule. Sa poupée, entrée dans la méchanceté, lui suggère, lors d'une sortie scolaire, de faire chuter sa meilleure amie Livie. Elle exécute l'ordre et Livie disparaît dans une crevasse. Se sachant coupable, Paula tombe malade. Grâce à l'intervention de sa tante, femme-fée et grande observatrice, Paula avoue où est Livie. Son amie retrouvée, elle guérit bien vite. La poupée perdra sa cruauté et les deux fillettes redeviendront amies.

Comme tout excellent album, ce conte exprime de nombreux sentiments. Il dit la violence en groupe, le désir de vengeance, la méchanceté qui peut s'incruster, le passage à l'acte, le mal, l'intervention des adultes (maléfique puis bénéfique), la culpabilité, le repli dans la maladie et la fin heureuse par l'amitié retrouvée. Illustré de grands espaces sombres qui rehaussent le mystère de l'être humain et de ses pulsions, cet album essentiel, même si on se croit incapable de méchanceté, analyse avec finesse les divers sentiments.

À l'opposé de *Méchante*, l'album *Les Mots doux* de Claude K. Dubois[1] raconte comment une héroïne se réveille la bouche débordant de phrases tendres. Mais ses parents ne sont pas là et il lui est impossible de prononcer des mots de douceur à ceux qu'elle aime. La rancœur surgit avec l'envie de crier. Heureusement, le soir, elle peut les déclamer puis les susurrer à papa et à maman.

Qui n'a pas vécu ce moment où, dans une spontanéité généreuse, on veut aller vers l'autre mais est coupé net dans son élan ? Les livres pour enfants sont universels.

Chez l'enfant, la mauvaise humeur peut être présente sans pouvoir être dite. Une petite fille l'exprime dans l'album *Ça*

---

1. *Les Mots doux*, Claude K. Dubois, éd. Pastel ou coll. Lutin poche, École des Loisirs.

va pas[1] de Charlotte Légaut. Dans la tête de l'héroïne, tout valse – comme les images d'un beau flou orangé. Ça ne veut pas sortir, elle n'a même pas les mots et ne sait comment se délivrer de ce mauvais moment ! Colère rentrée, colère impossible, colère qui fait mal ! Un état juste avant le langage. Bien des enfants passent par de tels moments et *Ça va pas* est à mettre entre toutes les mains, des petits et des grands, pour mieux parler et laisser jaillir tout ce qui ne va pas...

Le psychanalyste Heitor O'Dwyer de Macedo dit qu'« il s'agit d'aider l'enfant à réellement construire un espace symbolique intermédiaire entre lui et ses parents, entre lui et le monde[2] ». Le livre n'est-il pas un tremplin pour cette élaboration ?

Pour les plus grands, *Le Mangeur de mots*[3], du créateur Thierry Dedieu, raconte l'histoire d'un jeune qui parle seul, dans sa tête, une langue qui porte son nom : le « bougni ». Enfermé en lui-même, ce garçon souffre. Pour les parents aussi, « c'est dur ». Mais ils décident de ne plus lui parler tant qu'il mangera les mots. Un album essentiel qui pose le sujet grave de l'autisme. Ce livre dit combien l'enfant a besoin d'être entouré de mots dès le plus jeune âge pour les brasser, et combien il a besoin d'être aimé et accompagné à tous moments.

Dans une bibliothèque de banlieue, un garçon malien ne pouvait écouter des histoires parce qu'il était arrivé depuis peu d'Afrique et comprenait à peine le français. La bibliothécaire lui proposa de dessiner. Il s'exécuta et traça un village, des cases, des habitants et des chèvres. Elle le félicita mais il se mit à manger son dessin.

---

1. *Ça va pas*, Charlotte Légaut, éd. du Rouergue.
2. *De l'amour à la pensée, La psychanalyse, la création de l'enfant et D. W. Winnicott*, Heitor O'Ddwyer de Macedo, L'Harmattan.
3. *Le Mangeur de mots*, Thierry Dedieu, Le Seuil Jeunesse.

Elle tenta de l'en empêcher, il lui mordit les doigts et avala la feuille entière. Puis il lui sourit et se frotta le ventre.
Que signifiait le geste de ce mangeur de dessin ? Voulait-il rejoindre son pays natal ? La jeune femme lui montra *L'Afrique, petit Chaka*[1], un album où chaque page est demande d'un récit à Papa Dembo. Ce grand-père sait dire les couleurs, la pêche, le village, la danse, l'Afrique... Et, plus tard, Chaka le petit-fils devra poursuivre le récit...
Le jeune Malien revint et demanda à nouveau ce livre. Puis, la bibliothécaire lut au groupe des contes africains[2] qu'il écouta avec une attention extrême. Au bout de plusieurs mois, il parlait mieux le français et souriait à nouveau.

Devenir grand...

Dès qu'il conquiert l'autonomie, l'enfant a besoin de se prouver qu'il peut réussir. Certains rêvent de solitude, d'autres en souffrent. Dans l'album *Toute seule*[3], l'héroïne Fleur éprouve ces deux sentiments ambivalents. Elle part en quête d'une réponse et la trouve en rencontrant un ours qui devient son ami. Et, le quittant, elle éprouve une joie certaine car elle va retrouver ses parents.

Cœur de singe[4] conte les aventures d'un grand-père et de son petit-fils. L'aïeul marche, marche, marche avec énergie. L'enfant le suit, mais a honte de ne pouvoir aller à sa vitesse et se laisse distancer. Soudain, il craint que son grand-père se soit noyé ; il hurle, puis s'endort. À son réveil, il se précipite vers le lac. La main du grand-père le sauve. À travers des illustrations savoureuses, le héros entend les conseils

1. *L'Afrique, petit Chaka*, M. Sellier/M. Lesage, Réunion des musées nationaux.
2. *Contes d'Afrique*, Henri Gougaud, Le Seuil ; *Sabila et Kotchéchi, conte nouba*, éd Grandir ; *Contes d'Éthiopie*, Constantin Kaïtéris, éd. Présence Africaine ; *Contes et légendes africaines*, Souleymane Djigo Diop, éd. Les Classiques africains.
3. *Toute seule*, G. Solotareff, École des Loisirs.
4. *Cœur de singe*, Carl Noral/J.-C. Hubert, éd. Pastel.

des grands, vit ses propres sentiments et reçoit de son grand-père une éducation bienfaitrice...

L'importance des grands-parents

Que les enfants et les jeunes interrogent leurs grands-parents sur leur jeunesse, qu'ils leur demandent des conseils, qu'ils s'entretiennent avec eux du passé et que la transmission de l'histoire familiale perdure ; ainsi, ils pourront s'enrichir et mieux se construire (voir la collection « Quand papy, quand mamy avait mon âge [1] »).

D'ici ou de là-bas

Voyages réels ou imaginaires, les livres sont une ouverture aux proches ou lointains pays. Ils permettent de mieux connaître les enfants du monde.

Dans un bel album, le noir de la nuit, les griffes de la peur, le brouillard de la colère et la faim prennent toute la place dans la tête de *Malassa*[2], un enfant venu d'ailleurs. Sa maîtresse lui lit des contes et les mots calmement lui viennent... Que tous les enfants souffrants aient la chance de rencontrer une enseignante comme celle de Malassa. Des peintures fortes et émouvantes illustrent cet album du jeune éditeur Sarbacane.

Pour les petits, *Six milliards de visages*[3] est un grand album classique fourmillant de peuples, de costumes, d'habitations, de fêtes, de religions, de jeux, d'écritures et de coutumes... Peter Spier sait montrer, à l'aide de fins dessins, les

---

1. *Quand papy avait mon âge* ; *Quand mamie avait mon âge...*, Gilles Bonotaux/Hélène Lasserre, Autrement Jeunesse.
2. *Madassa*, Michel Séonnet/Cécile Geiger, éd. Sarbacane.
3. *Six milliards de visages*, Peter Spier, École des Loisirs.

différences et les ressemblances entre les peuples. Indispensable comme un atlas ou un premier dictionnaire...

De l'infini du monde, sautons à un point précis du globe : les Antilles. Avec *Maman Dlo* [1], Alex Godard a créé un album où la beauté renforce la mélancolie de l'enfant qui attend le retour de sa mère partie travailler en métropole. Le rêve et la nostalgie d'un être aimé si éloigné...

Parmi les « six milliards de visages », il y a *Noire comme le café, blanc comme la lune* [2], l'histoire d'une fille qui a un papa blanc et une maman noire. Un succès, car il montre le métissage qui peut se rencontrer à l'école mais aussi dans d'autres pays. Pili Mandelbaum écrit ses textes puis les illustre par des collages qu'elle anime.

Fantaisie montrant l'Afrique aux petits, *Jujube* d'Anne Wilsdorf dit l'histoire d'une fillette qui lave le linge à la rivière. Là, elle découvre un bébé abandonné, le ramène à la maison, mais sa mère, qui a déjà neuf enfants, refuse de le garder. Toutes les astuces sont bonnes pour retarder la séparation jusqu'au jour où la maman cède ; alors la famille entière adopte Jujube. Dans une Afrique joyeuse et bien stylisée, le même auteur persévère avec l'album *M'Toto* [3] où même les crocodiles sont sympathiques ! Une illustration fourmillante de détails, des livres pour mieux comprendre les copains d'origine africaine...

Il n'y a plus d'éléphants depuis que *Les Chasseurs* [4] sont venus. Jamina, la joueuse, s'enfonce dans la brousse et découvre un éléphanteau pleurant près de sa mère morte. Jamina le sauve mais long est le chemin du retour... Un réalisme magnifique pour montrer nature, animaux et habitants d'Afrique.

1. *Maman Dlo*, Alex Godard, Albin Michel Jeunesse.
2. *Noire comme le café, blanc comme la lune*, Pili Mandelbaum, éd. Pastel.
3. *Jujube* ; *M'Toto*, Anne Wilsdorf, Kaléidoscope.
4. *Les Chasseurs*, Paul Geraghty, Kaléidoscope.

Deux créateurs anglais qui ont vécu en Afrique du Sud ont su croquer la vie des enfants noirs de ce pays. *Jafta*[1] qui, comme tous les enfants du monde, peut être content, fatigué, espiègle, boudeur, en colère, a envie d'être fort et grand, de courir ou de demeurer immobile, de jacasser puis de rester silencieux ou de se balancer et de voler. On le voit vivre au quotidien et les illustrations reflètent l'universalité de l'enfance.

Dans *L'Esclave qui parlait aux oiseaux*[2] d'Yves Pinguilly, Mariama, petite Française, raconte à son copain que son ancêtre était un génie qui avait confié ses yeux à un oiseau afin de tout connaître sur l'esclavage qu'avaient vécu ses frères et sœurs. Nous sommes ici et maintenant mais aussi dans le passé, en Afrique ou dans les Caraïbes. Entre onirisme et réalité, les belles peintures de Zaü sont l'expression du continent africain et de sa beauté ; elles sont accompagnées de gravures d'époque rappelant la réalité historique de l'esclavage.

Du même auteur, *La Pluie des mots*[3] est un conte qui respire la touffeur africaine et dans lequel Nielini, une petite fille, rêve de savoir lire. Grâce à son courage, l'héroïne pourra enfin déchiffrer la lettre qu'elle a reçue. Une histoire pour les filles et les garçons de notre pays afin qu'ils sachent qu'en Afrique des enfants ont pour seul désir d'aller à l'école et d'apprendre. De belles illustrations, dans un climat vert, bleu et roux.

Voyage imaginaire ou voyage réel, abordons les États-Unis avec *Le Voyage d'Oregon*[4], écrit par Rascal et illustré par Louis Joos. Dans un cirque, un clown regarde le numéro d'un ours. Admiratif, il devient son ami. Celui-ci lui demande

---

1. *Jafta*, H. Levin/L. Kopper, coll. Lutin poche, École des Loisirs.
2. *L'Esclave qui parlait aux oiseaux*, Yves Pinguilly/Zaü, éd. Rue du Monde.
3. *La Pluie des mots*, Yves Pinguilly/Florence Koenig, Autrement Jeunesse.
4. *Le Voyage d'Oregon*, Rascal/Louis Joos, éd. Pastel.

de le raccompagner chez lui, dans l'Oregon. Au gré d'une longue errance à travers les États-Unis, clown et ours parcourent villes et campagnes, dans la vastitude des paysages américains. Nos deux héros traversent des zones urbaines déprimantes mais aussi des champs fleuris. Après l'esclavage du cirque, c'est pour eux la quête de la liberté à travers monts et forêts. Arrivés dans le nord des États-Unis, ils se séparent le cœur serré. Un album indispensable et pour tous les âges.

Misère et guerre

Chaque soir, quand on regarde la télévision, les drames du monde pénètrent dans de nombreux foyers. Quel impact sur l'enfant qui voit les informations et, parfois, leur aspect terrifiant qu'il ne peut comprendre ?

Bien que fort éloignés des faits divers et de l'actualité, les albums peuvent néanmoins permettre de situer les pays, de parler des difficultés de certains groupes, d'approfondir certaines questions d'actualité.

Flon-Flon et Musette[1] d'Elzbieta est le plus délicat des albums sur la guerre. Toute son abomination est ressentie à travers le point de vue du jeune lapin-narrateur, témoin derrière sa fenêtre de l'agonie de la raison. « La guerre est trop grande, elle n'écoute personne, elle allume de grands feux, elle casse tout. » Flonflon et Musette étaient amis, ils se retrouvent séparés par des fils de fer barbelés que l'auteur appelle « haies d'épines ». Longue attente dans les bruits de la guerre jusqu'au retour des pères, enfin, mais l'un d'eux a été amputé d'une jambe. La paix revient mais la guerre laisse des cicatrices.

Avec la même sensibilité, Elzbieta aborde la misère et la dureté policière. Dans *Petit-Gris*[1], une famille de lapins

---

1. *Flon-Flon et Musette* ; *Petit-Gris*, Elzbieta, Pastel.

humains est contaminée par la pauvreté et poursuivie par des chasseurs-traqueurs équipés en commando. Parmi des objets abandonnés sur une décharge, Petit-Gris, le fils, trouve une éponge. Sa mère veut qu'il l'abandonne. Mais il la garde, rêvant qu'elle est magique. Lorsque la famille est chassée de sa dernière maison de carton, Petit-Gris, à l'aide de l'éponge, dessine une île, loin de tous les méchants, loin de tous les ennuis. L'île devient réelle et la famille ne sera plus sans abri et plus jamais sans papiers. Un album parabole dont les courtes phrases essentielles touchent toutes les sensibilités.

> Lors d'un colloque, une bibliothécaire a lu *Petit-Gris* à haute voix. La salle, composée d'universitaires, écoutait avec émotion. Elle a expliqué que la créatrice, Elzbieta, née en Pologne, avait vécu l'exil ainsi que de multiples pérégrinations et que son art était fait de la proximité de toutes les souffrances humaines.

Un autre album inoubliable sur le même registre du rejet s'intitule *Les Petits Bonshommes sur le carreau*[1]. Derrière la fenêtre, un petit bonhomme ne voit rien. Du côté où il fait froid, des personnages vivent dans la rue, souffrent sur les trottoirs. Mais personne ne les regarde, ne les entend, personne ne vient à leur secours. Ils évoquent les SDF qu'enfants et adultes croisent chaque jour dans la ville. Une manière de montrer la misère que les enfants côtoient particulièrement dans les centres urbains. Un album exceptionnel.

En 1998, il y a eu quatre-vingts ans que s'est achevée la Première Guerre mondiale. Avec *Zappe la guerre*[2], l'auteur du *Prince des mots tordus*, Pef, fait revivre les soldats de 1914-1918. Ils sortent du monument aux morts et veulent savoir à quoi cette tuerie a servi ! Errant solitaires dans les

---

1. *Les Petits Bonhommes sur le carreau*, Isabelle Simon/Olivier Douzou, éd. du Rouergue.
2. *Zappe la guerre*, Pef, éd. Rue du Monde.

rues, ils découvrent une ville totalement nouvelle, aperçoivent une télévision et un enfant qui se promène seul...

Puis Pef écrit et dessine *Une si jolie poupée*[1], album qui raconte l'histoire d'une poupée retrouvée dans les ruines d'un pays dévasté. Là, une petite fille l'adopte mais elle est mutilée instantanément par la mine antipersonnelle que ce faux jouet contenait. À la mémoire de tous les enfants qui ont été estropiés par les mines antipersonnelles, mais à lire avec un adulte qui donnera les explications nécessaires.

Le bel album *Rose Blanche*[2] – titre choisi en mémoire du groupe d'étudiants qui ont résisté à Hitler et ont été tous fusillés en 1942 – est illustré d'aquarelles de l'artiste italien Roberto Innocenti. Ce livre montre l'installation d'un camp près d'une ville allemande pendant la dernière guerre mondiale. Un texte écrit comme une voix off transmet les pensées de Rose, petite fille qui cherche à comprendre ce qui se passe tout près de chez elle et dont personne ne parle. Derrière les barbelés, elle voit des enfants vêtus de pyjamas rayés et très amaigris. Rose Blanche leur apporte ses tartines. Mais le camp disparaît et la guerre envahit tout le pays. Un récit poignant sur la déportation, aux illustrations d'un réalisme émouvant.

De même *Grand-Père*[3], écrit et illustré par Gilles Rapaport. Grand-Père vient de mourir. Son histoire doit être dite. Sa naissance en 1901, dans un pays qui le rejette. Son voyage, rêve de liberté, avec sa femme vers Paris. Puis 1939, l'engagement dans la Légion étrangère. Et le voyage infernal, le camp de la mort. Là, n° 46.690 résiste, souffre, est sauvé... Un dessin fort en noir et bleu, un texte imprimé sur fond noir qui dit l'effroi et l'inhumanité du camp, des cris de vérité qui touchent en profondeur, cernés par l'art de

1. *Une si jolie poupée*, Pef, Gallimard Jeunesse.
2. *Rose Blanche*, C. Gallaz/R. Innocenti, Folio Cadet, Gallimard Jeunesse.
3. *Grand-Père* ; *Dix petits soldats*, Gilles Rapaport, éd. Circonflexe.

Gilles Rapaport. Du même auteur-illustrateur : *Dix petits soldats*.

Didier Daëninckx et Pef ont créé *Il faut désobéir*. Pendant la guerre, un agent de police résiste aux ordres. Il prévient des voisins juifs qu'ils vont être arrêtés. Ceux-ci se sauvent grâce à lui. Des photos montrent les tristes événements de cette époque. Des mêmes auteurs : *Un violon dans la nuit*[1].

Ces albums sur la Résistance et les camps d'extermination sensibilisent les enfants afin qu'ils découvrent et n'oublient pas le passé.

Si les livres pour enfants réussissaient à arrêter les conflits comme le conte *La Guerre*[2], ils deviendraient d'une utilité universelle ! Entre les Bleus et les Rouges, les combats ne finissent jamais. Pour avoir enfin la paix, le fils du roi des Rouges propose un duel au fils du roi des Bleus. Mais celui-ci trouve une ruse et impose enfin la paix qui va être si appréciée de tous.

Lisez en famille

Ces livres, pour connaître le passé dont les enfants entendent parler à la télévision, sont à lire en famille. Ils permettent de parler, d'expliquer les événements graves et d'en partager la mémoire.

Jonglerie de mots et d'images

Avant de quitter la planète des albums, laissons les conflits et réjouissons-nous avec les espiègleries langagières, les glissements phonétiques, les illustrations fourmillant d'inventions.

---

1. *Il faut désobéir* et *Un violon dans la nuit*, Didier Daëninck. Pef, éd. Rue du Monde.
2. *La Guerre*, Anaïs Vaugelade, École des Loisirs.

Dans un centre culturel de quartier, il y a une exposition d'albums. De nombreux enfants se ruent sur les livres d'Alain Le Saux, les feuillettent lentement et pouffent. L'auteur prend les expressions dans leur premier sens et les met en images de la même manière. Par exemple, pour « Maman m'a dit que son amie Yvette était vraiment chouette », une dame chouette, sympathique, entre dans l'appartement. Pour « Papa m'a dit que son meilleur ami était un homme-grenouille », voilà papa enlacé à une grenouille à deux pattes. Quel succès !

Ces livres apportent, par le biais d'expressions cocasses, démodées ou simplement prises au pied de la lettre, un regard neuf sur l'art de la langue.

La fantaisie imaginative et illustrative de Claude Ponti ne peut se lire qu'avec jubilation. De *Mange-Poussin*, invention surréaliste qui fonctionne à merveille avec les petits, à *Broutille*, petite fille aux fantaisies dignes d'*Alice au pays des merveilles*, cet auteur-illustrateur nous entraîne dans le monde de l'imagination pure. Il y a encore la série des *Tromboline et Foulbazar,* les poussins fantaisistes et intrépides, *Pétronille et ses 120 petits* ; *Okilélé* ; *Le Chien invisible* ; *L'Île des Zertes* ; *Monsieur Lebanc* ; *Blaise* et *Le Château d'Anne Hiversère* : dans tous ces albums, Claude Ponti ravit petits et grands par son imagination, son art de l'illustration, ses jeux avec les mots et les noms, son inépuisable talent qui toujours mène vers l'île du rire...

Un week-end pluvieux, Alexis, 12 ans, et Raphaël, 13 ans, s'enferment dans la chambre avec l'énorme pile de tous les albums de l'auteur-illustrateur Ponti. Un à un, ils les relisent et s'esclaffent. Le soir, ils clament à leurs parents : « Quelle belle journée nous avons passée avec Claude Ponti ! »

Pef est aussi un auteur qui joue avec les mots et la langue à n'en plus finir. Son *Dictionnaire des mots tordus* est un petit livre incontournable par sa fantaisie : « Don-qui-shoote : célèbre joueur de football espagnol capable d'envoyer le ballon par-dessus les moulins à vent. » Cette seule phrase, comme toutes les autres, est en fait riche de tout un savoir. Le dictionnaire, pas sérieux du tout, réserve de mots et de dessins qui se contorsionnent et se tordent de rire est un indispensable à lire en famille. Pef est un humoriste tant par son maniement du langage que par ses dessins.

La Belle Lisse Poire du Prince des mots tordus, une autre de ses trouvailles, est un jeu plaisant que les lecteurs partagent avec le fameux prince mais aussi avec « les petits glaçons et les petites billes... ».

De Pef encore, mais sur un ton plus grave, même si les illustrations sont aussi délirantes : *Rendez-moi mes poux*[1]. Mathieu est un garçon dont les parents sont très souvent absents. Il s'ennuie et ses poux deviennent ses amis ! Au grand scandale de sa mère ! Entre larmes et rires...

Le Petit Roi de Rêvolie[2] aime les Dredons. Dans la vallée de Fondely, coule une rivière de poissonges. Les bouyottes de Fondely sont douces mais les Tirouars pincent sauvagement. Au pied du mont Sommier, il y a une grande Karpette qui vole... Mais le petit roi de Rêvolie n'est roi que durant la nuit... Un album aux tons chauds, aux images mouvantes, au texte accroche et saute-mots... Un livre pour rêver éveillé...

Mais quel tintamarre chez les nouveaux voisins ! C'est *Le Tintouin*[3]. Juliette n'aime que les bruits doux. Mais « ça couine, ça gargouille, ça siffle, ça grésille, ça crépite »... Quand ça « rouletonne » et « rondeline », le garçon à l'étage au-dessus joue aux billes... Heureusement, il devient l'ami

1. *Le Dictionnaire des mots tordus* ; *Rendez-moi mes poux*, Pef, Folio Cadet, Gallimard Jeunesse.
2. *Le Petit Roi de Rêvolie*, Marie-Sabine Roger/Aline Bureau, éd. Sarbacane.
3. *Le Tintouin*, Anne Gérard, éd. du Ricochet.

de Juliette et... Sur le thème rare des bruits, un album au graphisme allègre.

Le Faunographe phonèmecédaire[1] est un bestiaire et un outil pour apprendre à lire et à écrire. Il recense les trente-sept principaux sons produits par les vingt-six lettres de l'alphabet. De superbes animaux, chacun s'appropriant un son de notre langue. Un bijou.

Dans la même collection, toujours aux éditions du Ricochet, *L'automath a la bosse des maths*[2], un conte qui compte : une sympathique famille qui passe son temps à faire des calculs, un cocasse voyage et beaucoup de fantaisie, à lire dès 6 ans.

De la grande section de maternelle à la fin de l'école primaire, un album pour améliorer son orthographe tout en jouant : *Le Scriptophone et ses homophones*[3], qui traite de tous les mots qui se prononcent de la même manière mais n'ont pas le même sens et s'écrivent différemment. Sous forme de petits portraits, chaque double page se réfère à un son. Exemples : vers, vert, ver, verre, vair... Indispensable et inépuisable, ce livre devrait être dans chaque bibliothèque enfantine.

Publiées il y a dix-huit ans en Hollande, éditées aujourd'hui par les éditions Être, *Les Aventures de Léna Léna*[4] montrent une petite bonne femme à la curiosité insatiable qui veut comprendre le monde. Telle une petite Einstein ou une Candide, elle mène dix-sept expériences farfelues. Un livre d'humour où illustrations et texte sont décalés. Un livre où chacun voit ce qu'il veut. Savoureux à tous les âges.

1. *Le Faunographe phonèmecédaire*, Stéphanie Heendricken/Christiane Garel, Conception Marguerite Tiberti, éd. du Ricochet.
2. *L'automath a la bosse des maths*, Olivier Grésille/Alain Roman, éd. du Ricochet.
3. *Le Scriptophone et ses homophones*, Nadia Rouan/Cat Caroff, éd. du Ricochet.
4. *Léna Léna*, Harriët van Reek, éd. Être.

> **Des moments privilégiés**
>
> Dans notre société où les adultes sont souvent pressés et stressés, prendre le temps de lire ensemble, dans le calme, des livres à rire – ou d'autres –, c'est vivre des moments particuliers durant lesquels jeu, joie et détente se mêlent.

Si certains aspects du monde actuel et les émotions des enfants sont représentés, il faut cependant noter qu'il existe des oublis non anodins parmi les sujets traités, comme le travail et ses évolutions technologiques, le chômage... Peu d'ouvrages ont paru sur le rythme extrêmement rapide de notre époque, sur la mondialisation et ses injustices, sur la pauvreté des uns face à la richesse des autres, sur le consumérisme, le pouvoir de l'argent, la publicité, la mode, les marques, l'exploitation de l'image de l'enfant. Et certains dessins animés avec tous leurs produits dérivés ne sont pas assez critiqués.

7

Les bons contes font les bons amis

> « Un livre qui passe de main en main, et les voix
> se font entendre et soudain tout nous est rendu
> invisiblement, dans l'éternelle, dans l'impérissable
> beauté des songes. »
>
> Danièle Sallenave

Mythes fondateurs

Au tôt matin du monde, dans le pays de Canaan (Israël,
Palestine), naquit la Bible[1] (du grec *biblia*, « livres »), qui
comprend un ensemble de textes tenus pour sacrés par les
religions juive et chrétienne. À la Bible juive, la plus
ancienne pouvant remonter jusqu'au XIe siècle av. J.-C., les
chrétiens ajoutèrent plus tard le Nouveau Testament.

Puis, dans le bassin méditerranéen, après la cosmogonie
égyptienne[2], la civilisation grecque rayonna du VIIIe siècle
avant J.-C. jusqu'au début de notre ère. Homère, l'aède aveugle, transcrivit les contes d'alors qui devinrent l'*Iliade* et
l'*Odyssée* : épopées de la guerre de Troie et de la ruse des

---

1. *Les plus célèbres épisodes de la Bible : Histoires d'Abraham, de Caïn et d'Abel, de Jonas,
de Joseph...*, Jacqueline Vallon/Maurice Pommier, Gallimard Jeunesse.
2. Lire : *La Mythologie égyptienne*, Claude Helft, Actes Sud Junior.

Grecs se cachant dans le cheval géant, histoire du labyrinthe crétois, de Dédale et d'Icare, exploits et errances d'Ulysse...

À travers les siècles, beaucoup de représentations artistiques se sont appuyées soit sur la Grèce antique, soit sur des épisodes bibliques.

La Mythologie grecque[1], récrite par Florence Noiville, introduit les jeunes lecteurs dans le monde merveilleux de la Grèce des mythes.

À partir de 12 ou 13 ans, on peut lire l'excellente traduction de l'*Iliade* et l'*Odyssée* de l'universitaire spécialiste de la Grèce ancienne, Michel Woronoff[2]. *Le Printemps des dieux*[3], roman de la mythologie grecque de Jean Garfield et Edward Blishen, sera lu avec plaisir par des collégiens. Pour les grands adolescents et tous ceux qui veulent connaître les mythes et légendes gréco-latines, *La Mythologie*[4] d'Edith Hamilton est un livre de référence où chacun pourra piocher des récits.

Écoutez les épopées

Le mythe comme le conte ont besoin d'oralité et écouter est un privilège qui entraîne vers la lecture. On peut se laisser captiver par les CD de l'*Iliade* et l'*Odyssée* réalisés par les éditions Frémeaux[5].

---

1. *La Mythologie romaine* ; *Les Héros grecs* ; *La Mythologie grecque*, Florence Noiville, Actes Sud Junior.
2. *L'Iliade* et *L'Odyssée*, Michel Woronoff, Casterman.
3. *Le Printemps des dieux*, Leon Garfield/Edward Blishen, Gallimard Jeunesse.
4. *La Mythologie*, Edith Hamilton, Marabout Université.
5. Librairie sonore, éd. Frémeaux, 22, rue Robert Giraudineau, 94300 Vincennes, tél. : 01 43 74 90 24.

Au carrefour des chemins, les légendes

Les légendes sont des récits réels plus ou moins amplifiés par l'imagination, qui se réfèrent en général à un héros, à un événement, à un lieu (source, fontaine, croisement de chemins), à une bataille (*La Chanson de Roland*). Pour les plus jeunes, dans la collection « Les contes du Louvre », le bel album *Roland à Roncevaux*[1] raconte la lutte de Roland et de son épée Durandal contre les Sarrasins... Des reproductions d'œuvres du musée du Louvre illustrent de manière vivante les albums de cette collection[2] qui mêlent, pour les jeunes lecteurs, contes ou légendes et objets d'art.

Grâce à un navire magique et à une épée flamboyante et irrésistible appelée Excalibur, le roi Arthur rétablit le culte chrétien, épousa Guenièvre, et son cadavre fut conduit dans l'île d'Avalon par la fée Morgane. Il devint le héros du cycle breton de la Table ronde en compagnie de Merlin l'Enchanteur et de Lancelot. Le poète Chrétien de Troyes (1135-1183) mit en vers *La Quête du Graal*[3], épopée surréelle, imprégnée des mœurs chevaleresques et courtoises de l'époque.

La forêt des contes

Aux temps les plus lointains, les villageois se rassemblaient pour écouter des récits dans lesquels l'imagination humaine allait bon train.

Dans les camps de nomades, les contes se murmuraient au soleil couchant puis se transmettaient de père en fils

---

1. *Roland à Roncevaux*, Charlotte Censoir/Louise Heugel, éd. Thierry Magnier.
2. *Un prince égyptien* ; *La Boîte de Pandore* ; *Quatre amis*, éd. Thierry Magnier.
3. À partir de 10 ans, Chrétien de Troyes : *Perceval ou le roman du Graal* ; *Lancelot, le chevalier à la charrette* ; *Yvain le chevalier au lion*, Folio Junior, Gallimard Jeunesse.

comme *L'Histoire du chat qui boude* de Mohamed Dib, illustrée par Merlin[1], un conte traditionnel où Vieille-Mère accuse le chat d'avoir dévoré les grives, alors que c'est elle qui s'en est régalée...

À la veillée, tous les habitants, enfants et adultes mêlés, accouraient et se serraient autour du conteur. Il disait ses récits qui se chuchotaient tard dans les maisons, jusqu'aux portes du rêve... Ceux-ci répondaient aux graves questions que les humains se posaient, mais ils pouvaient aussi avertir des dangers[2], préserver une certaine morale[3], expliquer de manière suggestive la nature[4] et la diversité des animaux[5] ou mettre en garde contre la complexité des sentiments[6]. Certains étaient tissés afin d'alléger les duretés de la vie : ils ne prêchaient jamais la résignation, mais combatifs, voire subversifs, ils offraient espoir, soulagement, envol vers tous les possibles[7]...

Ainsi, de bouche en bouche, couraient les contes. Ne nous enchantent-ils pas toujours[8] ?

L'art baroque de Perrault

Au XVIIe siècle, Charles Perrault (1628-1703), membre de l'Académie française naissante, voulut glorifier son temps par rapport aux modèles de l'Antiquité. Resté veuf avec quatre enfants, il réfléchit à une nouvelle forme pédagogique et publia pour eux les *Contes du temps passé*, réinter-

---

1. *L'Histoire du chat qui boude*, Mohamed Dib, Albin Michel Jeunesse.
2. *Contes et légendes de la peur*, Gudule/E. Houdart, Nathan.
3. *Les Contes du septième jour*, Jean-Olivier Héron, Actes Sud Junior.
4. *Les Quatre Fils de la terre*, Jacques Cassabois/Daniel Maja, Albin Michel Jeunesse.
5. *La Gazelle aux yeux d'or*, Jean Siccardi/Nathalie Novi, Albin Michel Jeunesse.
6. *Le Songe de la princesse Adetola*, Béatrice Tanaka/Olivier Latyk, Albin Michel Jeunesse.
7. Lire : *Margot la Malice*..., Véronique Beerli/Stéphane Girel, Albin Michel Jeunesse.
8. *Le Compagnon*, Abbi Patricl/Laeticia Le Saux. *Le Roi célibataire*, Manfeï Obin, Syros Jeunesse.

prêtant les histoires de nourrices. Les jugeant peu sérieux, il les signa du nom de son fils Pierre Perrault d'Armancour. Puis Charles Perrault écrivit ses *Mémoires* et dénonça la misogynie de Boileau dans son *Apologie des femmes* en 1694. Mais s'il est passé à la postérité, ce n'est pas pour ses livres sérieux mais pour ces *Contes du temps passé*[1] qui montrent la supériorité du langage des femmes sur la langue des savants. Partant de la forme orale, Perrault les réécrivit en prenant pour modèle Boccace et La Fontaine. Comme eux, il voulait instruire et divertir. Fénelon fit de même en écrivant des *Fables* destinées à son élève le duc de Bourgogne. Les *Contes* de Perrault nous montrent la France du XVIIe siècle, l'état de pauvreté des campagnes avec *Le Petit Poucet*[2], mais aussi la bourgeoisie montante, ses fêtes et la domination des plus riches : Barbe Bleue[3] ensorcelle par les splendeurs de son château mais tue ses épouses trop curieuses...

Les frères Grimm, collecteurs et « rewriters »

Un siècle et demi plus tard, *Les Contes de l'enfance et du foyer* furent rassemblés par Jacob Grimm (1785-1863) et Wilhelm Grimm (1786-1859). Les frères Grimm, travaillant au plus près du terrain, recueillirent durant plusieurs années un maximum de contes auprès des nourrices et des vieilles femmes. Puis Wilhelm Grimm fit un travail d'écriture. Il multiplia les répétitions, les assonances, les onomatopées, ajouta des métaphores et affina le style afin que ces contes s'ouvrent à un large public. Ils distillaient le goût du mer-

---

1. *Les Contes de Perrault*, Gallimard Jeunesse.
2. *Le Petit Poucet*, C. Perrault/Clothilde Perrin, Nathan.
3. *Douce et Barbe Bleue*, conte musical en forme d'opéra, Perrault/Gianni de Conno, livret de C. Emery, musique de I. Aboulker, à partir de 8 ans, Gallimard.

veilleux, offraient des éléments poétiques et, venus des temps anciens, exprimaient le for intérieur des êtres...

Dans une langue enjouée, limpide et vivante, ces récits parlent de l'opposition entre le bien et le mal. Ils disent les pulsions bonnes ou mauvaises, l'abandon, l'enfermement, l'oubli, les rivalités dans la fratrie mais aussi les « Lumières » qui triomphent des « Ténèbres ». Ils ouvrent des perspectives, proposaient des issues et une fin heureuse. Inspirés du romantisme allemand, ils emportent vers des événements surnaturels et magiques tout en laissant s'exprimer l'âme du peuple.

Une riche et belle version des *Contes* de Grimm[1] a été superbement illustrée par Nikolaus Heidelbach. Une des meilleures traductions est celle qui a été faite par la germaniste et traductrice de Kafka : Marthe Robert[2].

Mais attention, les contes sont parfois cruels (particulièrement ceux de Perrault) : ils peuvent faire peur et ne sont pas tous destinés à tous les âges (par exemple *Le Genévrier*, un conte de Grimm dans lequel la marâtre coupe la tête de son beau-fils, même si, à la fin du conte, le garçon ressuscite...).

Chaque mardi soir, la grand-mère de Lucien va le chercher à l'école en banlieue afin de le ramener à son domicile parisien. Dès qu'ils sont installés dans l'automobile, elle entend la même phrase : « Tu as un conte ? Dis-moi le titre ! Vite, tu commences ! » La voiture se glisse dans le flot, viennent alors les mots attendus : « Il était une fois... »
Une année durant, elle a raconté à son petit-fils, âgé de 8 ans, les contes de Grimm. Parfois, connaissant la structure d'un conte précédent, il invente une suite possible. Jamais il ne se lasse, et il repousse toute autre série, redemandant régulièrement ses préférés

---

1. *Les Contes de Grimm*, Nikolaus Heidelbach, Le Seuil Jeunesse.
2. *Les Contes de Grimm*, traduction Marthe Robert, Folio, Gallimard.

comme *Le Tambour, L'Oiseau d'or* ou *Le Diable aux trois cheveux d'or*...

Apprenez des contes par cœur

Comme cette grand-mère, passionnez-vous pour les contes, particulièrement pour ceux de Grimm, vous y prendrez du plaisir... Vous pouvez aisément en apprendre. Leur structure est telle qu'on s'en souvient facilement. C'est pour cette raison que les contes ont pu si bien circuler et demeurer. La simplicité – qui n'exclut pas la beauté linguistique –, la progression de l'action et les jeux de répétitions leur ont permis de se transmettre à travers les générations. Vous les retiendrez en les lisant deux fois, en repérant la trame, les événements importants et les différentes épreuves... Ainsi, vous pourrez les dire, tout en inventant si la mémoire vous fait défaut...

Du dit à l'écrit

En Afrique, existent toujours de vrais griots qui rassemblent la population d'un village, racontent et distraient tout en enseignant grâce à leur savoir ancestral. Contes et fables y sont un domaine encore vivant, mais aujourd'hui des livres gardent ces trésors[1]. Contes d'avertissement où l'enfant découvre la forêt et ses dangers[2], contes d'humour[3] où les animaux jouent un rôle important, entraînant le lecteur dans le sillage d'un lièvre malicieux ou d'une méchante hyène...

Dans nos sociétés, les contes, qui n'étaient autrefois que

---

1. *Contes d'Afrique*, Henri Gougaud, Le Seuil. *Sabila et Kotchéchi, conte nouba*, éd. Grandir. *Contes d'Éthiopie*, Constantin Kaïtéris, Présence africaine. *Contes et légendes d'Afrique*, Souleymane Djigo Diop, éd. Les Classiques africains.
2. *Les Contes de Sanan du Burkina Faso, la fille caillou*, Suzy Platel/Chen Jiong, à partir de 10 ans, École des Loisirs.
3. *Marianna et autres contes de l'Afrique de l'Ouest*, Mamadou Diallo, Syros Jeunesse.

paroles aux ailes du vent, sont devenus des mots imprimés sur du papier, des histoires enchâssées dans des albums, dans des recueils, qui s'adressent désormais aux enfants. Cependant, le conte fait de gestes et de paroles n'a pas totalement disparu. Dans les écoles, les bibliothèques, les théâtres, des conteurs viennent dire ce pouvoir merveilleux des histoires du passé.

Des contes partout et à toute heure

N'hésitez jamais à raconter les contes de votre enfance. Chaque mémoire représente un ou plusieurs rayons d'une bibliothèque : sinon, essayez d'en apprendre.

Le grain de la voix familière, son modelé, sa musicalité, sa beauté, cette voix aimée qui conte sans l'appui d'un livre est un cadeau. Et le charme d'un récit peut survenir à n'importe quel moment, dans n'importe quel lieu, chez le pédiatre, dans le train, pendant les longs voyages en voiture... Vous pouvez aussi avoir au fond de votre sac un recueil et lire un conte lors d'une pause.

Enfance rêveuse, enchantement du conte

Dans son livre *La Psychanalyse des contes de fées*, le psychothérapeute Bruno Bettelheim a démontré que les contes étaient apaisants et bienfaisants pour les enfants. Non seulement ils enrichissent leur langage, les obligent à inventer leurs propres images, luttant ainsi contre les longues heures passées devant la télévision, mais Bruno Bettelheim insiste sur le fait que le pauvre, le benêt, le déshérité, celui sur lequel s'accumulent les misères, mais qui réussit à triompher de toutes les adversités, ce petit, ce rejeté, ce mal considéré n'est autre que l'enfant qui peut ainsi se confondre avec le héros triomphant. Ce héros peut être, comme l'humain, vantard, menteur, oublieux, il finit toujours par épouser sa princesse. Pour l'enfant, le conte apporte toujours une solution optimiste, juste et équitable.

Luda Schnitzer, ethnologue, collectrice et elle-même excellent écrivain de contes[1], a souligné qu'ils répondent à des questions que l'enfant ne sait pas toujours exprimer. Celui-ci aime les réponses concrètes aux problèmes abstraits qu'il se pose : le conte peut expliquer l'éternité ou traiter les astres comme des objets familiers.

Des albums conteurs

Pour les petits, il existe d'excellents contes de randonnée qui répètent formulettes et ritournelles[2].

Les Trois Ours[3] ravissent les plus petits, car Boucle d'or brave l'interdit : elle ose visiter la mystérieuse maison des trois ours, manger dans leurs assiettes et s'endormir dans le lit de Petit Ours. Et, à leur arrivée, elle s'enfuit par la fenêtre...

Vers 5 ans, vous pourrez lire aux enfants *Petites histoires à raconter* et *Histoires pour tous les jours*[4], des contes rusés aux illustrations réjouissantes.

Hérisson et Ourson[5], ou les aventures de ces deux héros dans la forêt profonde, est un livre à écouter avant de s'endormir.

Le recueil des *Contes de fées*[6], récrit et illustré par Nadja, offre un excellent choix parmi des contes de Grimm. Une

---

1. *365 contes de gourmandise*, Luda Schitzer, Giboulées, Gallimard Jeunesse.
2. *Un singe très malin*, coll. « Petites histoires à lire le soir », Albin Michel Jeunesse.
3. *Les Trois Ours*, Paul Galdone, éd. Circonflexe.
4. *Petites histoires à raconter* et *Histoires pour tous les jours*, Nathan.
5. *Hérisson et Ourson*, S. Kozlov/S. Varley, Bayard.
6. *Contes de fées*, Nadja, École des Loisirs.

première approche sympathique pour les 3-6 ans. Du *Roi-grenouille* aux *Sept Corbeaux*, des contes délicats et des illustrations puissantes.

Les deux héroïnes malicieuses de Marcel Aymé, Delphine et Marinette, sont célèbres ainsi que tous les animaux de la ferme qu'on rencontre dans *Les Contes du chat perché*[1] : une suite d'histoires où les fillettes et les animaux qui parlent triomphent des adultes et des injustices. La joie de multiples soirées, à partir de 7 ans.

La Poule qui voulait pondre des œufs en or[2] veut aussi apprendre à chanter, danser, voler... Espiègle et entêtée, elle réussit à rendre la liberté aux 3 333 poules enfermées... Mais pourra-t-elle un jour pondre des œufs en or ? Un conte moderne, illustré en noir et blanc avec humour et finesse.

Un autre conte moderne est *La Balade en traîneau*[3] de l'écrivaine S. Corinna Bille, livre-promenade au pays du froid dans lequel la famille traverse un étrange village quelque peu fantastique...

Des livres qui délivrent la parole

Sous forme de recueils, la série *365 contes*[4], dirigée par l'excellente conteuse Muriel Bloch, est une source de contes souvent drôles ou traditionnels, un répertoire de choix.

Rassemblant les meilleurs contes publiés dans la collection « Paroles de conteurs », les éditions Syros Jeunesse ont publié *Les Plus Beaux Contes de conteurs* et *Cœur de*

---

1. *Les Contes du chat perché*, Marcel Aymé, Folio Cadet, Gallimard, ou trois albums, Gallimard Jeunesse.
2. *La Poule qui voulait pondre des œufs en or*, Hanna Johansen/Käthi Bhend, éd. La Joie de Lire.
3. *La Balade en traîneau*, S. Corinna Bille/Géraldine Alibeu, éd. La Joie de Lire.
4. *365 contes pour tous les âges* ; *365 contes de la tête aux pieds*, Muriel Bloch/Mireille Vautier, Giboulées, Gallimard Jeunesse.

conteurs. Deux recueils à posséder, une mine pour les 6-9 ans où tous ceux qui cherchent de beaux récits en trouveront à leur convenance.

Le même éditeur publie un livre de chacun des plus grands conteurs de notre époque. Parmi ceux-ci : *Le Fils de Soizic et autres contes* de Jean-Louis Le Craver, *Tsila et autres contes déraisonnables de Chelm* de Muriel Bloch, *Malice et l'âne qui chie de l'or* de Mimi Barthélémy, *Louliya d'Égypte* de Praline Gaypara et *Le Loukoum à la pistache* de Catherine Zarcate.

Autres livres indispensables sur l'imaginaire du Maghreb, ceux de Nacer Khemir : *L'Ogresse*[1] (bilingue français-arabe), *Le Livre des Djinns*[2] et *Le Chant des génies*[3]. Le conteur a rassemblé des récits d'ogresses et de bons ou de mauvais génies qui font frissonner et rêver...

Les voyages de *Sindbad le marin*[4] sont racontés par l'écrivain Bernard Noël, et illustrés par des encres d'Alain Le Foll. Grand livre sur les errances lointaines, empli de peur, de cruauté, d'humour et de sagesse : la métamorphose de Sindbab le Marin en Sindbab le Terrien.

Les *Contes de Russie*[5] forment un bel album illustré par l'artiste Ivan Yakovlévitch Bilibine (1876-1942), des images qui charment comme les anciennes gravures populaires russes. Ces contes, qui comprennent entre autres *Vassilissa la très belle*, *Maria des mers* ou *Finist Fier Faucon*, sont de belles histoires à raconter ou à lire car fort bien traduites par Cécile Térouanne.

Un auteur sinologue et une illustratrice chinoise ont collecté six contes populaires et drôles dans l'ouest de la Chine

1. *L'Ogresse*, Nacer Khémir, Syros Jeunesse.
2. *Le Livre des Djinns*, Nacer Khemir/Esma Khemir, Syros Jeunesse.
3. *Le Chant des génies*, Nacer Khemir/Esma Orhum, Actes Sud Junior.
4. *Sindbad le marin*, Bernard Noël/Alain Le Foll, Actes Sud Junior.
5. *Contes de Russie*, Ivan Bilibine, Actes Sud Junior.

et réalisé un livre de voyage, *Contes des peuples de Chine*[1], dont les illustrations rappellent les soies peintes.

Les « Contes et légendes » des éditions Nathan, qui ont fait le bonheur de plusieurs générations, sont toujours aussi lus. Cette collection se définit comme la mémoire du monde et traite des pays, des provinces, des villes, des époques, des lieux mystérieux, comme *Contes et légendes de la Corne d'Afrique*[2], *Contes des Mille et Une Nuits*[3], *Contes et récits du cirque*[4]... Des livres revus et agrémentés de nouvelles couvertures, et riches de thèmes très divers.

Il faut encore citer les contes d'Italo Calvino, ceux de Singer (*Zlateh la chèvre et autres contes*[5]), *La Reine des Neiges* d'Andersen[6]... Avec humour et jeux de contraintes, Chantal Robillard a écrit *Les Sept Fins de Blanche-Neige* et *La Fontaine aux fées*[7].

Il existe aussi des contes de nomades[8], des contes de brume fantomatique japonais, des contes de sagesse esquimaude, des légendes gaéliques aux démons marins qui ouvrent aux civilisations différentes et lointaines[9]...

Des illustrateurs font « merveilles »...

Parmi les plus grands illustrateurs, nombreux sont ceux qui aiment illustrer les contes traditionnels.

Pour *La Petite Marchande d'allumettes*[10] de Hans Christian

1. *Contes des peuples de Chine*, Guillaume Olive/He Zhihong, Syros Jeunesse.
2. *Contes et légendes de la Corne d'Afrique*, Yves Pinguilly/Emre Orhun, Nathan.
3. *Contes et légendes des Mille et Une Nuits*, Gudule/Patricia Reznikov, Nathan.
4. *Contes et récits du cirque*, Laurence Gillot/Aurore Callias, Nathan.
5. *Zlateh la chèvre et autres contes*, Singer, Livre de Poche Jeunesse.
6. *La Reine des Neiges*, Andersen, Folio Junior, Gallimard Jeunesse.
7. *La Fontaine aux fées* ; *Les Sept Fins de Blanche-Neige*, Chantal Robillard, éd. Le Verger.
8. *Les Plus Beaux Contes nomades dès 8 ans*, Josette Daum/Nathalie Novi, Syros Jeunesse.
9. *Mon premier Larousse, Contes du monde*, collectif, Larousse.
10. *La Petite Marchande d'allumettes*, Hans Christian Andersen/Georges Lemoine, Nathan.

Andersen, Georges Lemoine imagine une petite fille marchant en hiver sous les bombes de Sarajevo. Cet illustrateur qui nous avait habitués à la transparence des bleus et des verts[1] nous fait pénétrer dans une ville laquée de gris sombre, couverte de cicatrices, jusqu'à ce que l'étincelle d'argent de l'allumette, beauté de bleu glacé, métamorphose le livre vers la mort lisse de l'enfant. Un album essentiel. Du même illustrateur : Le Méchant Prince et Le Géant égoïste[2].

Avec des illustrations surgies d'une rêverie où défilent des personnages espiègles, dynamiques et flamboyants, Jean Claverie a imagé La Barbe-Bleue et Riquet à la houppe de Perrault[3], ainsi qu'une forme moderne et drôle du Petit Chaperon rouge dont la mère est devenue marchande de pizzas dans un no man's land...

Dans l'album La Belle et la Bête[4], Anne Romby représente somptueusement tissus et décors dans lesquels elle fait évoluer, comme dans les airs, ses personnages oniriques. Une belle interprétation du conte sur papier d'Ingres.

Une autre version de La Belle et la Bête[5] reprend le texte classique du XVIIIe siècle écrit par Mme Leprince de Beaumont : Nicole Claveloux travaille en noir et blanc, à la plume ou au fusain, saisissant l'atmosphère de ce conte fantastique.

Autre livre-cadeau : Alice au pays des merveilles[6], texte intégral et poétique de Lewis Carroll, parcouru d'images classiques et superbes de Nicole Claveloux.

L'Anglais Anthony Browne, lui, modernise le conte de Grimm, Hans et Gretel, et y ajoute une foule de détails qui

---

1. Comment Wang-Fô fut sauvé des eaux, M. Yourcenar/G. Lemoine, Enfantimages, Gallimard. Pour les grands, de M. Yourcenar : Les Nouvelles orientales, Gallimard.
2. Le Méchant Prince, Hans-Christian Andersen ; Le Géant égoïste, Oscar Wilde/Georges Lemoine, Gallimard Jeunesse.
3. La Barbe-Bleue ; Riquet à la houppe, Perrault/Jean Claverie, Albin Michel Jeunesse.
4. La Belle et la Bête, Mme Leprince de Beaumont/Anne Romby, éd. Milan.
5. La Belle et la Bête, Mme Leprince de Beaumont/Nicole Claveloux, éd. Être.
6. Alice au pays des merveilles, Lewis Carroll/Nicole Claveloux, Grasset Jeunesse.

provoque une lecture riche de surprises... Il a réalisé lui aussi une *Alice au pays des merveilles*[1] aux illustrations étonnantes.

L'Autrichienne Lisbeth Zwerber choisit des contes de Grimm (*Les Sept Corbeaux, Hans et Gretel*) qu'elle anime de personnages évoluant dans une atmosphère dansante.

D'autres contes de Grimm : *Mille-Fourrure*, qu'Henriette Sauvant poétise avec son art coloré où l'infiniment petit côtoie l'infiniment grand, une sensualité esthétique, un univers de Jérôme Bosch apaisé ; ou *Dame Hiver*[2], que Nathalie Novi illumine de ses couleurs chatoyantes.

On peut découvrir l'écrivain du XVIIᵉ siècle Cervantes et son légendaire *Don Quichotte* : Gwen Karval a mis en scène les aventures rocambolesques du chevalier torturé et de son fidèle Sancho Pança, un livre de naïveté et de rêves fous...

Et encore *Les Aventures de Pinocchio*[3], ou comment un morceau de bois sculpté devient un vrai petit garçon au long nez, illustré par l'Italien Roberto Innocenti qui donne à la marionnette un vrai souffle de vie.

Ces contes merveilleux du monde entier, aux images envoûtantes, sèment les formules poétiques et viennent enrichir l'imaginaire collectif...

---

1. *Hans et Gretel* ; *Alice au pays des merveilles*, ill. d'Anthony Browne, Kaléidoscope. Tous les Anthony Brownee sont édités aux éditions Kaléidoscope.
2. *Dame Hiver*, Grimm/Nathalie Novi, Didier Jeunesse.
3. *Les Aventures de Pinocchio*, Carlo Collodi/Roberto Innocenti, Gallimard Jeunesse.

8

Livres d'art, de poésie, de musique

> « L'art c'est l'inconscient de l'autre, l'imaginaire de tous. »
>
> Roland Barthes

L'image artistique

La plupart des albums sélectionnés ont une valeur illustrative qui en fait de vrais livres d'art. De grands artistes français et étrangers offrent aux enfants des images oniriques, naïves, poétiques, expressionnistes, hyperréalistes, humoristiques...

Les images donnent un supplément d'âme et d'apaisement : elles divertissent, elles offrent à explorer, elles illuminent le quotidien, poétisent la réalité et imprègnent l'être sans contrainte. Les créateurs développent chez leurs lecteurs une sensibilité esthétique. Ils les initient aux arts graphiques, plastiques et picturaux.

Après un atelier d'écriture, une classe de Maubeuge reçoit l'illustrateur Zaü. Il dessine d'après les textes des élèves et ceux-ci sont étonnés de voir Zaü les compléter, détourner, imaginer de façon différente. L'illustrateur leur explique alors comment il travaille.

Tous comprennent et, à leur tour, font des fresques où ils ajoutent des motifs, des détails, des dérives qui parachèvent leurs écrits. Ce jour-là, les élèves ont appris et compris que l'illustration apportait un « supplément d'âme » au texte et, avec cet artiste, ils ont partagé un moment de plaisir créatif.

En feuilletant les albums d'Anne Brouillard et son monde retrouvé de la peinture[1], en regardant les livres illustrés par Anne Buget[2] qui rappellent le dessin japonais ou ceux de Béatrice Poncelet[3] aux collages en mouvement, on s'égare dans un musée imaginaire, on parcourt un chemin artistique.

Développons leur sens critique

À la bibliothèque, les enfants peuvent feuilleter, regarder les images, comparer les illustrations et choisir les albums qu'ils aiment... Peu à peu, ils acquerront un sens critique qui leur permettra de désigner leurs préférés. Le soir, dans leur lit, ils les contempleront pour mieux rêver...

Muses, musardons au musée

À l'époque des images photographiques, cinématographiques, télévisuelles, publicitaires ou électroniques, l'illustration d'albums étonnants offre aux jeunes lecteurs, sans qu'ils s'en rendent compte, des parcelles de beauté. Un exemple, *La Petite Fille qui marchait sur les lignes*[4]... pour ne pas tom-

---

1. *Il va neiger*, Anne Brouillard, Syros Jeunesse.
2. *La Brodeuse*, texte de Françoise Richard ; *Les Trois Calumets*, texte de Patrick Bertrand ; *Les Perles de la tigresse*, texte d'Isabelle Godet, trois albums illustrés par Anne Buget, Le Seuil Jeunesse.
3. *J'aurais tombé*, B. Poncelet, Syros Jeunesse ; *Ta Lou qui t'aime*, E. Brami/B. Poncelet, Le Seuil ; *Les Cubes*, B. Poncelet, Le Seuil.
4. *La Petite Fille qui marchait sur les lignes*, Christine Beigel/Alain Korvos, éd. Motus.

ber ! Trou-monstre, lignes d'eau, courbes-sourires, voyage vers le soleil et marelle de la terre au ciel... La petite fille avance à travers des lignes de dessins colorés qui évoquent le peintre Paul Klee.

Mais il existe aussi des livres sur l'art pour satisfaire les enfants curieux qui veulent s'initier à la peinture et pour ceux qui peuvent fréquenter les musées.

La Réunion des musées nationaux, éditeur de nombreux livres d'art, a créé pour les petits une série de livres au format carré intitulés *Le Musée du potager, Le Musée de la musique, Le Musée des couleurs...* Chaque double page de ces albums montre à droite une reproduction d'un tableau, par exemple *Les Pommes* de Cézanne, et à gauche un détail de ce tableau et une phrase. Une collection pour se familiarisier très petit avec les tableaux.

Mais si votre enfant ne possède qu'un livre de peinture, ce doit être *Le Petit Musée*[1]. Deux illustrateurs, Alain Le Saux et Grégoire Solotareff, ont joué les iconographes et choisi cent quarante-huit détails de peintures de toutes les époques. D'un aigle d'Hokusaï au bain de Daumier, d'une bouteille de Morandi au marchand de poissons de Bruegel, 300 pages où 148 mots sont illustrés de 148 parties de tableaux de toutes les époques, de tous les pays. Dans ce grand musée, chacun peut admirer à sa guise. Les tout-petits le regardent comme ils découvrent un abécédaire, les plus grands s'étonnent et les adultes jouent à retrouver le nom des peintres. Ce livre-trésor édité en 1992, ludique et familial, permet la rencontre des générations autour de la peinture.

Mon petit Orsay[2] conte le musée du XIXe siècle en jouant sur le « il y a un chien rouge » dans la toile *Arcarea* de Gauguin (1892) ou « il y a une grasse matinée » dans la

---

1. *Le Petit Musée*, Le Saux/Solotareff, École des Loisirs.
2. *Mon petit Orsay*, Marie Sellier, Réunion des musées nationaux.

peinture de Vuillard *Au lit* (1891)... Une visite livresque et agréable au musée d'Orsay. Même auteur, même éditeur : *Mon petit Cluny*, sur le musée du Moyen Âge, à Paris.

Afin de découvrir les artistes les plus marquants du XXe siècle, la collection « L'art en jeu » analyse, dans chacun de ses livres, un tableau ou une sculpture du musée Georges-Pompidou. Dans un jeu de surprises, de cachettes, de découpes, par une exploration qui provoque et oblige l'observation, le lecteur découvre l'œuvre. *La Tour Eiffel*, peinte par Robert Delaunay (1885-1941), courbe ses lignes et transforme ses couleurs en une symphonie écarlate de bleus, de verts, de jaunes dorés. Dans la même collection, huit statuettes de femmes filiformes du sculpteur Alberto Giacometti (1901-1966) ouvrent l'album *Grande Femme II*. Ce livre donne des notions d'espace, de vide et d'ombre, ainsi que l'idée d'étirement, d'éloignement puis de rapprochement. Étonné, le jeune s'ouvre à la création.

> Samuel revient de la bibliothèque où il a été chercher des livres sur Claude Monet. Le soir, il montre à toute la famille réunie l'album *M comme Monet*. Tous admirent *Les Arbres en fleurs, Les Cathédrales, Les Nymphéas...* Puis Samuel parle des variations de lumière, du soleil rouge qui se perd en zigzag sur la toile ou du ciel qui se reflète dans l'eau.
> N'est-ce pas enthousiasmant pour un jeune de constater qu'un homme a consacré sa vie, avec passion et acharnement, à la peinture de la lumière ? Et n'est-ce pas un moment agréable passé avec ses parents et ses sœurs autour d'un peintre ?

C comme Cézanne ; *M comme Matisse* ; *M comme Monet* ; *T comme Toulouse-Lautrec* appartiennent à une collection au format à l'italienne, réalisée par la Réunion des musées nationaux. En vingt-six lettres, et dans une très belle mise en pages, chaque livre raconte la vie d'un peintre, le chemin de ses œuvres, et donne de nombreuses informations sur ses créations. Si nous feuilletons *T comme Toulouse-Lautrec*, nous voyons des portraits de femmes, les danseuses du french cancan dont le peintre aimait capter la grâce, des cavaliers et des chevaux en mouvement. Cet album décrit aussi l'enfance, la maladie, l'amour du dessin, de la peinture, les lieux préférés du peintre. Il est illustré de ses croquis, de ses tableaux, de ses affiches. Une manière d'aborder Toulouse-Lautrec (1864-1901) et le Paris de la Belle Époque...

Il existe aussi *Rodin le sculpteur* et *Carpeaux*[1]. Sont aussi réédités *Oh !* et *Ah !*[2], magnifiques albums d'art.

Sur une idée d'Agnès Rosentiehl, les éditions Autrement éditent une collection de petits livres au format carré qui prend comme point de départ un thème. Par exemple, sur celui des cheveux, nous admirons la chevelure blond vénitien de la Vénus de Botticelli, un page de Dürer montre ses longues mèches bouclées retenues sur le sommet de la tête par un bonnet rayé ou la vahiné de Gauguin aux cheveux d'ébène et à la peau d'ambre... Et d'autres peintres, d'autres portraits, d'autres coiffures...

L'Art en bazar[3], un jeu de l'artiste Ursus Wehrti, offre dix-neuf reproductions de peintures du XXe siècle. Dans chacune, il choisit un détail qu'il met en valeur. Cette déconstruction jubilatoire permet de voir l'œuvre autrement et montre combien chaque tableau est savamment construit.

Des livres sur l'art africain ont été réalisés par Sophie Curtil et le musée Dapper, musée de la statuaire africaine : *N'Tchak*, ou l'histoire d'un pagne brodé du Zaïre, et *Tchibinda*, un conte africain illustré de statues Tcokwe (Angola et Zaïre). Un savant découpage met les objets en mouvement, et les mots semblent danser tout au long des pages[4]...

---

1. *Rodin le sculpteur* ; *Carpeaux*, Marie Sellier, éd. Paris Musée.
2. *Oh !* et *Ah !* Josse Goffin, La Réunion des musées nationaux.
3. *L'Art en bazar* (traduit de l'allemand, Suisse), Ursus Wehrti, éd. Milan.
4. *N'Tchak, un pagne de fête au pays des Kuba* ; *Tchibinda, le héros-chasseur* ; *Masque*

Chaque album est histoire, métamorphose et découverte de l'art africain.

Dans *Pays sages*[1], un bonhomme observe la réalité mais peint en artiste et selon son imagination. Décalage entre réel et imaginaire, plaisir des mots et du regard. Un bel album d'Éric Battut pour aborder d'autres livres d'art.

Inclassable et unique : le *Bestiaire* du peintre allemand Sowa[2]. Une œuvre d'art bizarre puisque nous voyons des moutons devant un ordinateur, un bouquet de flamants roses, des hommes perdus dans un ciel à la Turner et une petite fille qui vogue sur une mer déchaînée, seule avec un gorille. La beauté surréelle de ces peintures ravit.

De l'eau, de l'eau[3], un livre sur les rivières, la glace, les inondations, dans lequel le thème de l'eau est vu par des artistes : Bonnard, Cézanne, Dufy, Marquet, Tinguely, Niki de Saint-Phalle. Cet album nous livre en même temps le passé : jeux de bateaux au Luxembourg en 1899 ou inondations de Paris au début du XXe siècle. Que d'eau ! Le texte de Philippe-Jean Catinchi nous fait remonter le temps avec subtilité et mieux voir peintures et photographies anciennes.

Paul Cox a réalisé une *Histoire de l'art*[4] bien peu conventionnelle et, dans l'énorme livre *Coxcocex 1*, il propose sa manière de travailler, ses processus d'élaboration et les œuvres qui l'inspirent. Un ouvrage d'art et de référence.

Reste à ne pas oublier *La Première Revue d'art dada* des éditions Mango, qui s'adresse aux enfants et sait montrer art et artistes ainsi que des activités réalisables par les lecteurs. Une publication sur la peinture servie par une mise en pages dynamique. Une revue à fréquenter.

Vouvi, masque boa ; *Mia* ; *Les cuillères sculptures*, S. Curtil. Deux autres titres : *Masque Vouvi, masque boa* et *Mia*, un conte d'Eveline Gbeblewo, illustré par des cuillères sculptures Musée Dapper, 50 av. Victor Hugo, 75016 Paris.
1. *Pays sages*, Éric Battut, éd. Bilboquet.
2. *Bestiaire*, Sowa, Le Seuil.
3. *De l'eau, de l'eau*, Philippe-Jean Catinchi, éd. du Rouergue.
4. *Histoire de l'art* ; *Coxcodex 1*, Paul Cox, Le Seuil.

Regards d'artistes

Tous ces livres seront encore plus appréciés si les parents les regardent avec leurs enfants et si, pour les citadins, ils accompagnent les visites dans les musées. Aux bibliothécaires et aux professeurs d'arts plastiques de penser à en conseiller la lecture. Ils formeront des jeunes qui, devenus adultes, auront un regard curieux, un regard d'artiste !

Poésie, mon beau souci

La poésie offre aux enfants l'usage des mots comme un jeu : le mot devient ballon que l'on lance, rythme et rimes se répondent. Elle affine les émotions, métamorphose les sentiments, et les métaphores jaillissent telles des étincelles. La poésie se drape d'images inédites, simples, inouïes, intimes, étranges. Elle apporte au jeune une façon différente de dire et d'écrire impressions, sensations, émotions, événements.

Les haïkus japonais, ces courts poèmes sur un paysage, un portrait, un état de tristesse, sont une première initiation. L'album de *Haïkus* [1] ou *200 haïkus pour les moments de tous les jours* est un carnet de courts poèmes légers, surprenants, irréels, composé par Anne Tardy et illustré de traits fragiles par Georges Lemoine. Rêve diurne, écho du soir, secret fugitif, une excellente approche de la poésie.

Certains enseignants ont pris l'habitude de lire des poèmes et d'en faire apprendre par cœur à leurs élèves. Excellent exercice d'écoute, de sensibilisation, de mémorisation et d'apprentissage de la diction à haute voix. Ils peuvent aussi convier des poètes à venir animer des ateliers d'écriture dans

---

1. *Haïkus*, Anne Tardy/Georges Lemoine, Gallimard Jeunesse.

les classes. En s'initiant à cette pratique créative relativement répandue, les jeunes prennent conscience qu'il existe une autre manière d'exprimer ce qu'ils ressentent. Il est bon de leur lire régulièrement des poèmes choisis en fonction de leur âge dans la multitude des œuvres françaises et étrangères, de leur apprendre à sélectionner des mots et des expressions qu'ils aiment. Jeux d'observation, de rythme, perception affinée, par ces activités, peu à peu, après un temps, chacun pourra écrire une poésie et bientôt inventer des poèmes deviendra un jeu... (lire : *J'écris des poésies*[1]).

L'écrivain Claude Roy affirme que « le mouvement même de la naissance du poème est un mouvement commun à l'enfant-poète et au poète adulte ». La naissance du poème retrouve l'orée de l'enfance...

Berceuses et comptines

On sait que le bébé, dans sa toute petite enfance, s'imprègne du rythme des bercements et des voix, enregistre la musique des berceuses, conserve en lui-même le tempo des ritournelles et la mélodie des chansons : on saisit mieux l'importance de lui dire comptines et poèmes.

La première bibliothèque de bébé va comprendre des chansons. *À pas de velours*[2] est un album qui contient vingt-huit berceuses illustrées de tons chauds par Isabelle Chatellard et Stéphane Girel ainsi qu'un CD aux voix d'enfants et d'adultes mêlées, aux sons boisés des flûtes, hautbois, clarinette, basson et corps anglais.

Comptines et berceuses du baobab[3] est un livre-disque

1. *J'écris des poésies*, Rolande Causse/Jean Claverie, Albin Michel Jeunesse.
2. *À pas de velours*, présentation Anne Bustaret, choix Yves Prual, ill. Isabelle Chatellard et Stéphane Girel, Didier Jeunesse.
3. *Comptines et berceuses du baobab*, Chantal Gosleziat/Elodie Nouhen, Didier Jeunesse.

composé de trente berceuses d'Afrique noire, collectées par Chantal Gosleziat, et dans lequel chaque chant est transcrit dans sa langue d'origine et traduit en français. Les magnifiques illustrations d'Élodie Nouhen sont une invitation au voyage...

Les Berceuses du monde entier[1] se présente sous la forme d'un livre (chansons et traductions) et d'un CD sur lequel sont chantées vingt berceuses traditionnelles issues de pays utilisant des langues rares et interprétées par des chanteurs pour la plupart anonymes.

Les poèmes en recueils

L'éditeur Albin Michel Jeunesse, sensible à la vie de la langue, a créé une collection qui comprend *Le Dico des mots rigolos*[2], un florilège de virelangues : *Dix dodus dindons*, et des contrepèteries : *La Vie des mots, l'ami des veaux* et *Ton porc te ment tôt*[3], avec des propositions pour inventer des jeux de mots... Des livres à lire en famille afin de tournebouler la langue dans tous les sens, de dire les phrases très vite ou très lentement, en bégayant et en riant. Une sensibilisation à la poésie qui peut se poursuivre avec, chez le même éditeur, *Les Animaux et leurs poètes*, une anthologie de poèmes contemporains choisis par un vrai poète : Jean-Hugues Malineau.

Le poète et éditeur Alain Serres publie *La Cour Couleur*[4], un recueil dont les thèmes sont la lutte contre le racisme et

---

1. *Les Berceuses du monde entier*, Gallimard Jeunesse.
2. *Le Dico des mots rigolos*, Michel Piquemal/Gérard Moncomble/Frnado Puig-Rosaro, Albin Michel Jeunesse.
3. *Dix dodus dindons* ; *Drôle de poèmes pour les yeux et les oreilles* ; *Les Chats-mots* ; *Ton porc te tôt...*, *Les Animaux et leurs poètes*, Jean-Hugues Malineau, Albin Michel Jeunesse.
4. *La Cour Couleur*, poèmes rassemblés par J.-M. Henry, images de Zaü, éd. La Rue du Monde.

la tolérance envers tous les enfants. Suit une anthologie multilingue de cinquante poèmes issus de cinquante cultures intitulée *Tour de terre en poésie*[1]. *Naturellement*[2] est un choix de poèmes de Char, Neruda, Guillevic, Primo Levi, autour de la nature, de l'homme et de son environnement. Et *Dis-moi un poème qui espère*[3], un recueil qui veut lutter contre les noirceurs du monde et offrir espoir et rêve...

Aux éditions Bayard Jeunesse, *Poésies*[4] est une séduisante anthologie qui présente cinquante-huit poètes du XXe siècle : un poème par poète, un monde graphique par page. Une vie au souffle des mots qui offre une belle unité à ce recueil vêtu de rouge et d'or, un livre-cadeau, invitation à la poésie...

Pluie de poésies

L'éditeur de la Rue du Monde veut donner accès à la poésie aux tout-petits. Sa collection « Petits Géants » recense des poètes comme Alain Bosquet, Boris Vian ou Paul Éluard. Chaque livre, petit album carré joliment illustré, offre un poème. La poésie suscite la curiosité. Un vers peut devenir réponse, point d'appui, chant de silence...

Le poète Guy Goffette a choisi dans le fonds Gallimard et a créé la collection « L'Enfance en poésie » : des albums de poètes tels *Petit bestiaire*[5] de Guillaume Apollinaire illustré par Béatrice Alemagna, *Feu de joie et autres chansons*[6] de Louis Aragon illustré par Nathalie Novi, *Au hasard des*

---

1. *Tour de terre en poésie*, J.-M. Henry/M. Vautier, éd. La Rue du Monde.

2. *Naturellement*, J.-M. Henry/Yan Thomas, éd. La Rue du Monde.

3. *Dis-moi un poème qui espère*, J.-M. Henry, A. Serres/Laurent Corvaisier et photos Magnum, éd. La Rue du Monde.

4. *Poésies*, anthologie proposée par Benoît Marchon, illustrée par Dupuy-Berberien, Bayard Jeunesse.

5. *Petit bestiaire*, Guillaume Apollinaire, Enfance en poésie, Gallimard Jeunesse.

6. *Feu de joie et autres chansons*, Louis Aragon/Nathalie Novi, Enfance en poésie, Gallimard Jeunesse.

oiseaux et autres poèmes[1] de Jacques Prévert illustré par Jacqueline Duhême, *La Cour de récréation*[2] de Claude Roy illustré par Georges Lemoine et bien d'autres petits livres soignés... Les vers de nos grands auteurs qui disent de belle manière le possible et l'impossible...

Un exemple : Jacques Roubaud, grand poète contemporain, ravit les jeunes lecteurs avec *Menu, menu*[3], où le menu du cochon est « un pépin de pomme de reinette et une gorgée d'eau fraîche »... Et « pour le loup, c'est cailloux, choux et poux »...

Du même auteur, pour les 7-10 ans, *Les Animaux de tout le monde* et *Les Animaux de personne*, livres indispensables[4], et, dans la même collection, *Pas si bêtes*[5], un inédit du célèbre poète Guillevic, mort récemment...

Une institutrice de CM2 accompagne ses élèves à la bibliothèque municipale. Là, d'un commun accord avec les bibliothécaires, chaque élève doit choisir un livre qu'il empruntera afin de le lire chez lui et d'en parler à la classe. Lors de la présentation, elle constate que plusieurs élèves, qui n'ont pas d'excellentes notes en français, ont emprunté des livres de poésie[6]. Étonnée, cette enseignante les interroge sur ce choix. Unanimement, ils répondent qu'ils ont pris des poèmes parce que « c'était plus court ». Mais bientôt, pris au jeu, ils avouent apprécier cette forme. Encouragée par eux, l'enseignante comprend que certains poèmes peuvent donner envie de lire à des enfants qui n'aiment pas les textes longs. Elle décide de travailler sur la poésie avec la classe entière. Ce qu'elle fait durant un trimestre. À la fin, l'institutrice elle-même s'étonne de la sensibilité nouvelle de ses élèves à la poésie.

1. *Au hasard des oiseaux et autres poèmes*, Jacques Prévert/Jacqueline Duhême, Enfance en poésie, Gallimard Jeunesse.
2. *La Cour de récréation*, Claude Roy/Georges Lemoine, Enfance en poésie, Gallimard Jeunesse.
3. *Menu, menu*, Jacques Roubaud/Elène Usdin, Enfance en poésie, Gallimard Jeunesse.
4. *Les Animaux de tout le monde*, *Les Animaux de personne*, Jacques Roubaud/Jean-Yves cousseau, Marie Borel, éd. Séghers.
5. *Pas si bêtes*, Eugène Guillevic, éd. Séghers.
6. *Enfances*, éd. Gautier-Langereau, et *Les Oreilles à l'air*, P. De Boissy/R. Breucker, éd. Motus.

Dans *Zoofolies*[1], Brigitte Vaultier écrit des textes-divagations où allitérations et rythme enchantent telle une musique. Ils peuvent même entraîner certains récalcitrants à la poésie. Les illustrations de Kerso sont comme des tableaux en mouvement. À la beauté du trait répond la fantaisie des mots...

Du poète René de Obaldia, *Moi j'irai dans la lune*, entre comptines et poésies des *Innocentines*[2] qui chantent avec impertinence le monde de l'enfance, est malicieusement illustré par Emmanuelle Houdart.

Tous les gourmands doivent lire un petit livre d'Andrée Chédid qui met en rythme et en rimes les délices de la cuisine : *Contre-recettes d'une sous-douée*[3], une fantaisie qui ouvre poétiquement l'appétit... Cette poétesse et romancière a écrit un splendide roman pour adolescents, *L'Autre*[4], et une série de nouvelles, *Derrière les visages*.

Les éditions Le Dé bleu fêtent leurs trente ans de poésie avec un livre de Jacqueline Persini-Panorias, *Si petits les oiseaux*[5], mots fragiles imprimés sur un papier doux, illustrés avec lyrisme.

« Des poèmes plein les poches » est une collection raffinée de livres à feuilleter, à lire et à partager, offrant de délicates correspondances entre mots et images. Les poésies chatoyantes de Patrick Bertrand dans *Silence, la queue du chat balance*[6], ou *Chant secret des tam-tams*[7] de Thomas Scotto sont à lire lentement, pour suspendre le temps.

1. *Zoofolies*, Brigitte Vaultier/Kerso, éd. du Ricochet.
2. *Moi j'irai dans la lune* et *Innocentines*, René de Obaldia, Grasset Jeunesse.
3. *Contre-recettes d'une sous-douée*, A. Chedid/R. Courgeon, éd. Lo Païs d'enfance.
4. *L'Autre* ; *Derrière les visages*, A. Chedid, Castor Poche, Flammarion.
5. *Si petits les oiseaux*, Jacqueline Persini-Panorias/Evelyne Debeire, éd. Le Dé bleu, distribué par Casteilla (10, rue L. Foucault, 78184 Saint-Quentin-en-Yvelines Codex).
6. *Silence, la queue du chat balance*, Patrick Bertrand/Serge Ceccarelli, Actes Sud Junior.
7. *Le Chant secret des tam-tams*, Thomas Scotto/Daniel Maja, Actes Sud Junior.

Pour les adolescents, la poésie : un défi et un abri

Les collégiens liront les « Albums dada[1] » qui illustrent un poète. Dans une mise en pages très moderne, se mêlent poésies, photos ou dessins. On peut parcourir et découvrir : *Baudelaire, Rimbaud, Verlaine, Prévert, Desnos, Éluard, Apollinaire, Char* et les chanteurs *Trénet, Lapointe, Gainsbourg...*

Les éditions Mango éditent aussi des anthologies superbement illustrées de la poésie arabe, algérienne, chinoise, allemande[2].

Dans *Mille ans de poésie*[3], Jean-Hugues Malineau a su donner le meilleur de chaque poète. Cette ronde peut entraîner vers d'autres lectures plus approfondies des poètes aimés et se révèle une œuvre fort utile pour chaque collégien, pour chaque famille.

Pour les adolescents, l'éditeur François David, dont les éditions Motus sont installées dans la Manche, a choisi l'écrivain Michel Besnier pour chanter les oiseaux dans *Le Verlan des oiseaux*[4] : « Un poème se fait/comme un nid/avec de l'herbe/et de l'amour... »

Ce poète réitère avec *Le Rap des rats*, livre finement illustré par l'artiste Henri Galeron. Un art cocasse qui peut séduire tous les lecteurs mais aussi les non-lecteurs...

Les éditions du Cheyne ne publient que de la poésie. Chaque livre présente des textes d'un poète tel *Le Poète et la méchante humeur* de J.-M. Barnaud ou *À l'aube du buisson* de Jean-Claude Siméon. Nous entendons un « élan du ruisseau », une musique serpentante et odorante où les mots coulent et nous réchauffent avec Char, Lorca, Desnos en échos lointains.

---

1. « Albums dada » : *Baudelaire, Rimbaud, Verlaine, Prévert, Desnos, Eluard, Apollinaire, Char, Trenet, Lapointe, Gainsbourg*, éd. Mango.
2. *Poésie arabe, algérienne, chinoise, allemande*, éd. Mango.
3. *Mille ans de poésie*, J.-H. Malineau, éd. Milan.
4. *Le Verlan des oiseaux*, Michel Besnier/de Boiry ; *Le Rapt des rats*, Michel Besnier/Henri Galeron, éd. Motus.

Dans *Sans frontières fixes* [1], Jean-Paul Siméon dit la tristesse, la révolte, l'espoir. Un chant qui « affranchit des ombres les peuples emmurés ». Tous les livres de cet éditeur sont des joyaux, superbement et poétiquement illustrés par Martine Mellinette. Il a également publié *Matin brun* de Frank Pavloff, un très petit livre (vendu un euro), qui, par un texte fort, dénonce tout racisme et toute dictature. À lire d'urgence !

Des textes délicats, des « presque » poèmes sur les sensations, les impressions, le temps, le silence, la timidité, l'amitié, l'amour, la lumière..., *Pour vivre* [2] est un livre raffiné de Bernard Friot et Catherine Louis. Un jeu de miroir entre texte et mise en scène graphique et colorée. Une promenade au cœur des sentiments qui peuvent être ceux des adolescents, d'une beauté discrète, abstraite et néanmoins forte. Un livre relié, un livre de chevet enrubanné...

À travers ces courts chemins de mots denses et profonds, les jeunes trouvent souffles, bruissements, surprises et peuvent puiser des images, s'égarer dans les émotions, se laisser charmer et, à leur tour, poétiser. De nombreux adolescents ressentent le plaisir d'écrire des poésies soit dans un atelier, soit seuls.

Elle est donc retrouvée... Qui ? La Poésie...

L'heure de poésie

Lisez des comptines à vos petits, lisez des poèmes à vos enfants... À vos adolescents, à vos élèves, proposez des poèmes et des livres. Tous en garderont une trace.

Bibliothécaires qui menez l'heure du conte, pourquoi ne pas pratiquer aussi l'heure de poésie d'une manière régulière ?

---

1. *À l'aube du buisson* ; *Sans frontières fixes*, Jean-Pierre Siméon/Martine Mellinette, Des poèmes pour grandir, Cheyne-Editeur.
2. *Pour vivre*, Bernard Friot/Catherine Louis, La Martinière Jeunesse.

Enlivrez-vous de musique

Parmi les albums qui parlent de musique, *Little Lou* et *La Route du Sud*[1], de Jean Claverie, sont incontournables. Le pianiste Little Lou découvre le sud des États-Unis, l'esclavage, la haine raciale mais aussi la musique... Jean Claverie fait ressortir son talent par des illustrations chaleureuses et lumineuses.

Une collection, « Les musiques enchantées », aux éditions Actes Sud junior, propose un album toujours artistiquement illustré et un CD. Les opéras *Le Petit Ramoneur* de Benjamin Britten, *L'Enfant et les Sortilèges*, fantaisie lyrique de Maurice Ravel sur un texte de Colette, *L'Oiseau de feu*[2] d'Igor Stravinski ou *Le Barbier de Séville* de Rossini permettent, dès 8 ans, d'écouter en famille des extraits de grands opéras.

Sur le même principe album et CD, les éditions Gallimard publient *La Flûte enchantée*[3]. Sur le CD, il y a des extraits du livret en français, en allemand, des commentaires, la partition et des jeux musicaux. Chaque tableau est introduit par un court récit qui permet une écoute aisée pour les plus jeunes. Une belle sensibilisation à ce magnifique et dernier opéra de Mozart créé en 1791...

Le même éditeur décline de nombreux documentaires sur la musique et pour tous les âges : dans la collection « Premières découvertes », *Le Petit Singe et les Instruments de musique*[4]. *La Musique des instruments* dans la collection « Les Racines du savoir », ou *Instruments de musique* dans la série « Les Yeux de la découverte ».

---

1. *Little Lou ; La Route du Sud*, Jean Claverie, Gallimard Jeunesse.
2. *Le Petit Ramoneur* ; *L'Enfant et les Sortilèges* ; *L'Oiseau de feu* ; *Les Musiques enchantées*, Actes Sud Junior.
3. *La Flûte enchantée*, Mozart, Gallimard Jeunesse.
4. *Le Petit Singe et les Instruments de musique*, Gallimard Jeunesse.

Ces ouvrages sont pour ceux qui ne peuvent vivre sans musique, mais ils plairont aussi à tous les autres qui s'y sensibiliseront... Les CD les accompagnant font connaître les classiques et affinent la perception...

9

Droits et devoirs des enfants, citoyenneté, religion, philosophie, psychanalyse

> « Le racisme et la haine ne sont pas inclus dans les péchés capitaux. Ce sont pourtant les pires. »
>
> Jacques Prévert

Les droits des enfants

Le 20 novembre 1989, cent quatre-vingt-onze pays se sont engagés à respecter les termes de la Convention internationale des droits de l'enfant – que, refusant d'interdire la peine de mort pour les enfants, les États-Unis n'ont pas signée !

Cette Convention proclame que chaque enfant a le droit de porter un nom et d'avoir une nationalité dès sa naissance. Il a droit à la vie, à la nourriture et à la boisson, à la santé, à l'éducation, à la paix et à l'information. Il a également le droit de maintenir des relations avec ses deux parents, même si ceux-ci vivent séparés. Ces droits s'appliquent à tous les enfants sans considération de couleur, de sexe, de religion, de langue, d'opinion politique des familles, de handicap ou de fortune. Ils doivent être protégés des travaux qui mettent en danger leur santé et leur éducation. Personne n'a le droit de les maltraiter, et la justice doit les écouter avant de décider de leur sort.

Sur ce thème, deux livres sont importants, le premier : *Mes droits d'enfant*[1], écrits et commentés de manière active, en interrogeant les lecteurs. Cet album devrait être étudié dans toutes les classes de l'école primaire et lu dans les familles car il attire l'attention sur la vie laborieuse et pénible des enfants dans de nombreux pays (352 millions d'enfants âgés de 5 à 17 ans travaillent dans le monde[2]).

Le second : *Le Grand Livre des droits de l'enfant*[3], destiné aux collégiens et à tous, propose le texte intégral de la Convention. Cet album important traite de l'exploitation, de la malnutrition, des multiples souffrances vécues par des enfants et des adolescents dans nos pays mais surtout sur d'autres continents. Propos de jeunes, reportages photographiques, dessins enrichissent le texte d'Alain Serres dans ce plaidoyer pour le mieux-être de tous. Un livre qui informe, fait réfléchir et aide à comparer sa propre vie avec celle des autres, dans de nombreux pays.

Approche de la citoyenneté

Il est important que tous les petits Français qui vivent dans une démocratie (du grec *demokratia*, de *demos*, « peuple », et *kratos*, « force, puissance ») connaissent les institutions de leur pays. Ils doivent savoir qu'ils jouissent de droits mais qu'ils sont aussi astreints à des devoirs.

La citoyenneté commence avec le nom, la famille, l'état civil. Mais son apprentissage concerne aussi le fait de vivre avec d'autres, dans son immeuble, dans son quartier, à l'école, à la bibliothèque, sur les terrains de jeux, en colonie de vacances, dans l'une des trente-six mille communes françaises.

1. *Mes droits d'enfant*, Alain Serres/Pef-Geneviève Ferrier, éd. Rue du Monde.
2. Rapport de la section britannique de l'UNICEF publié le 21 février 2005.
3. *Le Grand Livre des droits de l'enfant*, Alain Serres/Pef, éd. Rue du Monde.

Dès l'enseignement secondaire, les élèves désignent des délégués qui, exprimant leur point de vue, les défendent lors des conseils de classe. Plusieurs dizaines de villes organisent des conseils municipaux où les adolescents participent ponctuellement à la vie de la cité. À l'Assemblée nationale, une journée annuelle est consacrée aux jeunes.

Dès qu'ils auront 18 ans, ils participeront à l'élection du président de la République et du gouvernement européen. Il faut leur rappeler l'importance de ce droit que les femmes françaises n'ont obtenu qu'en 1945.

Le Civisme à petits pas de Sylvie Girardet[1] explique les institutions françaises et un certain nombre de nos règles de vie, la justice, l'écologie, la liberté de religion, les droits de l'homme... Il suscite la réflexion. Les illustrations de Claude Lapointe provoquent et soutiennent une lecture active. Un dictionnaire des mots du civisme complète cet ouvrage. Dans la même collection, *La République à petits pas*[2] mène le lecteur de la Constitution aux institutions, de la Nation à l'État, de l'Assemblée nationale au Sénat...

Les plus grands peuvent lire *Citoyens en herbe*[3], un échange de lettres entre Adèle et Saïd, deux amis qui mutuellement s'aident et cherchent ensemble à comprendre et à mieux vivre. Des albums sur l'Europe, la famille, les institutions et l'intégration.

Les souffrances des enfants dans le monde

En Europe, au XIXᵉ siècle, les enfants travaillaient encore dans les mines et les usines. Ce n'est qu'en 1874 qu'une loi a

---

1. *Le Civisme à petits pas*, Sylvie Girardet/Claude Lapointe, Actes Sud Junior.
2. *La République à petits pas*, François Michel/Jacques Azam, Actes Sud Junior.
3. *Citoyens en herbe : L'Europe*, Edouard Pflimlin ; *La Famille*, Marianne Schulz ; *Les Institutions* et *L'Intégration*, Céline Braconnier, Gallimard Jeunesse.

interdit le travail aux enfants de moins de 13 ans. Aujourd'hui, en Europe, aucun adolescent ne peut avoir un emploi avant 16 ans. Mais, dans le reste du monde, 352 millions d'enfants travaillent (certains dès 5 ans) pour aider leur famille.

En 1882, le ministre Jules Ferry a rendu l'école française obligatoire et gratuite pour les enfants de 6 à 13 ans ; en 1936, la scolarité a été prolongée jusqu'à 14 ans, puis jusqu'à 16 ans en 1959. Mais, fait extrêmement grave, 113 millions d'enfants dans le monde n'ont même pas accès à l'enseignement primaire, dont 60 % de filles. L'urgence de savoir lire et écrire est pourtant d'autant plus grande que se développe une société « technologique » qui nécessite une pratique de la lecture bien maîtrisée.

Au XXIᵉ siècle, il existe encore des enfants soldats qui sont embrigadés et obligés de se battre comme de vrais combattants, des adolescents à la vie brisée. Des pays en guerre ont été minés : un nombre effrayant d'enfants – et d'adultes – sont mutilés par ces mines dont la fabrication n'est interdite que dans dix pays. Il faut lire à ce sujet l'émouvant album de Pef, *Une si jolie poupée*[1].

Autres désastres : 35 000 enfants meurent de faim et de soif par jour sur les continents africain, asiatique et sud-américain. 250 000 enfants perdent la vue par an.

Les éditions Syros ont créé, en partenariat avec Amnesty international et d'autres associations, l'excellente collection « J'accuse » afin de dénoncer toutes ces injustices commises sur des enfants. Quelques titres : *Ces ouvriers aux dents de lait ou les Enfants au travail*[2] ; *Les Petits Soldats ou Quand les enfants reviennent de guerre*[3] ; *Prich, l'enfant blessé : une mine = une vie amputée*[4] ; *Entre guerre et misère, les esclaves*

---

1. *Une si jolie poupée*, Pef, Gallimard Jeunesse.
2. *Ces ouvriers aux dents de lait*, Sigrid Baffert, Syros Jeunesse.
3. *Les Petits Soldats*, Reine-Marguerite Bayle, Syros Jeunesse.
4. *Prich, l'enfant blessé*, Reine-Marguerite Bayle, Syros Jeunesse.

aujourd'hui[1]. Ces livres attirent l'attention sur les conditions de vie inhumaines d'un trop grand nombre d'enfants dans le monde.

Quelle violence !

La violence peut se manifester de multiples façons, par une parole, par un geste, par un acte brutal. En France, des enfants peuvent se trouver confrontés à l'exhibitionnisme, à la pédophilie, à la prostitution.

Dès que l'enfant va appréhender les dangers de l'extérieur, la lecture de *J'ai peur du Monsieur*[2] permet d'aborder les menaces de toutes rencontres bizarres, d'en parler, de les dédramatiser.

Peu à peu l'autonomie arrive. Le petit livre *Résiste*[3] apprend le droit de s'opposer et de dire « Non ! » dans certaines circonstances.

Avec *Comment survivre dans un monde de brutes*[4], on apprend à se défendre si l'on est attaqué. C'est un manuel qui aborde de nombreux problèmes de la rue, de la cité, de l'école et de la maison...

Liés au mal-être des cités, vol, racket, violence se développent. Les jeunes se marginalisent et, loin du langage, se défoulent en frappant, en s'agressant entre bandes. Les éditions Autrement Jeunesse développent une collection pour les 9-13 ans sur les problèmes de société : *J'ai été racketté*[5] ;

---

1. *Entre guerre et misère*, Marie Agnès Combesque, Syros Jeunesse.
2. *J'ai peur du Monsieur*, Virginie Dumont, Actes Sud junior.
3. *Résiste*, Bernadette Costa-Prades/Manu Boisteau, Syros Jeunesse.
4. *Comment survivre dans un monde de brutes*, Oliver Grignon et Bernadette Costa-Prades, Albin Michel Jeunesse.
5. *J'ai été racketté*, texte de Laudemo, histoire de Marie-Sabine Roger/Cassandre Guibert, Autrement Jeunesse.

Mon copain a volé[1] ; *Respecte-moi*[2] ; *Fille = Garçon*[3]. Chaque livre contient un récit qui part d'un fait réel ; il est suivi de réponses possibles et d'un dossier d'informations.

Dans les collèges et lycées aussi, la violence est présente. Le livre *La Violence, carton rouge*[4], de Virginie Lou, qui a travaillé auprès d'adolescents, raconte avec finesse le quotidien de trois collégiens : Aminata, jeune Noire vivant seule avec sa mère et que tout effraie ; Jean-Pierre, dont le père voudrait qu'il soit excellent élève, et Gaspard, un fou de télé qui manque de jugeote. Bande, racket, drogue, racisme, accident... entre télévision et réalité, comment s'y retrouver ? La solution viendra de celle qui est souvent traitée de « négresse » : ce sera la discussion et le tutorat qui leur permettront enfin de se regarder, de se parler, de commencer à se comprendre. Un livre prétexte à discussion, un livre pour développer l'écoute de l'autre...

Paroles pour adolescents[5] du Dr Catherine Dolto peut aider à passer ces années difficiles où l'on sort de l'enfance et où l'on n'est pas encore adulte. Ce livre traite des métamorphoses successives, des pièges, des silences de l'adolescence, et de la force nécessaire pour accomplir des choix.

Dans l'excellent roman *Un tag pour Lisa*[6], Stéphane Daniel raconte l'histoire de Diembi, un jeune Africain passé maître dans l'art du tag, et évoque le quartier, les bandes, les disputes et le triomphe de l'amitié.

Le récit *Fati*[7] de Jean-Michel Defromont met en scène des

---

1. *Mon copain a volé*, texte d'Anne de La Roche-Saint-André et de Brigitte Ventrillon, histoire de Frank Pavloff/Olivier Tallec, Autrement Jeunesse.
2. *Respecte-moi*, texte de Laure Tesson, histoire de Yaël Hassan/Natali, Autrement Jeunesse.
3. *Fille = Garçon*, texte de Béatrice Vincent, histoire de Sophie Dieuaide/Bertrand Dubois, Autrement Jeunesse.
4. *La Violence, carton rouge*, Virginie Lou, Actes Sud Junior.
5. *Paroles pour adolescents*, Catherine Dolto, Giboulées, Gallimard Jeunesse. À lire aussi : *Dico Ado*.
6. *Un tag pour Lisa*, Stéphane Daniel, Casterman.
7. *Fati*, Jean-Michel Defromont, éd. du Rouergue-Quart monde, prix solidarité 2004.

personnages d'Afrique, des îles et d'Europe qui se croisent : des liens se tissent et chacun découvre un sens à son existence...

Contre tout racisme...

Dans *Le Grand Livre contre le racisme*[1], Albert Jacquard écrit : « Le racisme c'est la négation de cette histoire des hommes qui nous dit combien l'autre est précieux à notre propre identité. » Dans ce livre, rédigé par un collectif sous la direction d'Alain Serres et illustré par Zaü, on lit que vers 1492, les Espagnols découvrent l'Amérique. Au XVIe siècle, les Indiens sont persécutés et l'appât de l'or détruit leurs civilisations. Afin d'avoir de la main-d'œuvre pour cultiver les terres conquises riches de produits nouveaux (maïs, tomates, pommes de terre, coton, cacao...), les Européens vont acheter en Afrique à vil prix des femmes, des hommes et des enfants qu'ils revendent à ceux qui s'établissent en Amérique et dans les îles des Caraïbes. Entre le XVIe et le XVIIe siècle, vingt millions d'êtres humains auront été vendus et réduits en esclavage. C'est la plus grande déportation ayant existé ! Il y a eu des morts par milliers durant les traversées et lors des révoltes d'esclaves, réprimées avec férocité.

En 1794, la Révolution abolit l'esclavage en France mais Napoléon abroge cette suppression. Ce n'est que le 27 avril 1848, grâce à la lutte menée par Victor Schœlcher depuis 1840, que l'abolition devient définitive dans les colonies françaises – en Angleterre, c'est fait depuis 1807.

Mais à l'esclavage succède le colonialisme. Le long des

---

1. *Le Grand Livre contre le racisme*, Albert Jacquard, éd. Rue du Monde. Lire encore : *Le Racisme raconté aux enfants*, Georges Jean, Éditions de l'Atelier.

côtes africaines et indiennes, les Européens établissent des comptoirs dans lesquels la population autochtone est « sous-considérée ». À la suite des expéditions à l'intérieur du continent africain, l'Europe se partage l'Afrique en 1884. Lors des deux guerres mondiales du XXe siècle, les dirigeants de l'armée française font venir des régiments entiers d'Afrique noire et d'Afrique du Nord pour défendre notre pays.

À la suite de la Seconde Guerre mondiale, les pays colonisés tentent de se libérer. C'est ainsi que l'Algérie retrouve sa liberté le 19 mars 1962, après huit ans de guerre. Dans un texte de prose poétique, *L'Algérie ou la mort des autres*[1], Virginie Buisson dit les souffrances des Algériens et des pieds-noirs durant ces années de violence et de lutte.

Dans une classe de CM2 dans la banlieue parisienne, une enseignante et ses élèves reçoivent le biologiste Albert Jacquart[2]. Il leur explique : « La moitié du hasard de l'un rencontre la moitié du hasard de l'autre. Et vous êtes le résultat qui est complètement invraisemblable, imprévisible. Mais vous êtes chacun, ce quelqu'un d'unique et en plus le résultat de toute l'évolution. Nous sommes chacun le produit de tous ceux que nous avons rencontrés. Nous sommes profondément les liens que nous tissons avec eux. Et surtout, nous sommes tous de la même race humaine. Savez-vous que nous avons tous le même nombre de gènes, trente mille ? Bien entendu, à l'intérieur de ceux-ci, il existe des variantes, le groupe sanguin, la couleur de la peau, etc., mais tous nous avons ces trente mille gènes... »
Elisa lève le doigt : « Monsieur, si j'ai bien compris, je suis unique et en même temps semblable à tous les autres sur la terre ? – Oui Elisa », répond le biologiste. Elle enchaîne : « Alors, c'est fini, quand on me traitera de sale négresse, je répondrai que j'ai trente mille gènes comme tout le monde ! – Bravo, lui répond-il, tu as très bien saisi mon propos. »

---

1. *L'Algérie ou la mort des autres*, Virginie Buisson, Folio Junior, Gallimard Jeunesse.
2. Du même auteur : *C'est quoi l'intelligence ?*, A. Jacquard/de Pronto, et *Moi, je viens d'où*, A. Jacquard/de Pronto, éd. Petit point des connaissances, Le Seuil Jeunesse.

D'ailleurs, ne sommes-nous pas tous des immigrés ? « Au début du XIXe siècle, c'étaient des immigrés de l'intérieur, des fils de paysans des provinces pauvres, auvergnats, ardéchois, creusois, bretons, que le surpeuplement rural poussait vers la grande ville et l'industrie naissante ; citoyens français, certes, mais d'une tout autre culture, d'une langue souvent différente de celle des Parisiens de longue date, et en qui, dans les classes aisées, certains voyaient et dénonçaient "la masse effrayante de la misère et du crime qui grossit sans cesse avec les progrès de la civilisation et qui menace sérieusement l'ordre public et nos fortunes"[1]. »

Durant la seconde moitié du XXe siècle, l'immigration s'est développée et la venue de travailleurs des pays pauvres, ceux qui ont reconstruit notre pays et participé aux « Trente glorieuses », est devenue, hélas ! la source d'un racisme latent.

Dans le roman *Moi, Félix, 10 ans, sans papiers*[2], Marc Cantin nous raconte le départ de Côte-d'Ivoire d'une mère et de ses trois enfants. Félix, l'aîné, navigue avec sa mère et les deux petits au fond de la cale d'un cargo. Voyage clandestin et débarquement dans un container à ordures. À Brest, ils vivent cachés. La mère réussit cependant à travailler. Mais ils sont dénoncés : la police les arrête et renvoie mère et enfants en Côte-d'Ivoire. Félix, dissimulé dans un placard, a pu échapper aux policiers... Après bien des difficultés, il réussira à devenir français tout en restant ivoirien. Un texte fin et sensible, qui montre les souffrances de l'exil, un roman à découvrir.

---

1. Cité par D. Coiurgeaud dans « La mobilité spatiale en France depuis le XVIIIe siècle », in *Le Genre humain*, n° 19.
2. *Moi, Félix, 10 ans, sans papiers*, Marc Cantin, Milan Poche Junior.

Lire pour réfléchir

À l'école, la lecture entraînera une réflexion approfondie qui peut aider enfants et adolescents à se dégager des stéréotypes ambiants. La fréquentation de tous ces livres sur les droits des enfants et ceux qui prônent la tolérance leur permettra de rester vigilants et de lutter plus efficacement contre toutes les formes de violence et de racisme.

Quelques notions de religion, de philosophie et de psychanalyse

Il était plusieurs « foi »[1], de la journaliste Monique Gilbert, répond aux questions qu'enfants et adultes peuvent se poser sur les trois religions monothéistes : le judaïsme, le christianisme (catholicisme et protestantisme), l'islam. L'auteur montre qu'une foi différente peut cependant rapprocher les êtres car il existe, plus que nous le croyons, des similitudes entre ces religions. Un livre important, réalisé avec des papiers de couleurs différentes pour chaque religion, un livre qui explique, tolère, fait réfléchir...

Dans la tête des enfants et des adolescents, des interrogations trottent, parfois sans trouver de réponses. La philosophie peut ouvrir l'esprit et affiner le raisonnement, les connaissances et la sagesse. Depuis quelques années, les éditeurs s'intéressent aux sentiments, à l'art de vivre, aux valeurs humaines. Pour les plus jeunes, il s'agit de passer du « parler de » à « parler sur » qui sous-tend un dialogue. La philosophie commence dans les albums.

Deux oiseaux[2], d'Éric Battut, raconte, un matin d'hiver, le

---

1. *Il était plusieurs « foi »*, Monique Gilbert, Albin Michel Jeunesse.
2. *Deux oiseaux*, Éric Battut, Autrement Jeunesse.

froid, la solitude, la tristesse et l'autonomie difficile... Il dit que souvent il est nécessaire de se débrouiller seul, d'inventer, et qu'il devient ainsi possible de vivre avec ses angoisses, ses craintes et ses joies...

Dans *Le Livre de Yann*[1], le héros écrit un journal sur le ventre où il fut caché, sur son « moi », ses pensées, son existence, son imagination, son chat, et son amie Ursule Charpentier... L'auteur-illustrateur hollandais Harrie Geelen manie philosophie et humour. Un album pour commencer à penser en philosophe dès 5 ans !

Dans La Pièce secrète[2], un roi, impressionné par l'intelligence d'un homme du désert, l'engage à son service. Mais son vizir jaloux cherche tous les moyens pour se débarrasser de ce rival gênant. Il invite le roi à se rendre dans la maison de l'homme. Il y découvre une petite pièce toute vide : le roi questionne l'homme à propos de ce lieu. Celui-ci lui répond : « Chaque jour, je viens y méditer afin de rester humble... » Cette fable prône la sérénité, le dépouillement, l'honnêteté et la sagesse... L'auteur Uri Shulevitz vit à New York et enseigne le dessin.

Le livre *Les sentiments, c'est quoi ?*[3] pose de multiples questions sur l'amour et ses preuves, l'amitié, la jalousie, la timidité, les conflits. Une manière simple et illustrée de parler philosophiquement aux enfants dès 7 ans. Suivent *Le bien et le mal, c'est quoi ?*[4] et *La vie, c'est quoi ?*, deux livres qui incitent à parler clairement de sujets graves. Tous ces ouvrages, par les réflexions qu'ils suggèrent, aident à s'épanouir.

L'écrivain Michel Piquemal, chez Albin Michel, initie les lecteurs à la philosophie à travers soixante *Philo-fables*, des histoires malicieuses qui interrogent : Qu'est-ce que l'amour,

1. *Le Livre de Yann*, Harrie Geelen, Autrement Jeunesse.
2. *La Pièce secrète*, Uri Shulevitz, Kaléidoscope.
3. *Les sentiments, c'est quoi ?*, Oscar Brénifier/Serge Bloch, Nathan.
4. *Le bien et le mal, c'est quoi ?*, *La vie c'est quoi ?*, Oscar Brénifier/Serge Bloch, Nathan.

l'amitié, le bonheur, la mort, la pauvreté ? Un livre qui rend un peu plus intelligent !

Les « Carnets de philosophie[1] » traitent de morale, de liberté, de politique. Pour les adolescents, le philosophe André Comte-Sponville présente et choisit des extraits de textes des grands penseurs. Dans notre époque boursouflée d'informations rapidement remplacées par d'autres, ces « Carnets de philosophie » peuvent prendre une place particulière. Ces livres d'intelligence, illustrés d'œuvres d'art choisies avec subtilité et parfois humour, s'adressent aux lycéens mais aussi aux adultes : ils offrent un espace de méditation où, dans le calme, la pensée se cherche et se développe.

« Toute notre dignité consiste donc en la pensée », écrivait Blaise Pascal.

Ces dernières années, se sont aussi multipliés les essais destinés aux collégiens et lycéens qui leur parlent de la psychanalyse.

La collection « Du côté de chez Freud », aux éditions Actes Sud Junior, tente de cerner son objet. Plusieurs livres écrits par Michèle Costa-Magna évoquent le langage de l'inconscient. Des jeunes se rencontrent, fréquentent un café philosophique, discutent entre eux et cherchent à saisir la finalité de la vie et le fonctionnement de l'être humain. Des explications théoriques précises permettent d'enrichir son savoir. *Les Méandres d'un rêve* expliquent le mécanisme des rêves qui vont plonger dans l'inconscient, dont la formation remonte à la petite enfance : pour Sigmund Freud, les rêves, comme un langage mystérieux, sont faits d'images et de mots presque inconnus, censurés, qui possèdent un contenu plus ou moins secret que l'on peut tenter de déchiffrer.

---

1. « Carnets de philosophie », 12 titres : *Pensée sur la morale, sur la politique, sur l'amour, sur l'art, sur la sagesse...*, Michel Piquemal et André Comte-Sponville, Albin Michel Jeunesse.

Dans *Les Noces d'Œdipe*, Michèle Costa-Magna montre, avec Freud, que nous ne pouvons pas être maîtres de nous-mêmes mais que nous sommes soumis à des forces psychiques inconscientes. « Avertir l'enfant que tout n'est pas possible dans le cadre d'une limite sécurisante » lui permet de construire son avenir.

D'autres livres de la même collection, *Les Chaudrons du divin* et *Les Ratures de Pygmalion*, initient également une recherche intérieure afin de parvenir à une compréhension plus affinée de soi et des autres. Sur des questions complexes, ce sont des essais faciles à lire par tous.

10

Des albums au collège

> « Apprends à regarder plus loin que les appa-
> rences pour atteindre la racine des choses. »
>
> Paul Klee

Dans le foisonnement des genres en littérature de jeunesse, il existe des albums qui ne sont plus destinés aux enfants mais aux adolescents : le texte y est plus important et les illustrations invitent à une lecture esthétique. Ces livres témoignent de l'innovation créatrice qui s'est développée dans les deux dernières décennies. *Le Livre de la lézarde* de l'écrivain Yves Heurté, illustré par Claire Forgeot[1], en est un exemple. Un texte politique et poétique. Un homme est condamné pour avoir enseigné les arts à son prince ; retenu captif face à un mur, il s'attache à contempler la beauté cachée des petits riens qui l'entourent. Un texte à lire et à relire tout en se laissant prendre par la force des illustrations.

Max, professeur de français dans un collège, a découvert quelques-uns de ces albums chez une amie bibliothécaire. Il a décidé de

---

1. *Le Livre de la lézarde*, Yves Heurté/Claire Forgeot, publié sous la direction de Nicole Maymat, Le Seuil.

travailler le français à partir de ces livres. Au début, les élèves de 5e ont rechigné. Mais l'enthousiasme de leur professeur a réussi à leur faire apprécier cette forme courte de littérature accompagnée d'étonnants dessins.

Pour commencer, cet enseignant leur a lu *Le Noël d'Auggie Wren*[1], une nouvelle du romancier américain Paul Auster qui vit à Brooklyn où se déroule l'histoire. Celle d'un écrivain peu inspiré, d'un vendeur de cigares nommé Auggie, qui chaque matin depuis dix ans photographie le même carrefour, et d'un jeune Noir. Ce dernier perd son portefeuille qu'Auggie retrouve. Pour le rendre, il va à l'adresse indiquée à l'intérieur, et découvre une grand-mère aveugle et une caisse remplie d'appareils photographiques neufs. Auggie en vole un. Bourré de remords, il le rapporte. Mais de nouveaux locataires occupent l'appartement... N'est-ce pas un beau sujet de nouvelle qu'Auggie raconte à l'écrivain dépourvu d'idées ?

L'illustrateur Jean Claverie, professeur à l'école Émile-Cohl de Lyon, est allé sur les lieux, à Brooklyn : ses aquarelles bistre, pain brûlé, parcourues de fines lignes noires, donnent à voir les quartiers de New York et leurs habitants noirs et blancs.

À ses élèves, le professeur a fait chercher de la documentation sur New York, il leur a parlé des conditions de vie des Noirs dans cette ville et de la délinquance urbaine. Puis les élèves ont étudié le lexique, le style, l'art du récit, le rapport texte-images. Ils se sont intéressés à ce jeune héros noir aux grands yeux étonnés. Une belle manière de transmettre et de faire connaître un écrivain et un illustrateur contemporains.

Navratil[2] est un album carré, modeste, en apparence destiné aux petits. Mais il raconte le sauvetage de deux enfants, Michel et Louis Navratil, lors du terrible naufrage du paquebot *Titanic*. Des gravures sur bois se mêlent à des coupures de journaux de l'époque. Un album à décortiquer, prétexte à enquête, à étudier dès la 6e.

---

1. *Le Noël d'Auggie Wren*, Paul Auster/Jean Claverie, Actes Sud Junior.
2. *Navratil*, Olivier Douzou/Charlotte Mollet, éd. du Rouergue.

On peut aussi choisir *Les Trois Clefs d'or de Prague*[1]. Le texte est comme une promenade dans la cité pragoise aux mille secrets où chaque dessin suggère énigme et rêve. On erre avec Peter Sis à la recherche des clefs d'or... Ce livre-jeu peut mener vers quelques textes courts de Franz Kafka ou vers *L'Arbre de vie* du même auteur-illustrateur.

Fasciné par les récits de voyage et les atlas anciens, François Place a créé et dessiné *Les Derniers Géants,* un riche album aux illustrations fouillées et au texte inventif qui entraînent les lecteurs dans un monde visionnaire.

Puis, tel Jules Verne, il a échafaudé une utopie : l'*Atlas des géographes d'Orbae*[2]. Idée lumineuse, trouvaille innovante, en trois tomes : *Du pays des Amazones aux îles Indigo ; Du pays de Jade à l'île Quinookta* et *De la rivière rouge au pays des Zizotls...* Une vraie cosmogonie, avec de singuliers pays, des aventures étranges, des cités aux noms qui chantent... Une rêverie fabuleuse, Gustave Doré revisité ! À découvrir au collège...

Dans un registre différent, *La Grande Peur sous les étoiles*[3] raconte le souvenir d'une vieille dame qui murmure : « Quand je ne serai plus là, qui se souviendra de Lydia ? » Jo Hoestland, l'auteur, montre la France occupée, les Juifs contraints de porter l'étoile jaune et menacés à tous moments d'être arrêtés. La vieille dame était alors une petite fille. Elle se souvient de son anniversaire. Ce soir-là, Lydia avait dormi chez elle. Mais, au milieu de la nuit, prise de panique, elle avait demandé à être raccompagnée auprès de ses parents. Vexée, celle qui la recevait lui avait lancé : « Tu n'es plus mon amie ! » Le lendemain matin, Lydia et sa famille avaient disparu. Jamais personne ne les a revus. La vieille dame cherche dans sa mémoire et espère encore

1. *Les Trois Clefs d'or de Prague,* suivi de *L'Arbre de vie,* Peter Sis, Grasset Jeunesse.
2. *Les Derniers Géants* et *Atlas des géographes d'Orbae,* Casterman/Gallimard.
3. *La Grande Peur sous les étoiles,* Jo Hoestland/Johanna Kang, Syros Jeunesse.

entendre la voix de Lydia. Un texte émouvant, une illustration dépouillée de Johanna Kang aux tons sombres qui renforcent son aspect dramatique.

Lorsqu'on referme *Un foulard dans la nuit*[1], on demeure dans le silence de l'émotion. Sur le châlit d'un camp, un enfant revoit son village, sa maison, sa mère, son frère... Lorsque le rêve s'évanouit, David n'a plus que le foulard de sa mère qu'il a miraculeusement pu garder. Dans ce texte, l'auteur a souhaité conserver la mémoire de tous les enfants juifs exterminés. L'illustrateur Georges Lemoine a conçu l'album comme une symphonie : grands vides, illustrations émouvantes aux couleurs à la Van Gogh pour le rêve et brun sombre pour le camp. Des photos de Buchenwald et d'autres guerres mêlées à des extraits de journaux ouvrent et ferment le livre. Un album d'art qui contient un des secrets humains : le pouvoir de rêver même dans un lieu de mort.

Ces deux albums peuvent faire le lien entre cours de français et cours d'histoire et être suivis par la lecture de romans.

Entre enluminures et peintures à la Roger Bissière, entre abstraction et matière, Philippe Davaine a réalisé un livre d'artiste : *Arbres de grand vent*[2]. Michel Cosem écrit poétiquement le mystère de vingt-deux arbres, à retrouver sur les pages de garde : « Monumental chêne de la plaine... Pin aux habits de haillons... Châtaignier grand cavalier noir ou peuplier qui calme les chimères »... En harmonie, l'image salue le poème...

L'album intitulé *Jésus Betz*[3] montre un enfant tronc qui n'a ni bras ni jambes mais une mémoire éléphantesque.

1. *Un foulard dans la nuit*, Milena/Georges Lemoine, éd. du Sorbier.
2. *Arbres de grand vent*, Michel Cosem/Philippe Davaine, éd. Lo Païs d'enfance et éd. du Rocher.
3. *Jésus Betz*, Fred Bernard/François Rocca, Le Seuil Jeunesse. Même auteur, même illustrateur, *La Reine des fourmis a disparu*, Albin Michel Jeunesse.

Racontant sa vie, à la fin du XIXe siècle, dans le cirque où il est exhibé, il souffre mais il rencontre l'amour. Le texte de Fred Bernard émeut et les troublantes illustrations de François Roca nous attachent à l'univers de ce petit bout d'homme.

L'artiste Jacqueline Duhême, interviewée par Florence Noiville, a raconté et dessiné ses souvenirs dans *Passion couleurs*[1]. Modèle du peintre Matisse qui l'a fascinée, journaliste et grande observatrice, coloriste et peintre, elle communique son amour des êtres et de son art... Ce livre complétera d'autres albums et ouvrira sur « la passion des couleurs »...

Frédéric Clément possède le don de créer des livres comme des opéras. Il pense papier, mise en pages, illustrations raffinées, comme dans *Le Livre épuisé* qui dévoile un enfant endormi, soudain réveillé par la chute d'un livre.

Avec *Magasin Zinzin*[2], Frédéric Clément ouvre aux élèves une boutique enchantée qui livre tout ce dont on a rêvé, tout ce que les contes ont conté...

Muséum est un beau livre-coffret où l'imaginaire de Frédéric Clément se surpasse. Au bord de l'Amazone, un entomologiste décrypte des fragments de vie sur des ailes de papillons.

« Ah, donnez vite l'eau froide qui jaillit du lac de Mémoire ! » Cette prière funéraire orphique (IIe siècle av. J.-C.) fait partie des poèmes de sagesse qui pourraient encore s'appliquer aujourd'hui et que recense *Paroles de la Grèce antique*[3]. Prophète comme Empédocle, enseignants tels Platon ou Aristote, les philosophes grecs questionnent le monde, la nature, la condition de mortel. Poétesse, Sapho

---

1. *Passion couleurs*, Jacqueline Duhême, Gallimard Jeunesse.
2. *Le Livre épuisé* ; *Magasin Zinzin* ; *Muséum*, F. Clément, Ipomée/Albin Michel.
3. *Paroles de la Grèce antique*, textes et photos recueillis par Jacques Lacarrière, Albin Michel.

murmure à Athéna, la déesse qui incarne la sagesse : « La plus belle chose pour moi, c'est de voir quelqu'un aimer quelqu'un. »

Dans la même collection, d'autres carnets prouvent que la sagesse n'a pas de frontière : *Paroles d'Afrique*[1], *Paroles de Touaregs*[2], *Paroles indiennes*[3], *Paroles de griots*[4] mènent vers d'autres continents. Le recueil *Paroles de femmes*[5] vient défendre filles et femmes et leur restituer leur voix poétique. Pour le lycée, *Paroles de révolte*[6] ou *Paroles de poètes d'aujourd'hui*[7] offrent des mots transgressifs, enchâssés dans des peintures.

Au collège, les professeurs de français, d'histoire, d'arts plastiques, de sciences peuvent travailler à partir de tels ouvrages. Sachant que le goût de la lecture se construit livre après livre, l'école a la possibilité d'y contribuer par de tels livres riches de savoir, d'art et de réflexion.

À haute voix

La première fois, ces albums sont à lire à haute voix aux élèves, puis chacun étudiera texte et images.

Au CDI, on peut exposer ces livres et d'autres. Professeur et élèves pourront choisir, faire des groupes pour des recherches et peut-être faire venir l'auteur, l'illustrateur ou l'éditeur...

---

1. *Paroles d'Afrique*, Gérard Dumestre, Albin Michel Jeunesse.
2. *Paroles de Touaregs*, préface de Théodore Monod, Maguy Vauthier, Albin Michel Jeunesse.
3. *Paroles indiennes*, Michel Piquemal, Albin Michel Jeunesse.
4. *Paroles de griots*, Mathilde Voinchat, Albin Michel Jeunesse.
5. *Paroles de femmes*, Josée Lartet-Geffard/ChloéPoizat, Albin Michel Jeunesse.
6. *Paroles de révolte*, Michel Piquemal/Nicolas d'Olce, Albin Michel Jeunesse.
7. *Paroles de poètes d'aujourd'hui*, Michel Piquemal, Claude Barrère/Michèle Ferri, Albin Michel Jeunesse.

11

Aborder ensemble les premiers romans

« Écrire, c'est extorquer au monde ses secrets. »

Marguerite Yourcenar

Encore l'album...

D'après Roger Chartier[1], l'apprentissage de la lecture au XIXe siècle se faisait par déchiffrage comme aujourd'hui, mais il pouvait aussi s'appuyer sur l'oralité et la mémorisation (contes connus par cœur, prières répétées, poésies apprises).

À notre époque, en lisant des histoires aux enfants, parents et enseignants les aident, provoquant ou accentuant leur désir de savoir lire et développant leur imagination qui leur permet de donner plus vite du sens aux mots et aux phrases lus.

Dès 8 ans, les sujets peuvent se diversifier, les textes de fiction s'allonger : l'enfant en principe lit couramment.

Dans de nombreux pays, l'apprentissage de la lecture se déroule sur deux années. En France, la lecture est censée

---

1. *Histoire de l'édition*, 4 vol., R. Chartier-H.J. Martin, éd. Paris Promodis.

être acquise lors du passage au CE1, mais elle reste lente et pour certains difficiles. L'enfant déchiffre, bute sur des mots longs tel *bouillonnement* ou des mots anglais comme *week-end*, et il n'éprouve pas encore un réel plaisir à se lancer seul. Mais vient le jour où, fier, il peut lire à haute voix le texte entier d'un album.

> Emmanuel a 7 ans. Lors d'une visite précédente, je lui ai offert des albums. Ce jour-là, il en choisit un qu'il propose de me lire. Lentement, il dit le titre : *Un bleu si BLEU*[1]. J'écoute attentivement. Soudain, Emmanuel bute sur un mot : « géraniums », que je dis à sa place. Il reprend la suite des aventures du petit garçon qui cherche « le bleu de ses rêves, un bleu doux et fort à la fois, un bleu si bleu qu'il donne envie de s'y blottir ». Emmanuel achoppe encore sur des mots difficiles : « bleu ceraleum » et « bleu phtalo-cyanique ». Mais, avec fierté, il poursuit l'histoire et les voyages du petit garçon en quête de son bleu qu'il trouve enfin dans les yeux et une larme de sa maman... À la fin, je le félicite. Il me répond qu'il est content, qu'il aime cette histoire, mais qu'il est très, très fatigué !

Rituels du soir

L'habitude étant prise, les histoires du soir lues par un adulte (ou/et tout autre rituel) se poursuivront tant que les enfants le souhaiteront, c'est-à-dire très longtemps ! Écouter la voix qui lit, n'est-ce pas bercement et moment agréable ?

Quelques BD

Peu à peu, par l'intermédiaire des albums mais aussi des bandes dessinées qui peuvent faciliter la lecture, les enfants de 6 à 8 ans commencent à lire seuls avec plaisir. Yvan

---

1. *Un bleu si BLEU*, Jean-François Dumont, Père Castor Flammarion.

Pommaux, excellent dessinateur, a choisi les aventures de deux corbeaux. Dans *Le Théâtre de Corbelle et Corbillo* ou *Le Voyage de Corbelle et Corbillo*[1], l'image mène le récit, seules quelques bulles disent avec humour les chamailleries de ces deux oiseaux, vrais humains jacassants. Des albums drôles pour lecteurs balbutiants.

Toujours d'Yvan Pommaux, les petits albums[2] où l'astucieuse souris Lola cherche à comprendre la nature et le monde : *À la rivière* ; *Un livre palpitant* ; *Existe-t-il ?* ; Lola observe les bords de la rivière ou découvre un livre et apprend des mots nouveaux... Des récits pétillants et très sympathiques pour débutants.

Parmi les séries de bandes dessinées qui entraînent ces nouveaux lecteurs, il existe les aventures de *L'Ours Barnabé*[3], logique et philosophe, qui peut faire penser à Buster Keaton. De même, la série des *Yakari*[4] dans laquelle de multiples aventures, entre réalité et merveilleux, arrivent au petit Indien Yakari et à son amie Arc-en-Ciel. Des bandes dessinées agréables à lire seul.

Puis vient le temps où l'enfant a envie d'aborder de vrais petits livres.

Texte court, humour anglais, images soutenant le texte, ce pourra être avec *Mathilde et le fantôme*[5] ou avec un vrai petit roman malgré son peu de mots : *Lola et Léon*, une dramaturgie sur l'amitié, les fâcheries, l'indépendance. Léon abandonne Lola qui, avec malice, prend sa revanche dans *Lola s'en va*[6] ou rêve dans *Lola en Chine*.

1. *Le Théâtre de Corbelle et Corbillo* ; *Le Voyage de Corbelle et Corbillo*, Yvan Pommaux, École des loisirs.
2. *À la rivière* ; *Existe-t-il ?* ; *Un livre palpitant*, Yvan pommaux, éd. du Sorbier.
3. *L'Ours Barnabé*, Philippe Coudray, éd. Mango.
4. Série *Yakari*, Job/Derib, Casterman.
5. *Mathilde et le fantôme*, W. Gage/M. Hafner, Folio Benjamin, Gallimard Jeunesse.
6. *Lola et Léon* ; *Lola s'en va* ; *Lola en Chine*, Anna Hoglund, Le Seuil Jeunesse.

> **Tout seul la deuxième fois**
>
> Lisez à votre enfant, une fois, toutes ces histoires cocasses, puis suggérez-lui de les relire seul.

Mon premier roman

Aux yeux de certains enfants de 7-8 ans, les albums s'adressent aux petits frères et petites sœurs – ce qui est faux, mais peut se concevoir. Pour eux, il faut vite de vrais et courts romans, entrecoupés d'illustrations.

Le Chien des mers de Marie-Aude Murail est un conte parfaitement réussi. Un fils de pirate veut venger son père capturé par les Anglais et s'embarque comme mousse sur un navire français. Avant son départ, son amie, une étrange orpheline, lui fait cadeau d'un rat apprivoisé et de la moitié de son bracelet. Le navire tombe aux mains des Anglais. Grâce au rat, le héros est reçu par le roi d'Angleterre, à qui il montre le bracelet, et le roi reconnaît un bijou appartenant à sa fille qui a été enlevée... Fin triomphante ! Les jeunes héros se marient et régneront ! Petit roman idéal car, sur un ton humoristique, le lecteur rencontre une mystérieuse héroïne, endosse le courage et les exploits d'un jeune mousse, affronte les combats maritimes pour conclure sur une fin heureuse.

Du même auteur, *Le Hollandais sans peine* [1]. En vacances en camping, Jean-Charles invente une langue et l'apprend à son voisin étranger qu'il croit hollandais. Avec le héros, imaginez des expressions nouvelles, passez d'excellentes vacances et triomphez des langues étrangères sans vous fatiguer ! Un livre cocasse à lire absolument.

---

1. *Le Chien des mers* ; *Le Hollandais sans peine*, coll. Mouche, École des loisirs. Vous pouvez aussi lire dans la même collection : *Bon à rien* de Moka et *La Santé sans télé* de Sophie Schérer.

Pochée[1] est une belle histoire triste et drôle... Une tortue amoureuse perd son ami. Alors, qu'inventer quand on se retrouve seule ? Écrire des lettres, partir, rencontrer des amis, se fâcher, faire des crêpes, dire sa colère, suivre son chemin ? Et un jour raconter sa longue vie à ses dix-sept petites-filles tortues... Une histoire de Florence Seyvos écrite en touches sensibles, Claude Ponti suit le récit et l'illustre avec finesse. Un livre qui donne envie d'agir, surtout lorsque le vague à l'âme vous envahit...

Même registre pour *Les Pieds nus*[2] de Sophie Tasma. Ici le lecteur vit avec Fanny. L'écriture le plonge au cœur de ses pensées et de ses pulsions. Car Fanny sait observer, se révolter, se laisser aller à ses désirs, à ses idées soudaines, comme échanger avec une jeune gitane ses chaussettes et ses chaussures Reebok neuves contre un trésor : une broche scintillante avec un petit chien gravé au centre. Pour ceux qui aiment lire seuls, l'héroïne sera leur complice tout au long de ce texte illustré par Mette Ivers.

Louis déteste cette petite sœur adoptée âgée de 6 ans qui arrive d'Afrique. Elle s'appelle Désirée, il la reçoit mal et la surnomme *Badésirédudou*[3]. Elle, elle l'aime. Un jour, il tente de la perdre dans la forêt, mais c'est Désirée qui mène le jeu et le ramène à la maison... Un court roman de Marie-Claude Bérot qui se lit avec aisance. Dans un style pince-sans-rire, l'auteur sait montrer les bonnes et méchantes intentions de Louis.

Dans *J'ai trente ans dans mon verre*[4] d'Hubert Ben Kemoun, à la cantine on lit son âge dans son verre et le plus jeune débarrasse la table ! Un héros sympathique et une chute à découvrir... Une première lecture allègre.

1. *Pochée*, Florence Seyvos/Claude Ponti, coll. Mouche, École des Loisirs.
2. *Les Pieds nus*, Sophie Tasma/Mette Ivers, coll. Mouche, École des Loisirs.
3. *Badésirédudou*, Maie-Claude Bérot, Castor Poche Flammarion.
4. *J'ai trente ans dans mon verre*, Hubert Ben Kemoun/Régis Faller, coll. Première Lune, Nathan ; du même auteur : *Le Soir du grand match*.

Les éditions Casterman conçoivent des petits romans en couleurs, vendus bon marché et pensés afin que texte et images se répondent. *Petit Nuage*[1] de Michel Piquemal conte l'histoire d'un jeune Indien qui ne peut chasser car il boite. Aussi mettra-t-il toute son intelligence à apprivoiser un cheval sauvage, que les autres Lakotas n'ont pas réussi à capturer.

Pour ceux et celles qui aiment les sports, à lire : *Fous de foot*[2] de Fanny Joly, illustré par Christophe Besse. C'est l'histoire d'une fille passionnée de football.

La Clé oubliée[3] d'Yvon Mauffret raconte comment devenir grande. Du même auteur, *Le Cheval dans la maison*, illustré par Bruno Heitz, dit les transformations de la ville et les tracas que cela occasionne à un couple âgé qui possède un cheval et souhaite le garder. Solidarité et imagination : une solution est enfin trouvée !

Robert[4] est un enfant qui devient aveugle, de Niklas Radström et Bruno Heitz. Un classique de la littérature suédoise qui plaira aux lecteurs débutants.

L'éditeur Thierry Magnier a créé une collection intéressante intitulée « Petite Poche, des romans comme les grands ». Petit format, couverture sérieuse d'une seule couleur, texte court, aucune illustration, l'impression d'un vrai roman. On y trouve *L'Homme qui ne possédait rien*[5] de Jean-Claude Mourlevat, histoire d'un pauvre être qui rêve d'aller dans une ville où il pourrait devenir riche. Le rêve devient réalité. Mais, s'éveillant, il ressent un vrai bonheur à retrouver le sable des dunes et son oasis. Un conte poétique, entre réel et imaginaire.

Dans la même collection, dans *Cinq, six bonheurs*[6] de

1. *Petit Nuage*, Michel Piquemal/Jean-Michel Payet, Casterman.
2. *Fou de foot*, Fanny Joly/Christophe Besse, Casterman.
3. *La Clé oubliée* ; *Le Cheval dans la maison*, Yvon Mauffret, Casterman.
4. *Robert*, Niklas Radström/Bruno Heitz, Casterman.
5. *L'Homme qui ne possédait rien*, Jean-Claude Mourlevat, Petite Poche, éd. Thierry Magnier.
6. *Cinq, six bonheurs*, Mathis, Petite Poche, éd. Thierry Magnier.

Mathis, un enfant doit écrire une rédaction sur le thème du bonheur. N'ayant aucune idée, il interroge chacun sur sa définition de ce mot. Ainsi naissent quelques belles réflexions sur ce qui peut rendre heureux.

P'tite Mère [1] raconte la vie d'une fillette, nommée Laetitia, et de sa famille. Électricité coupée, réfrigérateur vide, père parti chercher du travail, mère courageuse... Temps de misère. Mais aussi le plaisir d'écouter de la musique grâce à la radio à piles, de dormir avec maman pour avoir chaud et d'avoir une gentille maîtresse. Un beau texte de l'écrivain-poète Dominique Sampiero sur la pauvreté, le courage, la dignité et l'amour. L'impression de dénuement est accentuée par la sobriété du texte (qui facilite la lecture), les grandes plages de blanc et les vignettes douces et dépouillées. « Souvent Laetitia a froid dans son cœur », et le lecteur souhaite la consoler...

Dans la collection « J'aime lire », éditée par Bayard Poche, le découpage en chapitres facilite la lecture pour les débutants. *Le Mot interdit* [2] de Nicolas de Hirsching raconte l'histoire de Thierry qui ne doit pas téléphoner en l'absence de ses parents. Mais il désobéit et une mystérieuse société lui offre des cadeaux à condition de ne jamais demander un objet qui finit par « eur ». Thierry passe dix-huit commandes livrées instantanément. Mais il oublie la règle du jeu et les ennuis commencent... De l'humour et du suspense... illustrés par Jean Claverie

À lire encore, dans la même collection, *Victor l'enfant sauvage* [3] et *Un petit frère pas comme les autres* [4]...

1. *P'tite Mère*, Dominique Sampiero/Monique Zarnecke, éd. Rue du Monde.
2. *Le Mot interdit*, N. de Hirsching/J. Claverie, coll. J'aime Lire, Bayard Poche.
3. *Victor l'enfant sauvage*, Marie-Hélène Duval/Yves Beaujard, coll. J'aime Lire, Bayard Poche.
4. *Un petit frère pas comme les autres*, Marie Hélène Duval/Susan Varley, coll. J'aime Lire, Bayard Poche.

Idée de cadeau

À l'occasion d'un anniversaire, abonnez votre enfant au magazine *J'aime lire*, pour un ou deux ans. Chaque mois, il recevra un petit roman qui développera son goût de lire...

Santiago a 9 ans. Depuis sa toute petite enfance, parents, tante et oncle passent de longs moments à lire avec lui. Chaque matin, avant qu'il parte à l'école, son père lui lisait un album, il lui lit aujourd'hui un chapitre de roman. Ses grands-parents lui ont dit beaucoup de contes. Un soir, c'est lui qui lit un chapitre à la famille réunie. Il y met le ton juste, comme peut le faire un adulte. On le félicite. Il avoue alors qu'à l'école il trouve que les élèves ânonnent souvent ou vont beaucoup trop vite...

Triomphant peu à peu de la lecture, l'enfant aborde facilement ces premiers romans au petit format, au texte rapide découpé en chapitres, le plus souvent rythmés par des illustrations : il peut s'arrêter, se reposer, entreprendre une nouvelle activité et revenir à son histoire...

Respectez ses goûts

Ne vous inquiétez pas si votre enfant revient vers les albums avec régularité... Ce qui est souhaitable, c'est de répondre à ses possibilités et à ses goûts. L'avez-vous inscrit dans une bibliothèque que vous pourrez fréquenter avec lui ? Là, il choisira, il empruntera, et il lira. Ce qui n'exclut pas d'aller dans une librairie spécialisée, s'il en existe une pas trop loin de votre domicile, et de lui acheter, selon votre budget, les livres qu'il aime. Comme la famille de Santiago, n'hésitez jamais à sacraliser la lecture, elle est largement formatrice.

Attention, panne !

C'est parfois à cette époque que certains enfants perdent le goût de lire. Car la lecture solitaire représente un effort. Passer de la lecture de l'album illustré à celle d'un premier roman n'est pas toujours évident. Cela exige une attention soutenue, une disponibilité pour entrer et demeurer dans l'histoire. Si, lors des premières tentatives de lire seul un roman, il y a échec, il faut être vigilant, ne pas culpabiliser l'enfant et continuer la lecture orale : l'enfant choisit un récit, et chaque soir l'adulte lui en lit un chapitre. On peut également reprendre un livre délaissé mais aimé, en lecture feuilletonnesque à voix haute.

Les Mini-Syros, petits romans accompagnés d'un cahier pédagogique, comme *La Valise oubliée*[1] de Janine Teisson, *L'Oasis d'Aïcha*[2] d'Achmy Halley ou *Je suis amoureux d'un tigre*[3] de Paul Thies, peuvent redonner le goût de lire. Ces contes humoristiques, ces histoires délicates, sensibles ou imaginatives, lus par la voix parentale, permettront d'aller, un peu plus tard, vers d'autres livres.

Le temps d'apprendre

Il peut y avoir des difficultés au moment de l'apprentissage de la lecture, celui-ci n'étant pas toujours parfaitement réussi ou demandant simplement un temps de maturation supplémentaire ou une visite de contrôle chez l'orthophoniste.

Ayez de la patience, donnez à l'enfant le temps de bien savoir lire (de deux à trois années). Faites-lui confiance, bientôt il abordera des histoires courtes et passionnantes ou des romans plus étoffés.

---

1. *La Valise oubliée*, Janine Teisson, Syros Jeunesse.
2. *L'Oasis d'Aïcha*, Achmy Halley, Syros Jeunesse.
3. *Je suis amoureux d'un tigre*, Paul Thies, Syros Jeunesse.

12

La sphère des romans

> « La raison d'être du roman est de tenir "le monde de la vie" sous un éclairage perpétuel et de nous protéger contre "l'oubli de l'être", l'existence du roman n'est-elle pas aujourd'hui plus nécessaire que jamais ?
> Étant art, le roman découvre la prose en tant que beauté. »
>
> Milan Kundera

Qu'est-ce qu'un roman ?

Au fur et à mesure que les lecteurs grandissent, la littérature pour la jeunesse est en mesure de leur offrir des fictions de qualité.

À partir de la dernière année d'école primaire, en 6ᵉ et en 5ᵉ, les jeunes peuvent aborder de vrais romans assez longs qui nécessitent plusieurs heures de lecture. Dès lors, ils peuvent choisir, parmi la grande diversité des genres, des romans contemporains, français ou traduits de l'étranger, tous bien écrits.

Il existe des textes plus ou moins faciles selon les âges que l'on peut classer ainsi : romans autour de 10 ans destinés aux élèves de CM2, 6e et 5e ; romans pour les collégiens de 4e et 3e ; et romans pour les lycéens, appelés aussi romans pour jeunes adultes. Les âges indiqués ne sont que des approximations, seul le désir du lecteur compte. Tous ces livres offrent action, suspense et qualités d'écriture. Par ailleurs, tout bon roman pour jeunes est un livre que l'adulte lira avec plaisir.

Un roman est une planète, complexe comme la vie, où le héros est très souvent un enfant ou un adolescent entouré de personnages qui peuvent être sa famille, ses amis, ses professeurs, des personnes rencontrées. Ce héros, cette héroïne, auquel le lecteur ou la lectrice s'identifiera, est, comme le définit Milan Kundera, un « ego expérimental », c'est-à-dire qu'il rassemble qualités, défauts, subtilités, pensées, fantasmes, non-dits de chaque être humain, tout en ayant une personnalité propre et unique.

Le récit se déroule dans une époque donnée, dans une société qui possède ses traditions et ses fêlures. Le héros vit des aventures où se retrouve la permanence d'une histoire ancestrale : des liens familiaux – bons ou mauvais –, des espoirs, des handicaps, une ou plusieurs situations de crise. Le roman aborde la vie scolaire, la maladie, la mort, mais aussi l'amitié, l'amour, les rencontres, le plaisir d'agir et d'être ensemble... Des fils se tissent autour du personnage principal, ses comportements s'affinent, des sentiments chez lui éclosent et évoluent, son caractère se dessine. Il surprend, observe, lutte, grandit...

Le récit se situe dans le temps. Il peut se passer en une nuit comme *Soldat Peaceful* ou s'étendre sur plusieurs décennies.

Dans la littérature pour la jeunesse, les qualités d'écriture doivent transcender la réalité. Des premiers romans aux sagas pour jeunes adultes, le rythme des phrases, la clarté et l'exactitude du lexique, la musicalité du texte vont, sans que le lecteur en soit conscient, jouer en faveur de la lecture.

Une écriture limpide, des dialogues bien menés, des descriptions justes, avec des touches poétiques, sont gages de délicieux moments.

L'imprégnation des événements et les liens entre personnages finement décrits s'expriment par des impressions, des murmures, des sensations ténues et des sentiments exprimés avec vigueur ou au contraire tenus cachés. La force particulière de la littérature de jeunesse est peut-être qu'elle s'attache particulièrement à cette analyse de l'être qui renvoie à soi-même, qui permet de se découvrir en tant qu'humain grandissant, qui éclaire sur une situation, ce qui permet de maîtriser ses propres émotions et encourage à agir ou à réfléchir encore... Certains genres y participent davantage : le journal intime déploie une chronique des faits et gestes et permet de mieux se comprendre, les confessions laissent passer une écriture du plus profond, du for intérieur, d'autres récits sont bâtis sur des échanges de lettres qui permettent de se livrer.

Autre spécificité, les fictions nous transportent dans d'autres pays, sur d'autres continents, dans des lieux où les enfants vivent de manière différente. De nombreux textes abordent le passé, raconté à travers la vie de jeunes héros, afin de mieux saisir l'Histoire apprise tout au long des études.

Il y a encore les romans qui emportent, tels les voyages initiatiques et les sagas fantastiques qui sont très en vogue actuellement.

Livres en fête

Fréquentez les festivals, salons et fêtes du livre qui se sont développés dans de nombreuses villes. Très souvent, en amont, un travail pour faire lire et apprécier les œuvres est réalisé dans les écoles et les bibliothèques, puis la venue des auteurs permet de mieux comprendre la création mais aussi les bienfaits de la lecture.

Attention, risque de seconde panne !

Certains enfants, qui ont aimé écouter et lire des histoires, un jour ne parviennent plus à lire seuls. Cette seconde panne peut arriver à l'entrée au collège. Devant le changement, la dispersion des cours, les devoirs, un certain affolement engendre un rejet du plaisir de lire. Il faut alors reprendre un récit à haute voix, choisi par l'enfant, et découpé en épisodes jusqu'au moment où il proposera de continuer seul.

Pour ceux qui n'ont vraiment plus envie de lire, il peut être souhaitable de rechercher des bandes dessinées comme la série des *Titeuf*, des livres d'art ou de photos, des histoires qui répondent à leurs interrogations et qui vont les émouvoir (voir le chapitre « Que faire pour ceux et celles qui disent ne pas aimer lire », p. 211). Dans la bibliothèque idéale, un choix de titres permettra de faire des propositions (p. 247).

Le jour du livre

La participation des adultes (parents, bibliothécaires, enseignants) est indispensable. Elle sera bénéfique si l'adulte demeure à l'écoute des souhaits de lecture du jeune et sait rester longtemps patient.

Afin d'encourager la lecture familiale ou scolaire, pourquoi ne pas créer chaque mois un jour du livre ? Cela peut être le 1er ou le 30, le jour de la pleine lune ou celui d'un anniversaire ! Peu importe : cette journée-là sera réservée aux livres, aux histoires, aux poèmes. Sans télévision, le soir toute la famille se consacrera aux contes et aux récits... Cela se pratique dans certaines villes en Angleterre où vous trouvez des romans chez le boulanger, des essais chez le boucher, et où tout le monde – ou presque – lit...

Courts romans qui font sourire

Avec la fin de l'école primaire et les deux premières années de collège, des romans drôles ou sensibles, au style vif, entrent la plupart du temps sans trop de difficultés dans la vie des élèves.

Les textes peuvent faire perdurer les albums à travers des personnages de fées ou de sorcières : écriture fluide, métaphores drôles, slogans publicitaires et entourage familial quelque peu bougon, c'est *Dehors la sorcière*[1], roman mené avec allégresse par Jean-François Ménard, le traducteur d'Harry Potter. Gaspard se fait gronder parce que sa chambre est un vrai capharnaüm ! Alors que par paresse il mêle tous les produits d'entretien, une sorcière apparaît et fait le ménage à sa place. Merveille ! Mais rapidement cette aide devient encombrante, surtout lorsque apparaît sa sœur jumelle ! Aux prises avec les deux sorcières, il bafouille et ses parents le croient en difficulté psychologique. Ils redeviennent aux petits soins pour lui. Un comique de situation qui entraîne le lecteur vers la fin du roman. Merci, mesdames les sorcières ! Ce conte moderne est à proposer dès que le jeune souhaite se saisir d'un vrai roman. Tout aussi imaginatif et drôle : *Les Pieds de la sorcière*, du même auteur, chez le même éditeur.

La Santé sans télé[2] de Sophie Schérer est une fantaisie bien menée. Comment transformer le quartier agréablement grâce aux bonnes idées de Mathilde ? Elle rassemble les habitants qui décident de créer des mini-bibliothèques chez eux et, à tour de rôle, lisent des histoires à tous les enfants afin qu'ils ne soient plus dépendants des films d'animation

---

1. *Dehors la sorcière* ; *Les Pieds de la sorcière*, Jean-François Ménard, coll. Neuf, École des Loisirs.
2. *La Santé sans télé*, Sophie Schérer, coll. Neuf, École des Loisirs.

sans qualités et des émissions de télé médiocres ! La dynamique Mathilde réussit à redonner de l'énergie à tout le quartier. Loin de la fiction, il faut savoir qu'au Japon des mères de famille animent chez elles des petites bibliothèques.

Dans *Une drôle de fée*[1] d'Edith Nesbit, quatre frères et sœurs découvrent dans le sable une curieuse créature qui se dit fée et peut exaucer leurs vœux. Ils commencent par demander la richesse, mais reçoivent des pièces d'or démodées. Ils veulent ensuite être oiseaux, devenir chevaliers... mais chaque vœu se transforme en tragi-comédie. Un roman rapide où la magie se mêle à l'humour.

À jeunes d'aujourd'hui, romans d'aujourd'hui

Ces romans disent notre époque, les difficultés de chacun, les problèmes familiaux, la ville, les copains, la solitude, la vieillesse, la séparation, l'exil mais encore l'autre pays, l'espoir, les rencontres, le partage...

Momo, petit prince des Bleuets de Yaël Hassan[2], qui poursuit une belle carrière de romancière, nous mène vers une tour sordide de banlieue. Mohamed, dit Momo, y vit dans une famille en difficulté. Mais c'est un excellent élève au point qu'un jour la directrice de l'école, sachant qu'il ne part pas en vacances, vient rendre visite à sa mère et lui remet une liste de livres que son fils pourra lire durant l'été. Sa mère, émue par cette visite, décrète : « Momo sera écrivain quand il sera grand. » Sur un banc, le garçon croise un vieil homme malade, une amitié se développe et, grâce à la rencontre avec une bibliothécaire, le démon de la lecture

---

1. *Une drôle de fée*, E. Nesbit, Folio Junior, Gallimard Jeunesse.
2. *Momo, petit prince des Bleuets*, Yaël Hassan, coll. Tempo, Syros Jeunesse.

s'empare de Momo. Un roman tendre aux fils reliant jeunes adolescents et personnes âgées. Une écriture juste, sensible, rythmée. Du même auteur (mais à partir de 10 ans), trois autres excellents titres à ne pas manquer : *Le Professeur de musique* ; *Tant que la guerre pleurera* et *Un grand-père tombé du ciel*[1].

Sur la banlieue et ses habitants, on peut lire *L'Envers du décor*[2] de Gudule ou *Samira des quatre routes*[3] de Jeanne Benameur.

Le livre est un instrument de dialogue important. Il peut répondre à des doutes et à des interrogations silencieuses. En lisant *Mémé, t'as du courrier*[4] de Jo Hoestlandt, les adolescents découvrent que les échanges entre grands-parents et petits-enfants peuvent être riches pour les uns comme pour les autres... Mémé apprend à Annabelle que les disputes entre amies peuvent se résoudre... Un livre d'une grande délicatesse sur la vieillesse et le vécu des jeunes.

Léo, 12 ans, a refusé d'aller au cinéma avec ses copains et son frère. À la bibliothèque, on lui a conseillé *Le Robinson du métro*[5] de l'Américain Felice Holman. Il le lit et suit la fugue d'un garçon chétif et myope dans le métro new-yorkais. Abandonné chez une tante acariâtre, le héros est poursuivi par une bande. Il passe alors le portillon du métro, décide de s'y réfugier définitivement et de se débrouiller seul. Pour survivre, il ramasse de vieux journaux qu'il revend aux voyageurs. Il s'installe dans une caverne, un recoin derrière la voie. En contrepoint de ce récit, les rêves d'un conducteur de métro qui, tout au long de sa ligne, se voit berger en Australie. C'est lui qui trouvera le héros malade, tombé inconscient sur les rails. Il le conduira à l'hôpital et ira lui rendre visite.

---

1. *Le Professeur de musique* ; *Tant que la guerre pleurera* ; *Un grand-père tombé du ciel*, Yaël Hassan, Casterman.
2. *L'Envers du décor*, Gudule, Livre de Poche Jeunesse.
3. *Samira des quatre routes*, Jeanne Benameur, Castor Poche Flammarion.
4. *Mémé, t'as du courrier*, Jo Hoestlandt, Nathan.
5. *Le Robinson du métro*, Felice Holman, éd. Duculot.

Léo n'a pas bougé lorsque son frère rentre, il lui raconte le livre et lui conseille vivement de le lire.

On peut aussi se divertir avec *L'Œil du loup*[1], une fable poétique de Daniel Pennac. Un enfant dont le père adoptif travaille à la ménagerie du Jardin des Plantes va régulièrement voir son ami, le loup borgne. Un jour, se cachant un œil, le garçon lui conte sa naissance dans l'Afrique verte, son errance d'orphelin dans l'Afrique du Sahel et son adoption à Paris. À son tour, le loup dit sa capture et celle de sa sœur, la belle louve rousse morte sous les balles des chasseurs. Un échange, une amitié, un partage. De la vraie littérature...

Du même auteur, l'histoire d'un chien abandonné durant les vacances qui remonte la France entière à la recherche de ses maîtres. Il conte ses misères, les cruautés qui lui sont infligées, mais aussi les rencontres sympathiques. *Cabot-Caboche* est un beau roman dont un animal est le héros.

Des romans parlent des familles transplantées, des jeunes vivant une double culture. Azouz Begag, dont les parents sont d'origine algérienne, est l'exemple d'un garçon né dans un bidonville, qui a grandi dans une HLM de la banlieue lyonnaise et qui est devenu chercheur et écrivain. Dans *La Force du berger*[2], le lecteur découvre un père, ancien berger en Algérie qui est aujourd'hui ouvrier en France et qui fait ses prières tourné vers La Mecque, tandis qu'à l'école son fils apprend les planètes, la pesanteur et la gravitation terrestre. Ce père, qu'un sourire « du fond des yeux ronds » de son enfant rend heureux, ne comprend pas ce nouveau savoir... Une longue nouvelle pour tous et en particulier pour ceux dont la famille vient du Maghreb.

---

1. *L'Œil du loup*, *Cabot-Caboche*, Daniel Pennac, Nathan.
2. *La Force du berger*, Azouz Begag, éd. La Joie de Lire.

Azouz Begag a conté sa propre enfance dans *Le Gone de Chaâba*[1] : ses bagarres avec les gamins du quartier ; sa volonté de réussir à l'école, bien qu'il ressente la manière différente dont on le traite. Son œuvre entière se développe avec un vrai talent autour des petites gens, des injustices, du difficile parcours de ceux venus de loin.

Les Fous d'oliviers, de Claude Clément[2], se passent dans le monde rural. Une ferme au pays de Forcalquier. Un jour Olivier, le fils aîné, meurt, victime d'un accident de moto. Le père s'absente dans la douleur, la mère travaille laborieusement et Isa, la fille cadette, poursuit des études, mais elle décide bientôt de reprendre la ferme et d'élever des moutons comme son père avant l'accident. L'amie de son frère décédé lui rend visite avec un petit garçon, l'enfant d'Olivier. Grâce à ce bambin, la vie reprend, le rire renaît. Une belle écriture aux lumières et senteurs de Provence, cheminant du chagrin vers l'espoir...

D'autres romans parlent de la télévision[3], des jeux électroniques[4], de la nature[5], des animaux[6], du respect des diversités culturelles[7], et aussi de dessin[8], de musique[9], de la découverte d'autres jeunes, d'autres milieux, d'autres vies...

En classe

Quelle aubaine si l'enseignant ritualise un temps de lecture orale dans sa classe. Cette pratique entretiendra le plaisir de lire, celui qui peut s'incruster et demeurer !

---

1. *Le Gone de Chaâba*, Azouz Begag, Point, Le Seuil.
2. *Les Fous d'oliviers*, Claude Clément, éd. Thierry Magnier.
3. *Comme à la télé*, Betsy Byars, Castor Poche Flammarion.
4. *No pasaràn, le jeu*, Christian Lehmann, École des Loisirs.
5. *La Dernière Chance*, Robert Peck, Castor Poche Flammarion.
6. *Cul Blanc*, Dick King-Smith, Folio Junior, Gallimard.
7. *Ganesh*, Malcolm J. Bosse, Castor Poche Flammarion.
8. *Les Amis du grenier*, Betsy Biars, Castor Poche Flammarion.
9. *Une sixième en accordéon*, J.-P. Nozière, Cascade-Rageot.

Intimité et souffrance

Michel Le Bourrhis, dans *Libre sur paroles*[1], raconte l'histoire d'un père qui va sortir de prison et de son fils Jeff qui a refusé de lui rendre visite au parloir durant trois années. Comment vont-ils pouvoir se retrouver et se parler ? Le père écrit à son fils, lui rappelant un secret échangé il y a longtemps. Jeff fouille dans sa mémoire et leur ancienne complicité resurgit. Dès lors, Jeff se rapproche peu à peu de ce père revenu marqué par l'éloignement et la captivité. Un roman sur le jaillissement des souvenirs d'enfance... À lire aussi, du même auteur : *Les Yeux de Moktar*[2].

Dans l'ouvrage de Janine Teisson, *Au cinéma Lux*[3], tous les mercredis, M. Picot présente des films d'auteurs. Deux jeunes adultes, Marine et Mathieu, s'y rencontrent. Par petites touches, le lecteur devine le chagrin qui les habite. La mort de ses parents dans un accident pour Marine, et un secret difficile à avouer pour Mathieu : il est aveugle. Étonnement lorsque Marine lui apprend qu'elle aussi a perdu la vue lors de l'accident et qu'elle commence à peine à revoir. Leur attirance commune ne fait que grandir après ces révélations réciproques. Un livre subtil et débordant d'émotion, avec un beau personnage de grand-mère compréhensive et toujours de bonne humeur, qui donne envie de revoir les excellents films du passé, qui touche aussi à la musique, le jazz et le piano, instrument dont joue Mathieu. Un roman optimiste qui répond à la déclaration de l'auteur : « Je suis fascinée par le pouvoir que détient chaque être de rechercher, de créer, de vivre le bonheur. Et ce pouvoir est si fort chez ceux que la vie a blessés ! »

1. *Libre sur paroles*, Michel Bourrhis, Cascade-Rageot.
2. *Les Yeux de Moktar*, Michel Bourrhis, Syros Jeunesse.
3. *Au cinéma Lux*, Janine Tesson Syros Jeunesse.

Tout contre Léo[1] de Christophe Honoré raconte l'histoire d'un enfant à qui sa famille, lors d'une réunion, demande d'aller jouer dehors. Caché, il entend que Léo, son grand frère aimé, est atteint d'une effroyable maladie. Il enfouit en lui ce secret et, avec douceur, accompagne son frère malade. Un texte qui parle du sida et de ses ravages.

Du même auteur, dans un style encore plus épuré et parfait : *Je ne suis pas une fille à papa*[2]. Lulu a deux mamans : toutes deux l'aiment et s'aiment. Pour ses 7 ans, elles ont décidé de lui révéler laquelle est sa mère biologique. Mais Lulu refuse de le savoir. Faisant tout pour l'ignorer, elle provoque le drame : le départ de l'« autre maman »... Une longue nouvelle où l'homosexualité est traitée dans la joie que savent communiquer ces deux mamans, deux jeunes femmes d'aujourd'hui rayonnantes de vitalité et de tendresse pour leur fille.

Plus intime, Thierry Lenain, dans *La Fille du canal*[3], aborde les souffrances d'une élève, mais aussi celles de son institutrice – aussi vives malgré le temps passé. Toutes deux ont été victimes d'abus sexuels commis sur leur corps d'enfant par des adultes. Une écriture juste pour cette histoire de grisaille et de non-dits.

Sur le même sujet, se passant à Marseille, on peut lire, de l'excellent écrivain Claude Clément, *La Frontière de sable*[4]. Un café aux Goudes, le père y travaille avec acharnement ; la mère l'aide ; Laurette, la petite dernière de 8 ans, s'élève toute seule. Fred, son cousin dont les parents sont divorcés, vient passer les vacances chez elle. Il la trouve étrange, renfermée et triste. Au cours d'une promenade en bateau, il surprend son oncle qui l'entraîne dans une grotte. Puis

1. *Tout contre Léo*, Christophe Honoré, École des Loisirs.
2. *Je ne suis pas une fille à papa*, Christophe Honoré, École des Loisirs.
3. *La Fille du canal*, Thierry Lenain, Syros Jeunesse.
4. *La Frontière de sable*, Claude Clément, Syros Jeunesse.

Laurette fait une fugue, mais Fred découvre son refuge. À la deuxième fugue, elle lui laisse une lettre. Pour la sauver, il descend dangereusement à travers les rochers escarpés et réussit à la rejoindre. Elle voulait mourir parce qu'elle a été violentée par son oncle, un sportif sur lequel personne n'a jamais eu le moindre soupçon. Une histoire qui met en garde, un récit qui peut empêcher de brutales réalités, un livre qui doit provoquer une discussion...

La mémoire de l'histoire

« Le combat de l'homme contre le pouvoir est la lutte de la mémoire contre l'oubli », écrit Milan Kundera. Les romans pour jeunes sont comme un éventail dont les multiples branches s'ouvrent, permettant de visiter, de s'approprier et de garder des traces du passé.

À travers la fiction, la mémoire s'enracine, ligne de pensée structurant le présent. Elle permet de percevoir le bien comme le mal et le perfectible. Mémoire : tapis du temps qui a tissé ses scènes, inventaires des conflits, des douleurs, des dettes, des victoires, pages de honte ou moments glorieux...

Dans un collège d'Alsace, une documentaliste mène une vraie campagne de lecture. En trois mois, à 385 emprunteurs, elle a réussi à faire lire plus de 1 200 livres. L'année durant, elle anime un club sur le thème de l'Histoire qui se termine par un vote sur les cinq meilleurs romans[1], la venue des auteurs et un reportage rédigé par les élèves pour le journal local. Cette excellente pédagogue pense que si l'on met tout en place pour faire lire les adolescents, ils sont en mesure de devenir de judicieux critiques. Les meilleurs entraînant les plus faibles, ils se communiquent entre

1. *L'Herbe de guerre*, Xavière Gauthier, Syros ; *En attendant Éliane*, Alain Korvos, Syros ; *Le Cri du kookabura*, Jean Ollivier, Casterman ; *Un terrible secret*, Évelyne Brisou-Pellen, Cascade Pluriel ; *Myriam choisie entre toutes*, Thierry Leroy, Bayard Jeunesse.

eux le goût de la littérature. Ils aiment particulièrement les romans du passé.

De nombreux documentalistes et enseignants prônent le livre comme moyen de résistance au déferlement technologique et comme développement du savoir.

À la fin du Moyen Âge, après la grande peste et ses ravages (1348), un adolescent s'enfuit de sa famille composée de vingt-quatre enfants ! Pour se distinguer de ses frères, Garin a réussi à apprendre à lire et à écrire dans un couvent. Il se trouve pris dans la guerre entre Français et Anglais et enfermé au château de Montmuran, en Bretagne. *L'Inconnu du donjon*[1] d'Évelyne Brisou-Pellen est l'histoire de Garin, garçon intelligent, imaginatif, scribe et otage des jeunes châtelains. C'est aussi le héros d'une série de titres dans lesquels les personnages sont finement croqués. Tous les romans de la série sont à lire ainsi que *Le Souffle de la salamandre* : l'époque s'y révèle et l'humour s'y déploie.

Florian, 9 ans, a découvert un auteur dont il aime tous les livres, c'est Odile Weulersse. Cette philosophe choisit les grandes civilisations des temps lointains. Deux romans de cette écrivaine ont déclenché chez lui le goût de lire. Peu à peu, il les a tous lus. Il aime y faire des découvertes, les relire et sait dire ses « grands préférés » : *Tumulte à Rome* et *Les Pilleurs de sarcophages*[2].

Abordons la Commune avec *Les Lumières du matin* de Robert Bigot[3]. Paris en 1871 : le père de Clarisse est un communard, partisan d'une république où le peuple prend

1. Série *Garin Trousseboeuf* : *L'Inconnu du donjon* ; *L'Hiver des loups* ; *Le Chevalier de Haute-Terre* ; *Le Souffle de la salamandre*..., Évelyne Brisou-Pellen, Folio Junior, Gallimard Jeunesse, et *Le Cheval de rêve*, Évelyne Brisou-Pellen/Marc Lizano, coll. Pleine Lune, Nathan.
2. *Le Messager d'Athènes* ; *Le Serment des catacombes* ; *Le Cavalier de Bagdad* ; *Le Chevalier au bouclier vert* ; *L'Aigle de Mexico*, Odile Weulersse, Le Livre de Poche Jeunesse.
3. *Les Lumières du matin*, Camille Clorisse/Robert Bigot, Actes Sud Junior.

la direction des événements en main – ce que les défenseurs de Paris et de la Commune font. Mais les Versaillais de M. Thiers les cernent et les combattent avec férocité. Ils triomphent, exécutent les combattants et déportent en Nouvelle-Calédonie les autres communards, dont Louise Michel. Un roman juste, fin, vivant, mené avec art sur un moment important de notre histoire.

Sur la guerre de 1914-1918 et ses insupportables tueries, le roman d'Arthur Ténor : *Il s'appelait le soldat inconnu* [1]. Il commence avec l'enfance de François à la ferme, sa rencontre avec Lucie, la fille de l'instituteur, et leur coup de foudre. Mais la guerre éclate. En 1915, François va se battre sur le front. Il vit l'horreur des tranchées, et il meurt au combat, à Verdun. Rien ne l'identifie, sinon la photographie d'une jeune fille dans sa poche, et les brancardiers conduisent son corps au cimetière militaire. L'un d'eux a subtilisé la photo, et bientôt il reconnaît Lucie, qui est devenue infirmière pour rejoindre François. Elle est effondrée en apprenant sa mort. Il lui explique où son fiancé est enterré. Elle vient souvent au cimetière et confie sa peine au gardien. Le jour où François est choisi pour devenir le soldat inconnu sous l'Arc de triomphe, celui-ci lui dévoile ce secret... Des phrases courtes, un rythme vif, une excellente idée bien menée. L'effroyable Grande Guerre telle que l'ont vécue les soldats et les civils.

Une nuit, Tommo, le plus jeune frère Peaceful, raconte : l'Angleterre rurale et son père mort dans un accident dont il se croit responsable ; sa mère, juste et aimante, qui règle tous les conflits et s'occupe de Big Joe, son second fils, handicapé mental ; son frère Charlie qui, comme lui, aime Molly, douce et intelligente. Mais la guerre et ses horreurs surviennent. Charlie et Tommo partent pour la Belgique.

1. *Il s'appelait le soldat inconnu*, Arthur Ténor, Folio Junior, Gallimard Jeunesse.

À Ypres, sous les ordres d'un sergent cruel, les deux frères combattent côte à côte dans l'eau et la boue. Pis, Charlie l'indépendant devient la bête noire du gradé qui le fait injustement condamner pour désertion. À six heures moins une, Tommo entend sa voix : Charlie chante, la salve retentit... « Une partie de moi-même est morte avec lui... », murmure le narrateur. Michael Morpurgo sait captiver le lecteur. *Soldat Peaceful*[1] est un roman intelligent sur l'histoire d'une famille modeste prise dans la tourmente de la Première Guerre mondiale, un roman où rien n'est plus beau que l'amour et la fidélité, où rien n'est plus terrible que la guerre et particulièrement cette injuste exécution...

Le Tigre dans la vitrine[2], de la Grecque Alki Zei, est un splendide récit sur la dictature qui s'impose en Grèce en 1937 : comment des jeunes se regroupent et luttent ensemble, comment un enfant pauvre est protégé par une famille aisée, comment d'autres acceptent les ordres du dictateur... Un livre d'une grande romancière, à lire par tous. Ainsi que *La Guerre de Pétros* ou les souffrances de la population athénienne occupée par les troupes hitlériennes.

Autre livre : *Le Temps à voix basse*, d'Anne-Lise Grobety[3], dit l'exclusion d'Oskar de l'équipe de football, où son ami Benjamin, qui n'est pas juif, refuse désormais de jouer. Mais Oskar est renvoyé de l'école. Benjamin ne peut le suivre... Oskar et sa famille vont devoir fuir... Les pères, amis, se retrouvent au fond du jardin et échangent un secret à voix basse... Facile à lire, ce livre sur la montée du nazisme et la haine raciale parle aussi de l'amitié forte et vraie. « J'écris plutôt sur la pente de la gravité. La vie est grave avec des trouées de joie qu'il faut savoir saisir », explique l'auteur.

---

1. *Soldat Peaceful*, Michael Morpurgo, Gallimard Jeunesse.
2. *Le Tigre dans la vitrine* et *La Guerre de Pétros* d'Alki Zei ne sont plus édités actuellement, les chercher en bibliothèque.
3. *Le Temps à voix basse*, Anne-Lise Grobety, éd. La Joie de Lire.

En 1942, l'auteur de *Voyage à Pitchipoï*[1] avait six ans lorsque sa famille, qui vivait dans le Maine-et-Loire, fut raflée et dispersée. Miraculeusement extraits de Drancy, le narrateur et sa petite sœur de 2 ans retrouvèrent leur mère qui avait réussi à échapper à l'arrestation et passèrent la fin de la guerre cachés. Jean-Claude Moscovici raconte ses souvenirs en se remettant dans la peau de l'enfant qu'il était, confronté à un monde incompréhensible, et sans tenter de reconstituer historiquement les événements. C'est ce qui fait la force de ce récit très émouvant qui se passe dans un endroit bien de chez nous, avec des traîtres et des héros.

Larissa Cain raconte dans *J'étais enfant à Varsovie*[2] que, jusqu'à la guerre, elle a été une enfant heureuse. Mais, lorsque les troupes allemandes envahissent Varsovie en 1939, elle connaît la faim, les déplacements, la peur, la séparation, les caches successives dans le ghetto de Varsovie. L'auteur en fait un récit direct et émouvant, à lire d'urgence. Sur le même thème, on peut lire aussi *La Lumière volée*[3] de Hubert Mingarelli.

Après *Le Journal d'Anne Frank*, vous pouvez enchaîner avec *Mon amie Anne Frank* d'Alison Leslie Gold[4], livre extrêmement émouvant. On connaît l'histoire d'Anne Frank[5]. Mais ici sa meilleure amie, Hannah Goslar, qui a survécu, interwievée par Leslie Gold, raconte cette période effrayante : Anne et Hannah sont juives, réfugiées en Hollande et amies depuis la petite enfance, elles vont à la même école. Un jour, Hannah apprend qu'Anne est partie avec sa famille pour la Suisse. Elle l'envie, même si elle souffre de son absence, car elle tremble devant les arrestations mas-

1. *Voyage à Pitchipoï*, Jean-Claude Moscovici, coll. Medium, École des loisirs.
2. *J'étais enfant à Varsovie*, Larissa Cain, coll. Tempo, Syros Jeunesse.
3. *La Lumière volée*, Hubert Mingarelli, Folio Junior, Gallimard Jeunesse.
4. *Mon amie Anne Frank*, Alison Leslie Gold, Bayard.
5. À lire aussi : *Elle s'appelait Anne Frank*, Miep Gies, Calmannn-Lévy.

sives des juifs à Amsterdam. Sans Anne, Hannah ne sait plus rire. Bientôt, sa mère meurt en accouchant. Elle reste seule avec sa petite sœur Gaby et son père. Comme beaucoup d'autres juifs, ils sont arrêtés et enfermés dans l'épouvantable camp de transit de Westerbrock où elle s'occupe de Gaby et des petits enfants sans parents. Puis, c'est le départ pour le camp d'extermination de Bergen-Belsen. Là, dans un lieu sinistre, elle retrouve Anne Frank affamée et séparée de ses parents. Au risque de sa vie, elle lui donne du pain dont elle se prive, mais Anne disparaît. Le père d'Hannah meurt d'épuisement. Pour elle, l'errance se poursuit dans un train bombardé. Enfin, elle peut rentrer avec sa jeune sœur à Amsterdam. C'est le père d'Anne qui lui apprend qu'elle est morte, et qui se charge d'envoyer Hannah en Suisse pour qu'elle soit soignée. « Puisse ce livre aider à mieux connaître mon amie, Anne Frank, et à reconstituer ce qui lui est arrivé après la fin du journal », dit Hannah Goslar. Puisse ce livre donner aux jeunes une idée de l'abomination des persécutions infligées aux Juifs par les nazis. L'écriture, vive et lumineuse, emporte le lecteur.

À ceux que le destin d'Anne Frank passionne, on peut encore proposer *Elle s'appelait Anne Frank*, de Miep Gies : l'auteur est la jeune femme qui aida et nourrit la famille Frank lorsque celle-ci se cachait dans un grenier, à Amsterdam.

De nombreux livres relatent la guerre et les souffrances endurées par les enfants [1]. Le récit d'Ilona Flutsztejn-Gruda, *Quand les grands jouaient à la guerre* [2], commence à l'été 1939, à trente kilomètres de Varsovie, dans une grande famille juive. Premiers bombardements, pagaille et fuite de l'héroïne et de ses parents vers Wilmo en Lituanie : ceux qui

---

1. *La Maison vide*, Claude Gutman, Folio Junior, Gallimard Jeunesse.
2. *Quand les grands jouaient à la guerre*, IlonaFrutsztejn-Gruda, Actes Sud Junior.

resteront à Varsovie mourront dans le ghetto ou à Treblinka. Mais bientôt les Allemands envahissent l'Union soviétique. Départ à pied vers Tachkent. Faim, froid, maladie, pauvreté, changement d'habitudes et de langues. Un livre à partir de 12 ans, mais destiné à tous les âges afin de mieux comprendre ce qu'a été la guerre à l'est.

En Alsace, devant la recrudescence des cimetières profanés, des professeurs ont décidé de mener un travail sur des livres évoquant la guerre 1939-1945 et d'inviter des écrivains.

Auteur de *Rouge braise*[1] et du long poème *Les Enfants d'Izieu*[2], je suis invitée à répondre aux questions d'élèves de la 6e à la 3e. De nombreuses classes se révèlent intéressées par la Résistance dans *Rouge Braise* et profondément émues devant la déportation des quarante-quatre enfants d'Izieu, symbole de celle de douze mille enfants juifs arrêtés en France et assassinés à Auschwitz-Birkenau.

« J'écris pour vivre toutes mes vies, j'écris pour dire ce que sinon je tais, le sombre, le caché, le profond et le vrai. J'écris pour parler à ceux de maintenant et à ceux d'avant », dit Rachel Hausfater-Douieb, l'auteur de *La Danse interdite*[3], un de ses excellents romans. Ce livre s'ouvre en Pologne sur la passion partagée de la jeune Perla qui est juive pour Wladeck le Polonais. La mère de Perla décide de les séparer et oblige sa fille à rejoindre son père aux États-Unis. Enceinte à son arrivée, Perla choisit de vivre seule. Son fils Adam naît. Elle lutte pour l'élever. Ce n'est que quelques années plus tard qu'elle décide de rechercher son père. Dès qu'elle l'a retrouvé, tous trois s'embarquent vers la Pologne. Mais c'est septembre 1939 et la guerre. Avant d'être arrêtée et emme-

1. *Rouge Braise*, Rolande Causse, Folio Junior, Gallimard Jeunesse.
2. *Les Enfants d'Izieu*, Rolande Causse, coll. Tempo, Syros Jeunesse. Version pour adultes, Le Seuil. CD, texte dit par Bulle Ogier, éd. Patrick Frémeaux.
3. *La Danse interdite* ; *Fugue en mineur* ; *Le Garçon qui aimait les bébés* (album) ; *Pourquoi ça fait mal*, Rachel Hausfater-Douieb, éd. Thierry Magnier. *Dans la rue du bonheur perdu*, coll. Confessions, La Martinière.

née dans le ghetto de Lodz, Perla réussit à confier Adam à Wladeck. À l'intérieur du ghetto, elle vit l'horreur au quotidien et désespère. C'est un enfant qui lui redonne la force de lutter... Une belle écriture pour ce roman vibrant de vie, de chagrin, de joie et de courage.

Dans *Août 44 : Paris sur scène*[1], Michel découvre qu'au théâtre de la Comédie-Française où travaille son père, il se passe de curieux rendez-vous et des rencontres bizarres. Grâce à Odette, la fille du concierge, il apprend que certains comédiens sont résistants et préparent l'insurrection de la capitale. Un beau texte de Christian Grenier sur la libération de Paris avec en arrière-fond les coulisses de la Comédie-Française.

Encore deux livres indispensables : *La Résistance expliquée à mes petits-enfants* de Lucie Aubrac, grande passeuse de la mémoire dans les collèges et lycées où elle dit la nécessité de la résistance à l'ennemi allemand, prône la révolte et l'opposition dans certaines situations ; *Auschwitz expliqué à ma fille* d'Annette Wieviorka[2], un texte pour découvrir les révoltantes souffrances imposées aux déportés, un texte qui force à réfléchir. À ce sujet, Jean-Claude Ponsgen, libraire du Liseron à Colmar, écrit[3] : « Après Auschwitz, il revient à chaque être de se repenser au plus profond de lui-même, d'être solidaire, fraternel, libre et tolérant, mû par un devoir sacré de vigilance et de résistance pour combattre l'indifférence et le rejet de l'autre. »

Coup de sabre[4], de Guillaume Guéraud, se déroule aujourd'hui en France avec Joey, petite Vietnamienne, et Tom, son

---

1. *Août 1944 : Paris sur scène*, Christian Grenier, coll. Les romans de la mémoire. À lire aussi *L'Italie, mai 1944 : Le ciel déchiré*, Guy Jimenes ; *1944-1945 : Les sabots*, Jean-Pierre Vittori, Nathan.
2. *La Résistance expliquée à mes petits-enfants*, Lucie Aubrac, et *Auschwitz expliqué à ma fille*, Annette Wieviorka, Le Seuil.
3. Dans la revue des libraires, *Citrouille* n° 27.
4. *Coup de sabre*, Guillaume Guéraud, éd. du Rouergue.

amoureux, mais aussi au Vietnam, à l'époque du grand-père de Joey. Les deux jeunes vont tenter de comprendre ce grand-père qui a eu la langue coupée. La guerre d'Indochine, la barbarie subie par le peuple, toutes les séquelles des guerres coloniales nous sont montrées avec pudeur. Une écriture sobre et des personnages auxquels le lecteur s'attache. Un court roman à lire absolument.

Autre temps, autre guerre : *Un été algérien*, de Jean-Paul Nozière [1], raconte l'amitié brisée de deux adolescents. Ils ont 15 ans, habitent la même exploitation agricole près de Sétif en Algérie. Salim est enfant de fellah et Paul est le fils du propriétaire. Bien qu'amis, au lycée Albertini, ils ne se côtoient pas. Lorsqu'on annonce à Salim qu'il doit arrêter ses études pour cultiver la terre, chagrin et révolte l'envahissent. Cet été-là, les fellagas prennent les armes pour retrouver leur indépendance. Clandestinement, Salim choisit leur camp. Le feu se répand dans les champs, envoyé par des lapins-torches. Paul, dont la famille est installée dans ce domaine depuis 1848, prend fait et cause pour la position des Français. Après avoir grandi et joué ensemble, après avoir partagé tant de complicité, victimes des événements, ils vont être séparés pour toujours. Jean-Paul Nozière a finement analysé ce que fut la lutte pour l'indépendance algérienne (1954-1962) et le sort des Algériens, ainsi que celui de ceux qu'on appelait « les pieds-noirs ».

À la même époque, le 17 octobre 1961, à la suite d'une manifestation parisienne interdite mais suivie par une foule d'Algériens et d'Algériennes, la police française matraqua de nombreux Algériens et en précipita un certain nombre dans la Seine. Plusieurs dizaines de corps furent repêchés par la police fluviale mais on ne sut jamais le nombre exact

---

1. *Un été algérien*, Jean-Paul Nozière, Folio Junior, Gallimard Jeunesse. Supplément : « Le dossier algérien ».

de morts. Leïla Sebbar a raconté ces faits tenus secrets très longtemps et a publié aux éditions Thierry Magnier *La Seine était rouge : Paris, octobre 1961*[1].

Le roman sur les luttes lors de la colonisation, *Les Rois de l'horizon*, de Janine Tesson, est aussi à découvrir.

Dès les premières pages des *Lettres à une disparue*[2] de Véronique Massenot, on se sent ému par l'attente, la séparation, et la terrible disparition... La fille, le gendre et la petite-fille de Melina ont été arrêtés et depuis plus aucune nouvelle, alors que les menus gestes du quotidien se poursuivent comme avant. Désespérée, Melina écrit à sa fille. À travers ses lettres douces, rares et tristes, on comprend que sa petite-fille a pu être adoptée par quelque gradé de l'armée au pouvoir. Melina et son mari cherchent, luttent, s'obstinent et retrouvent la petite Nina qui, après un procès, leur sera rendue. Bien des années plus tard, à la mort de Melina, sa petite-fille Nina lira ces lettres écrites à sa mère et en écrira elle-même une. Un livre très émouvant qui évoque les disparitions en Argentine (30 000 disparus).

La fiction, tout en dispensant un certain savoir, touche la sensibilité du lecteur. Les souvenirs qu'elle fait naître s'incrustent et demeurent...

Des aventures proches ou lointaines

Il y a toujours eu des écrivains voyageurs et les voyages ne forment-ils pas la jeunesse ?

À Ghadamès, une ville du désert, aux confins de la Libye, il existe deux sociétés : celle des hommes et celle des femmes confinées aux terrasses. Malika a 13 ans et rêve

---

1. *La Seine était rouge : Paris, octobre 1961*, Leïla Sebbar, Thierry Magnier, 2003 ; lire aussi *Le Soldat*, Le Seuil.
2. *Lettres à une disparue*, Véronique Massenot, Hachette Jeunesse.

d'apprendre à lire et à écrire. Elle aimerait aussi voyager avec son père qui part pour commercer. Dans la solitude de leur maison, les femmes sont amenées à recueillir un blessé : acte de générosité interdit mais grâce auquel Malika réalise son rêve. Le jeune convalescent lui apprend à lire. *Les Ombres de Ghadamès*[1] de Joëlle Stolz est un roman sur une autre société, lointaine dans le temps et l'espace... Mais les sentiments de Malika peuvent être partagés par des jeunes d'ici et l'écriture donne un charme certain à cette histoire.

La célèbre romancière guadeloupéenne Maryse Condé s'inspire d'un fait réel survenu en Haïti pour raconter dans *Rêves amers*[2] comment Rose Aimée a été obligée de quitter sa famille et son village. La sécheresse y a entraîné la misère. Placée comme bonne à Port-au-Prince, elle est malheureuse loin des siens. Ayant perdu de l'argent appartenant à sa patronne, Rose Aimée s'embarque pour les États-Unis, mais elle n'y parviendra jamais... Un livre qui parle de la vie et de la mort d'une adolescente, dans un des pays les plus pauvres du monde.

De Chine, le grand-père Li écrit et raconte les inondations du Fleuve bleu à son petit-fils Fu, accompagnant ses lettres de légendes. Il donne ainsi de l'espoir à Fu, exilé en France avec ses parents. Fu lui répond, lui confiant ses secrets et décrivant les bords de la Seine. Des poésies de la Chine ancienne rythment la correspondance échangée. L'écriture délicate de Milena exprime dans ce livre, *Le Chagrin de la Chine*[3], la finesse des sentiments. Les gouaches offrent imaginaire et rêve.

Le roman de l'auteur nigérian Zaynab Alkali *Jusqu'au bout*

1. *Les Ombres de Ghadamès*, Joëlle Stolz, Bayard Jeunesse.
2. *Rêves amers*, Maryse Condé, Bayard Jeunesse.
3. *Le Chagrin de la Chine*, Milena/Véronique Sabatier, un livre publié par Nicole Maymat, Le Seuil.

de ses rêves[1] raconte le retour de Li rentrant de son pensionnat citadin vers son village. Troisième de quatorze enfants, elle ne se sent pas à l'aise dans sa famille, et les obligations que son père impose à ses filles et à ses fils la révoltent. L'opposition entre le monde de la ville et celui plus traditionnel de la campagne est l'une des réalités africaines. Un roman-voyage vers la jeunesse nigériane...

Changeons de continent, allons aux Philippines, dans une île du bout du monde où l'on vend les petites filles. Dépaysement, aventures, suspense et assassinat dans *La Prisonnière du magicien* de Michel Girin[2], un biologiste qui a voyagé à travers l'Asie et le monde pour son travail. Une fillette, Dé-Del, a été vendue pour un dollar par un de ses frères à un magicien qui fait partie d'un réseau de vente d'enfants. Désormais, de village en village, Dé-Del doit danser et quémander des piécettes, tandis qu'une autre fillette, Elvira, joue du tambour. La faim les taraude et les coups pleuvent. Dé-Del cherche à fuir, sachant qu'elle va être de nouveau vendue. Mais sur la route, la petite troupe est victime de guérilleros et Elvira meurt. Un « long-nez », un Européen, attaqué par le magicien, le tue en se défendant et recueille Dé-Del. Celle-ci découvre que la fille du « long-nez » a été assassinée parce qu'elle essayait d'écrire sur le trafic d'enfants. Alors elle ose raconter son histoire. Elle ne veut pas être à la charge de son sauveur. Mais quand celui-ci lui propose de l'emmener avec lui, et avec le gros chien qui l'a adoptée, dans son lointain pays, la Hollande, elle accepte. L'auteur connaît les Philippines, mais il possède aussi l'art de se glisser dans le ressenti de personnages auxquels on croit. Ce suspense est à donner à partir de 11-12 ans et à lire à tous les âges.

---

1. *Jusqu'au bout de ses rêves*, Zaynab Alkali, traduit de l'anglais par Étienne Galle, éd. Dapper Jeunesse.
2. *La Prisonnière du magicien*, Michel Girin, Syros Jeunesse.

Pierre-Marie Beaude est un écrivain reconnu qui laisse courir sa plume entre les rêves, le désert et ses personnages. Soufiane, un enfant volé, a grandi sans nom et sans père, c'est un nomade qui erre dans un pays désertique... Il s'entête à chercher Leïla, une jeune aveugle partie avec ses parents. Il vagabonde aussi sur les mers à la recherche de ses origines. Au souffle de l'harmattan, au bercement des vagues, sous le brillant des étoiles, entre gens de peu et voix généreuses, entre désirs et obstination, il va là où ceux qui s'aiment se retrouvent... *Leïla et les jours* [1] parle d'une rencontre intense et fragile, d'une quête des livres disparus, enfouis dans le sable, et d'êtres qui possèdent une juste et belle façon d'habiter le monde. Un livre poétique et dépaysant.

Lecteurs, lectrices, voulez-vous voyager ? Connaître l'Inde, sa religion, ses coutumes, son climat, sa philosophie ? Dans *Le Feu de Shiva* [2], vous apprendrez que, le même jour, un cyclone ravage un village, que Parvati vient au monde, que son père meurt et que le fils du radjah naît. Parvati, étrange fillette, possède en grandissant des dons de magie : les poissons et les oiseaux se rassemblent autour d'elle, elle dompte un cobra et danse dans le feu... Le lecteur l'accompagne à Madras dans un lieu retiré où un maître lui apprend les danses sacrées : ainsi, elle pourra venir en aide à sa mère et à ses frères aînés. Courageuse, studieuse, solitaire, Parvati devient une danseuse hors du commun. Le radjah de son pays l'invite à venir danser au palais où elle rencontre son fils. Entre ces deux solitaires, un courant d'amitié naît. Cependant, ils n'appartiennent pas à la même caste et Parvati choisit la danse. Mais peut-être un jour se retrouveront-ils ? Écrit par Suzanne Fisher Staples, ce roman sur l'Inde et la danse est très enrichissant...

---

1. *Leïla et les jours*, Pierre-Marie Beaude, coll. Scripto, Gallimard. Du même auteur, *Le Muet du roi Salomon* et *Issa, enfant des sables*, Gallimard Jeunesse.
2. *Le Feu de Shiva*, Suzanne Fisher Staples, coll. Scripto, Gallimard Jeunesse.

Allez, les filles... Lisez, les garçons...

Curieux, ces collections qui s'adressent spécifiquement aux filles ou aux garçons ! La vie des uns et des autres n'est-elle pas plus ou moins mêlée ? La vraie littérature s'adresse-t-elle à un lectorat sexué ?

Heureusement, dans des romans très divers et destinés à tous, des héroïnes s'interrogent, se battent, inventent, se révoltent contre leur condition de femme reléguée, et leur destin est bien plus intéressant que ces petits ouvrages de commande réservés à un sexe précis.

Le Livre de Catherine de l'Américaine Caren Cushman[1] se passe au XIIIᵉ siècle. L'héroïne est la fille d'un hobereau sans scrupules qui veut la marier afin de renflouer sa fortune. Une année durant, Catherine, qui n'est âgée que de 13 ans, écrit son journal. Imaginative, elle invente des solutions et résiste à tous les prétendants ! Elle critique le travail des femmes, l'Église et la religion ainsi que son père qui « veut la marier avec un vieux... ». Malgré une forte résistance, l'année finissant, elle craint d'être obligée d'épouser ce monstre. Heureusement il meurt ! Il a un fils et peut-être... Une histoire qui retrace comment pouvait se dérouler la vie dans l'inconfort et les mentalités du Moyen Âge. Une héroïne féministe au XIIIᵉ siècle. La magie de l'écriture – et de la traduction – rend ce roman passionnant !

Du même excellent auteur, *L'Apprentie sage-femme*[2]. Dans les temps lointains, une orpheline devient la bonne à tout faire d'une sage-femme acariâtre. Elle observe sa pratique. Après un échec, elle se sauve, devient servante dans une auberge, apprend à lire et accouche une femme de passage.

---

1. *Le Livre de Catherine*, Caren Cushman, coll. Médium, École des Loisirs.
2. *L'Apprentie sage-femme*, Caren Cushman, coll. Neuf, École des Loisirs.

187

Afin de terminer son apprentissage, elle retourne chez la sage-femme. Partie de la misère absolue, l'héroïne s'instruit au fil des rencontres : un livre optimiste qui peut dynamiser filles et garçons d'aujourd'hui...

Le Mazal d'Elvira[1] est un texte prenant dont l'héroïne est elle aussi hors du commun. À Troyes, au XVIe siècle, les croisés menacent les juifs. La petite-fille du rabbin Salomon ben Isaac utilise l'enseignement religieux pour réfléchir... Elle se retrouve à nourrir, soigner et sauver Gauthier, un jeune croisé blessé et enrôlé de force. Sylvie Weil met le personnage de l'impétueuse Elvira aux prises avec la désobéissance, la liberté, la tolérance, la générosité, des questions essentielles accessibles aux lectrices et aux lecteurs d'aujourd'hui.

Claudine de Lyon[2] est un roman sur les canuts, à la fin du XIXe siècle. Claudine et son père tissent velours et soie durant d'interminables journées. Mais les temps changent, les métiers mécaniques remplacent les métiers manuels. La misère menace. La mère doit travailler à l'usine. Tuberculeuse, Claudine est persuadée qu'elle va mourir. On l'envoie chez sa tante et son oncle à la campagne. Grâce à leurs soins, elle guérit et apprend à dessiner. Une passion qui va mobiliser sa vie et lui donner de l'assurance. L'école, dont elle a toujours rêvé, devient obligatoire et un instituteur lui permet d'acquérir connaissances et détermination. Elle réussira et deviendra modéliste de tissu. Marie-Christine Helgerson nous décrit ici le destin d'une jeune fille énergique.

Vienne 1939 : une famille juive se sépare. Les deux filles sont envoyées en Suède, à l'abri des persécutions. L'adolescente Steffi et sa petite sœur Nelli se retrouvent séparées car placées dans deux familles sur « une île trop loin[3] ». Chacune vit à sa manière les différences entre le quotidien de

---

1. *Le Mazal d'Elvira*, Sylvie Weil, coll. Médium, École des Loisirs.
2. *Claudine de Lyon*, Marie-Christine Helgerson, Castor Poche Flammarion.
3. *Une île trop loin*, Annika Thor, traduit du suédois par Agneta Ségol, éd. Thierry Magnier.

ce pays de pêcheurs pauvres, au climat rude, et celui des Viennois avant l'arrivée d'Hitler. Steffi s'ennuie et doit faire face à l'agressivité de certaines îliennes. Nelli réussit à jouer et oublie parfois la terrible séparation d'avec ses parents. Un texte fort pour comprendre comment des enfants souffrent à cause de la guerre, de toute guerre...

Au temps des taliban, femmes et filles afghanes doivent se cacher sous une burka et ne peuvent sortir qu'accompagnées par un homme. Le père de *Parvana*[1] a été jeté en prison et c'est elle, âgée de 11 ans et habillée en garçon, qui va tenter d'assurer la survie de sa famille. Dans la ville, elle a peur car, découverte, elle risque sa vie. Mais, courageuse, elle travaille et réussit à nourrir les siens. Voici un témoignage sur les Afghanes, leur force, leur résistance au sein d'une population opprimée, dans ce pays si pauvre.

Comment vivre auprès d'une maman toute tatouée et sur laquelle on ne peut pas compter ? Jacqueline Wilson décrit avec justesse Pétunia la mère, Star l'aînée qui se révolte souvent contre elle, et Dolphin la cadette de 10 ans qui la soutient toujours. Ces trois femmes font scandale et bien des gens ne comprennent pas ce que vivent Star et Dolphin. Mais le jeune Moris, enfant trop protégé, aide Dolphin en véritable ami. Chaque fille retrouvera son papa. Avec drôlerie et sensibilité, l'auteur raconte l'histoire mouvementée de cet original trio confronté à des situations difficiles mais lié par un immense amour. *Maman, ma sœur et moi*[2] sont des personnages que l'on peut retrouver dans l'Angleterre contemporaine.

Dans *Lullaby*[3], de J.-M.G. Le Clézio, une adolescente abandonnée – mère malade, père absent – fait l'école buissonnière

1. *Parvana*, Deborah Ellis, Livre de poche Hachette.
2. *Maman, ma sœur et moi*, Jacqueline Wilson. Du même auteur, *La Double Vie de Charlotte* et *À nous deux !*, Folio Junior, Gallimard Jeunesse.
3. *Lullaby*, J.-M.G. Le Clézio, Folio Junior, Gallimard Jeunesse.

pour marcher le long de la mer, au-delà de Nice. Sur une plage, elle écrit à son père et les mots se serrent sur la feuille pour lui dire son désir de le voir. Puis, elle va de rocher en rocher, visite une maison vide aux mystérieuses inscriptions. Un homme la suit, elle fuit... Un poème-nouvelle d'un écrivain du voyage, de l'intériorité et de la poussière du temps qui s'effrite...

Qu'y a-t-il de plus respectable que les mots ? Dans sa fantaisie poétique *La grammaire est une chanson douce*[1], Érik Orsenna nous montre la beauté des langues. Jeanne, 10 ans, et son frère, 14 ans, font naufrage. Seuls et muets, ils se retrouvent sur une île, chaleureusement recueillis par Monsieur Henri qui leur fait visiter la boutique du poète, marché à la chanson, aux mots d'amour, aux étymologies... Ils rencontrent la superbe et si vieille Nommeuse des mots rares... « Les mots sont des petits moteurs de vie, nous devons en prendre soin. » Leur rôle grammatical s'ordonne comme une poésie. Mais Jeanne est capturée par Nécrole, celui pour qui les mots ne sont que des outils efficaces. Pendant que Thomas, indifférent, apprend à jouer de la guitare, Monsieur Henri la délivre. Sous une envolée de mots réconciliateurs, chanson douce qui murmure « passion, beauté, éternité », les hydravions de leurs parents sont en vue... Un livre qui se lit joyeusement, une leçon d'amour de la langue et de sa grammaire, mais aussi un combat contre la disparition des langues – vingt-cinq meurent chaque année. Avec, en filigrane, un message pour mieux écouter, ressentir et estimer chaque mot et son aura délicate, sa place dans l'humain partage...

À poursuivre avec *Les Chevaliers du subjonctif*[2], du même auteur, et tout aussi passionnant. Deux livres indispensables.

---

1. *La grammaire est une chanson douce*, Érik Orsenna, Stock et Le livre de poche Hachette.
2. *Les Chevaliers du subjonctif*, Érik Orsenna, Stock.

Bizarres polars

Depuis quelques années, les romans dits « policiers » se développent pour les jeunes chez de nombreux éditeurs. Bien entendu, tout adolescent peut lire un polar pour se distraire comme le font de nombreux adultes, mais pour ces livres comme pour tout roman des qualités sont indispensables : originalité du sujet, suspense, invention littéraire, possibilité de parler des problèmes de notre société, écriture travaillée, fin optimiste si possible, car le meurtre ne doit pas renouveler la violence de certains films.

Les « Petits Polars » d'Actes Sud Junior traitent des injustices sociales. Marie-Jeanne Barbier, l'auteur des *Requins sont dans le pré*[1], a fait différents métiers manuels et s'est lancée seule dans l'écriture, y développant la vérité des humbles. Trois enfants découvrent que la ferme de l'un d'eux, Rémi Janvier, va être vendue à des personnages peu sympathiques : Léopold Joli, un homme toujours vêtu de blanc, qui parade à l'arrière d'une Rolls conduite par un chauffeur du nom de Jacques Dupont-Germain. Les trois enfants s'associent pour aider secrètement les parents de Rémi, surtout après la parole entendue par celui-ci à la banque : « Janvier est à bout, il est temps que vous lui asseniez le coup de grâce ! » Aidés par leur amie Mélodie qui élève des chèvres et s'enflamme pour défendre le pays et ses paysans, ils pénètrent clandestinement dans la maison de l'homme en blanc. Jacques Dupont-Germain se venge en kidnappant Marie, la fille du groupe, dont le père s'est en fait installé dans le village récemment pour espionner les deux hommes, deux malfaiteurs qui ont accusé et réussi à faire emprisonner son

---

1. *Les requins sont dans le pré* ; *Le Mystère du Pas-de-Loup* et *La Jeune Fille à la fenêtre*, Marie-Jeanne Barbier, Actes Sud Junior.

frère. De l'expédition, Marie a rapporté le cahier-journal de toutes les escroqueries de Jacques Dupont Germain. Après une suite d'aventures rocambolesques, les Janvier pourront garder leur ferme. Fine psychologie de tous les personnages, intrigue bien menée, écriture alerte et dénonciation des spéculations immobilières font de ce roman un excellent « Petit Polar » à lire à partir de 9 ans.

Chez le même éditeur, mais dans la collection « Jamais deux sans trois », une romancière anglaise, Fionna Kelly, a créé une série d'aventures dont les enfants sont des héros. Jean Claverie a illustré couvertures et vignettes intérieures. Dans *Un drôle de numéro*[1], trois adolescents dynamiques, deux filles et un garçon, veulent devenir détectives et fondent un club. Les belles automobiles disparaissent du quartier. Les trois espions remarquent des changements de plaques d'immatriculation suspects. Recherche d'un atelier clandestin, filatures, planques, photos, risques et dangers... et les jeunes détectives triomphent. Aux policiers, ils prouvent l'existence d'un réseau de vol et de remise à neuf des voitures. Un roman d'action mené par un trio curieux et fûté.

« Si t'es polar, t'es Souris noire » : des livres dès 10 ans, pour ceux qui aiment s'identifier et de vrais détectives. *Pinguino* de Frank Pavloff raconte l'histoire d'une bande qui soupçonne un jeune punk d'un assassinat et dénonce en même temps les préjugés. *Aladin et le crime de la bibliothèque* de Marie et Joseph montre trois enquêteurs qui défendent la vie d'une charmante bibliothécaire...

Les plus grands, dans la collection « Rat noir », peuvent lire *Lambada pour l'enfer* d'Hector Hugo, *Marathon sur l'estuaire* d'Hubert Ben Kemoun ou *Tonton Émile* d'Olivier

---

1. *Un drôle de numéro*, Fionna Kelly, coll. Jamais deux sans trois, Actes Sud Junior.

Mau, et quelques classiques comme *Une incroyable histoire* de William Irish ou *Ki Du n° 8* de Patrick Raynal.

Jean-Philippe Arrou-Vignod a écrit *Agence Pertinax*[1], et Yves Hugues enquête sur une mort bizarre dans *Septembre en mire*[2]. Ce sont des titres où se mêlent humour et gravité.

Dans *Le Miniaturiste*, Virginie Lou[3] entraîne Alicia et ses amis chez un vieil artiste chinois qui excelle dans la fabrication de figurines si parfaites qu'on les croirait vivantes ; mais ne le sont-elles pas ? Suspense, angoisse, une histoire envoûtante à l'écriture ciselée...

À lire encore, *Arrêtez la musique*[4], de Christian Grenier, une enquête de l'héroïne Logicielle où musique classique et symphonie mortelle s'entrecroisent. L'auteur affirme que l'important dans le genre policier est que « le jeune lecteur s'identifie au policier », celui qui peut remettre le monde à sa place !

Des voyages initiatiques

Dans *La Rivière à l'envers*[5], conte de Jean-Claude Mourlevat, le héros Tomek entreprend un voyage dans un monde merveilleux, traversant la forêt de l'oubli, l'île inexistante, et croisant des héros chaleureux qui l'aident et le soutiennent. Une idée de cheminement, de gratuité, une ouverture généreuse : un livre limpide... « La rencontre avec des personnages positifs, même s'ils sont complexes, fait avancer. Ces

1. *Agence Pertinax*, Jean-Philippe Arrou-Vignod, Folio Junior, Gallimard Jeunesse.
2. *Septembre en mire*, Yves Hugues, coll. Scripto, Gallimard Jeunesse.
3. *Le Miniaturiste*, Virginie Lou, Gallimard Jeunesse. Pour les plus jeunes, lire aussi *Les Aventuriers du silence*, Actes Sud Junior.
4. *Arrêtez la musique*, Christian Grenier, Cascade Policier.
5. *La Rivière à l'envers*, Jean-Claude Mourlevat, Pocket Jeunesse, et du même auteur : *L'Enfant-Océan* ; *La Balafre* ; *À comme voleur*, chez Gallimard Jeunesse : *La Ballade de Cornebique* ; *La Troisième Vengeance de maître Pontifard*.

romans, vraie littérature, donnent de l'espoir aux adolescents qui souvent manquent de repères parce que les adultes ont été eux-mêmes broyés par la société », affirme l'auteur. Cet écrivain possède un univers personnel qu'il développe dans *La Balafre, L'Enfant-Océan, La Ballade de Cornebique*... Des titres à ne pas manquer.

Les quatre livres tout en finesse de Nadèjda Garrel, écrivaine reconnue récemment décédée, sont devenus des « classiques » : *Au pays du Grand Condor* ; *Les Princes de l'exil* ; *Le Miracle des eaux* et *Dans les forêts de la nuit*[1].

« Au pays du Grand Condor », sur les monts pelés d'Amérique latine, là où des Indiens vivent opprimés, Nadèjda Garrel a imaginé un orphelin maltraité et protégé par un lama blanc aux pouvoirs surnaturels, puis, dans un deuxième conte, des amoureux menacés sauvés par deux condors qui les emportent sur leurs ailes vers un lieu sûr ; dans la troisième histoire, une tribu heureuse est bouleversée par la sottise humaine, mais une petite fille lutte et réussit à ramener la sérénité... Des contes étranges, humanistes, à l'écriture enchantée, sans cesse réédités depuis 1958.

En 1984, son roman pour jeunes *Les Princes de l'exil*, ancêtre des sagas contemporaines, a reçu plusieurs prix. Dans ce voyage initiatique, l'héroïne Ylaria, éprise de folles chevauchées, quitte son royaume de soleil et d'amour pour un pays d'ombre, de misère et de solitude. Elle pénètre dans l'inconnu, découvre l'extrême pauvreté, rencontre quelques êtres hospitaliers, mais aussi la cruauté. Ylaria la vagabonde, au fil des épreuves, parcourt le chemin de l'humaine connaissance. Une quête des lieux, des êtres, des sentiments, un questionnement philosophique où la beauté du style et la profusion des images enchantent le lecteur.

---

1. *Au pays du Grand Condor* ; *Les Princes de l'exil* ; *Le Miracle des eaux* ; *Dans les forêts de la nuit*, Nadègda Garrel, Folio Junior, Gallimard Jeunesse. Pour les plus jeunes : *La Peau du ciel*, Gallimard, et *Ils reviennent*, Mercure de France.

Le Miracle des eaux, toujours de Nadèjda Garrel, est un recueil de nouvelles émouvantes. Parcours aux instants de rire, aux signes maléfiques, aux envols d'ailes miroitantes, vagues de douceur ou de douleur...

Dans les forêts de la nuit présente un autre voyage iniatique : un garçon ne supporte pas de voir une panthère emprisonnée au Jardin des Plantes de Paris. Il la délivre et part avec elle jusqu'aux confins du monde... Dans une nature presque irréelle, il croise une fillette qui murmure et illumine l'instant... Les mots coulent, l'auteure fait parler les paysages et entre les mots se glisse l'invisible qui devient palpable. De la vraie littérature.

Sandra Jayat, poétesse, dans *Les Racines du temps*[1], donne la parole à un Tzigane, Ribeiro Verdé. Il vient d'« un pays où la couleur des mots doit être dosée pour ne pas provoquer la révolte » et va là « où il y a des rêves à côtoyer ». Il parle de Libèra, une gamine méchante qui nargue la vie parce qu'une flamme la brûle : après une longue souffrance, Libèra envisagera la sagesse. Mais comment guérir les égratignures du temps ? À travers la poésie, pourrait répondre Sandra Jayat. « J'ai appris à mesurer les regards et la terre est un immense disque sur lequel sont gravés tous les souvenirs », écrit-elle. Dans un jardin d'abondance, Libèra rencontre Eknabed, un jeune homme à la poitrine sertie de diamants qui a fait construire un palais de sésame. Mais cette enfant à la vie dure, qui se libère par le conte, ne serait-ce pas Sandra Jayat elle-même ? Elle sait « inventer un mot/grand/souple/doux comme un mot vide/débordant d'un trop-plein », écrit-elle. Ce livre se déploie tel un long poème, une errance rimbaldienne.

Vendredi ou la vie sauvage[2], autre voyage initiatique

---

1. *Les Racines du temps*, Sandra Jayat, éd. Point de suspension.
2. *Vendredi ou la vie sauvage*, Michel Tournier, Folio Junior, Gallimard Jeunesse.

de Michel Tournier, est devenu un classique, à lire et à relire...

Sagas et fantaisies

En littérature de jeunesse, il y a toujours eu des modes : livres-jeux de rôles, « Chair de poule » ou effrois en tous genres, et aujourd'hui sagas et « fantasy ». Venus en priorité des pays anglo-saxons, de nombreux mondes imaginaires fleurissent afin de distraire les jeunes : des univers fantastiques qui s'inspirent des grands mythes et peuvent atteindre, pour certains, à une grande qualité littéraire. Ils encouragent aujourd'hui des lecteurs adolescents et adultes à lire de gros volumes : tous apprécient dans ces séries de retrouver le même cadre et les mêmes personnages, repères qui facilitent la lecture.

Chez Mango, l'Anglais Brian Jacques a publié la saga de *Rougemuraille*[1] qui s'adresse à des lecteurs de 10-12 ans. Dans l'abbaye de Rougemuraille, un souriceau effronté souhaite poursuivre l'œuvre légendaire de saint Martin, le créateur de ce lieu où bonté, simplicité et générosité règnent. Mais Cluny le Fléau, un rat sanguinaire et vengeur, veut conquérir le domaine. Dame Taupe, le novice Mathieu, Basile le lièvre-cerf et tous les autres moines-souris réussissent à se défendre contre l'envahisseur hideux et sans scrupules. Le premier volume (*Cluny le Fléau*) peut donner envie de lire la suite : *Martin le Guerrier* et *Mattinéo*... Une saga où s'affrontent le bien et le mal, les bandes destructrices et ceux qui ne désirent que paix et sérénité. Des aventures accompagnées d'un parfum bucolique de jardins fleuris

---

1. Saga *Rougemuraille*, 30 titres publiés en poche et en coffret : *Cluny le Fléau* (3 volumes) ; *Martin le Guerrier* ; *Mattinéo*, Brian Jacques, éd. Mango.

sous le regard d'un moine historien qui, dans le grand livre, rassemble la mémoire de l'abbaye...

Du même auteur, pour les adolescents : *Les Naufragés du Hollandais-Volant...*

Une autre vaste saga, *À la croisée des mondes*[1], de l'Anglais Philip Pullman, emmène les adolescents entre apparences réelles et fantastiques. Elle comprend trois tomes : *Les Royaumes du Nord, La Tour des Anges, Le Miroir d'ambre.* Le premier raconte la vie de l'adolescente Lira dans un austère collège d'érudits, où seul son oncle qui explore le Grand Nord vient parfois lui rendre visite. Là, chaque être vit avec son « daemon » personnel, une sorte de petit animal qui change d'apparence selon les humeurs de son humain, et ce jusqu'à la fin de l'enfance de celui-ci. Lira, qui a été élevée par des Gitans, leur demande de l'aide afin de retrouver le cuisinier de son collège, qui a été kidnappé ainsi que plusieurs enfants. Elle le sauve et apprend que son oncle est en réalité son père. Elle part à sa recherche dans les sinistres splendeurs du Nord. Après de multiples escarmouches contre des sorcières, une mouche-espionne et des daemons divers, après avoir été sauvée par un ours généreux et d'une force surnaturelle, elle parvient jusqu'à la forteresse de Svalbard où son père est prisonnier... Fruits d'une imagination sans cesse renouvelée, les volumes suivants sont tout aussi prenants et haletants que le premier.

Harry Potter à l'école des sorciers ; *Harry Potter et la chambre des secrets* ; *Harry Potter et le prisonnier d'Azkaban* ; *Harry Potter et la coupe du feu* ; *Harry Potter et l'ordre du Phénix* et *Le Prince de sang mêlé*, sixième et avant-dernier tome, ont été écrits par l'Anglaise Joanne K. Rowling et traduits en français par l'écrivain Jean-François Ménard. Le

---

1. *Harry Potter à l'école des sorciers* ; *Harry Potter et la chambre des secrets* ; *Harry Potter et le prisonnier d'Azkaban* ; *Harry Potter et la coupe du feu* ; *Harry Potter et l'ordre du Phénix* ; *Le Prince de sang mêlé*, Gallimard Jeunesse.

succès d'Harry Potter dépasse le monde des jeunes. Les cinq premiers volumes ont été vendus à 270 millions d'exemplaires, dont 16,7 millions en France. En langue anglaise, ces livres ont occupé les premières places des best-sellers du *New York Times* durant plus de cent semaines. En France, les éditions Gallimard ont vendu plus d'un million d'exemplaires du cinquième tome en un mois. La particularité de l'œuvre est que son héros de papier grandit avec ses lecteurs. Cet adolescent qui erre dans le monde de la magie sert à « mettre à distance les fantasmes, à jouer avec [leur] propre moi, à l'investir d'une puissance susceptible de vaincre les angoisses et de les mettre à distance », affirme le spécialiste de la littérature de jeunesse Jean Perrot [1]. À chaque sortie, en Angleterre, aux États-Unis et en France, l'enthousiasme renaît, la « Pottermania » frappe...

> Dans un centre culturel parisien, de jeunes adolescents viennent faire du théâtre et de la musique. Deux garçons, qui ne se sont jamais parlé et ont tous deux *Harry Potter* en main, s'interrogent pour savoir où ils en sont et ce qui va arriver à Hermione. Une conversation longue et imaginative sur la suite a lieu...
> Dans sa classe, Isabelle a un ami africain qui ne lit pas. Elle lui raconte *Harry Potter*, lui affirme que c'est facile, et enfin Babou se met à le lire, lentement mais jusqu'à la fin, pour le grand plaisir de son amie. La saga d'Harry Potter a provoqué des contacts, des conversations, des échanges, elle permet à de nombreux 10-15 ans de lire et de parler lecture ensemble.

Eragon [2] est un autre roman de « fantasy », où le héros trouve une pierre qui est un œuf de dragon. Il adopte la petite dragonne qui en sort et devient dragonnier, héritier d'une caste d'élite que le roi Galbatorix veut éliminer. Une

---

1. Propos de Jean Perrot, *Le Monde* du 31 mars 2000.
2. *Eragon*, Christopher Paolini, Bayard Jeunesse.

quête commence avec épée magique, conteur, errance...
Premier volet d'une trilogie, à lire à partir de 12 ans, qui
renvoie aux jeux de rôles...

Mais après une « fantasy », il est indispensable de continuer avec d'autres titres. Comme *Les Chats* [1] de Marie-Hélène
Delval, roman fantastique qui emporte avec vivacité le lecteur dans une atmosphère étrange. Sur l'escalier de la maison de Da se tient immobile et fier un chat aux yeux
d'argent. Le jeune Sébasto, voisin et ami de Da, s'angoisse
devant cet animal bizarre. Bientôt, un pigeon est retrouvé
égorgé. Un deuxième chat attend sur l'escalier, et c'est au
tour d'un lapin de mourir. Sébasto et Da, inquiets, ne peuvent plus passer de délicieux moments à la pêche. Troisième
chat : un mouton égorgé ! Jusqu'où ira-t-on ? Le lecteur suit
le fil du récit à pas feutrés, il écoute les confidences de
Sébasto et lit le journal tenu par Da... Une écriture sensible
qui peut initier à la littérature fantastique. Une belle phrase
termine ce récit : « Le vent qui séchait mes larmes [celles
de Sébasto] sentait le chèvrefeuille. »

Reine du fleuve [2], de l'Anglaise Eva Ibbotson, est l'histoire
captivante d'une orpheline, Maia, qui quitte Londres pour
Manaus au Brésil, où des cousins acceptent de la recueillir.
Mlle Milton, gouvernante pauvre qui aime les livres, l'accompagne. Sur le bateau, Maia rencontre Clovis, un jeune comédien malheureux, qui devient son ami. À son arrivée, elle
découvre des cousins ruinés vivant au bord de l'Amazone,
hostiles à ce pays et à tous les domestiques, donc détestables
à leur égard. Elle se lie avec Finn, le fils d'un Anglais et
d'une Indienne, comme elle orpheline et amoureux de l'Amazonie, mais que des détectives recherchent pour le ramener
en Grande-Bretagne. Finn et Maïa imaginent un complot qui

1. *Les Chats*, Marie-Hélène Delval, Bayard Jeunesse.
2. *Reine du fleuve*, Eva Ibbotson, coll. Wiz, Albin Michel.

réussit : Clovis, qui ne rêve que de rentrer dans son pays, se fait passer pour Finn. Lors d'un incendie dans la maison de ses cousins, Maia rejoint Finn et tous deux fuient sur l'Amazone. Leurs aventures se poursuivent mais finiront au mieux : Maia collectera les chansons indiennes et Finn étudiera la médecine qu'il associera aux plantes médicinales qu'il connaît ; ils garderont avec eux Malle Milton. Un beau roman sur l'Amazonie construit avec ingéniosité et efficacité. La psychologie des personnages, les ressorts de l'action, la vie des Indiens et leur exploitation, les descriptions de la faune et la flore en font un livre qui passionnera à partir de 14 ans.

Titus Flaminius ou la Fontaine aux vestales[1] est un roman policier romain de Jean-François Nahmias. Après l'assassinat de sa mère, Titus, jeune avocat charmeur et insouciant, enquête avec l'aide d'un comédien qui vient de la plèbe. Ce dernier lui fait découvrir Suture, le quartier romain des pauvres, où prostitution et misère l'indignent... Une errance dans la Rome du Iᵉʳ siècle, celle du proconsul César, une ville grouillante d'intrigues, de vols, d'assassinats. Les Vestales, prêtresses vivant retirées du monde, y jouent un rôle mystérieux. Titus, soutenu par son ami, triomphera et fera le serment de devenir désormais l'avocat des humbles... Pour grands adolescents et adultes épris d'Histoire.

Se perdre dans les trois tomes du *Clan des Otori*[2] est une excellente distraction pour les bons lecteurs. Dans une communauté paysanne des montagnes du Japon médiéval, le chef du clan des Tohan envoie son armée qui rase le village. Un seul garçon est sauvé par le chef du clan des Otori qui lui donne le prénom de son frère défunt, Takeo, et en fait

---

1. *Titus Flaminius ou la Fontaine aux vestales*, Jean-François Nahmias, coll. Wiz, Albin Michel.
2. *Le Clan des Otori* : *Le Silence du rossignol* ; *Les Neiges de l'exil* ; *La Clarté de la lune*, Lian Hearn, Gallimard.

son héritier. Après avoir découvert qu'il possède des pouvoirs surnaturels, Takeo rencontre Kaede, dont il tombe fou amoureux. Mais les guerres de clans les empêchent de vivre unis. Dans la beauté des temples, au chant des oiseaux, lorsque tombe doucement la neige, les pires combats se déroulent. Les pouvoirs de Takeo lui suffiront-ils à braver la colère des hommes pour rejoindre celle qu'il aime ? Son amour sera-t-il assez fort pour le conduire vers Kaede ? Dans ces romans à deux voix, instants poétiques et esthétiques s'opposent à une dramaturgie sans cesse en mouvement... Une réussite. Trois romans captivants...

Les films encouragent-ils la lecture ? Celui tiré de la série *Les Désastreuses Aventures des orphelins Baudelaire*[1] a provoqué une augmentation de ses ventes de 140 %. Cependant, il semble indispensable de proposer aux adolescents des fictions plus littéraires et psychologiques que celles qui sont généralement portées à l'écran, des récits qui correspondent mieux à leurs questionnements et à leurs réflexions.

Ainsi, parcourir les steppes mongoles avec Galshan dans un court roman, *153 jours en hiver*[2], leur permet non seulement de voyager mais les place devant des situations qui sont pour la plupart universelles : la solitude, la difficulté de communiquer avec un grand-père silencieux, le partage d'une passion, ici celle des aigles que l'héroïne et son grand-père dressent ensemble, les moments d'angoisse, l'interrogation sur la façon de secourir un proche...

Les Larmes de l'assassin[3], roman d'Anne-Laure Bondoux, à lire à partir de 14 ans, est très éloigné des sagas. Abandonné dès l'enfance, Angel Allegria, un homme au passé trouble, arrive dans une ferme de l'extrême pointe du Chili. Immédiatement, il tue les parents du jeune Paolo Poloverdo.

---

1. *Les Désastreuses Aventures des orphelins Baudelaire*, Lemony Snicket, Nathan.
2. *153 jours en hiver*, Xavier-Laurent Petit, Castor Poche Flammarion.
3. *Les Larmes de l'assassin*, Anne-Laure Bondoux, Bayard Jeunesse.

Désormais, l'enfant et le tueur sont acculés à vivre tous deux dans le dénuement et la tempête. Mais l'homme découvre un sentiment inconnu et nouveau pour lui : une certaine amitié pour Paolo. Débarque alors Luis, un personnage à la fois riche et brisé qui vient partager leur vie. La jalousie se glisse entre les deux hommes au sujet du jeune garçon. N'ayant plus de nourriture, ils partent tous trois acheter des moutons dans un bourg lointain. Sur la route, Angel ne peut s'empêcher de redevenir un escroc. Quant à Luis, il rencontre une jeune femme peintre avec qui il s'embarque. Angel, recherché par la police, se réfugie avec Paolo chez un vieux bûcheron chaleureux, mais il est arrêté par la police. Adulte, Paolo retournera dans sa maison du bout de la terre où une volée de cartes postales de Luis semble l'attendre... Luis a-t-il donc réalisé son rêve de faire le tour du monde ? Angel a-t-il été exécuté ? Une adorable postière revient souvent voir Paolo et... Un texte construit avec rigueur, des êtres qui se cherchent, entre innocence et cruauté, dans des paysages dénudés. Un roman fort, qui fait penser à William Faulkner.

Confessions et journaux

La collection « Confessions », aux éditions La Martinière Jeunesse, recueille des textes où de grands auteurs parlent de leur adolescence.

Christian Grenier y a publié *Ce soir-là, Dieu est mort*[1]. Une famille modeste, un père à la santé fragile et une mère toute dévouée à son fils : un été, ils rendent visite au riche cousin Edmond. Cet homme orgueilleux et autoritaire possède plusieurs magasins de chaussures dans lesquels il exploite enfants et petits-enfants. Le jeune Audin, avec qui le héros

---

1. *Ce soir-là, Dieu est mort*, Christian Grenier, La Martinière.

se lie d'amitié, vit à l'ombre de ce grand-père tyrannique. Lorsqu'il a 16 ans, ce dernier lui assène des reproches injustes et le drame survient : Audin se suicide. Souffrance et vérité filtrent à travers une écriture sobre et puissante.

Dans *Celui qui n'aimait pas lire*[1] de Mikaël Ollivier, dominent humour, malice, art du récit et de l'artifice. Certes, il fut mauvais élève, rêveur, non lecteur et absentéiste à l'école... Mais un jour il va se passionner pour le cinéma et lire tout sur cet art. Puis il vient à la littérature, modestement d'abord, sérieusement ensuite. Dans la dernière partie du livre, il parle si bien des romans qu'il adore qu'il donne envie de les lire immédiatement. Ce non-lecteur, devenu auteur, choisit avec art les textes sur la création. Son écriture est savoureuse et tous, mauvais et bons lecteurs, doivent le lire, car dans un TGV, comme lui, ils découvriront peut-être l'amour...

À la fin du mois d'août, le grand-père de l'auteur, Bernard Friot, est transporté à l'hôpital et dans dix jours c'est l'effrayante rentrée à l'internat. *Un dernier été*[2] raconte la terreur du pensionnat et la menace de la mort du grand-père. De retour à la ferme où toutes les familles se retrouvent, émergent les souvenirs d'autres étés et la personnalité d'un jeune garçon serviable, silencieux, malheureux et qui se montre tel que les adultes le veulent. Une écriture du frémissement, de la sensation, de l'émotion, des sentiments enfermés en soi. Un livre émouvant qui donne envie de venir en aide au héros, qui provoque le désir que sa grand-mère se penche vers lui, que sa mère lui parle, qu'il puisse dire sa peine à quelqu'un, mais...

Le journal est une forme agréable à lire et qui permet de donner des informations sur une époque, exprime des sen-

---

1. *Celui qui n'aimait pas lire*, Mikaël Ollivier, La Martinière.
2. *Un dernier été*, Bernard Friot, La Martinière.

timents, montre l'évolution de situations, à travers une écriture quotidienne.

Pendant la guerre de Cent Ans, journal de Jeanne Letourneur, 1418[1] raconte la vie de Jeanne, petite jeune fille de Rouen, que ses parents ont envoyée à Paris pour la protéger des attaques anglaises. Dans la capitale, elle devient servante dans une auberge et écrit chaque jour les désastres que provoque la lutte entre le duc de Bourgogne et le clan des Armagnac. Jeanne dit aussi ses amitiés, ses doutes et portraitise avec finesse le peuple parisien de ce siècle. Elle quitte Paris par les routes dangereuses, avec des amis qu'elle s'est faits, et atteint les bords de la Loire. À son journal, elle confie ses peines d'être loin de sa famille mais aussi ses joies de découvrir une belle campagne, d'apprendre la broderie et d'y rencontrer le bonheur... Un journal qui conte des êtres et une époque et se lit facilement, un journal qui donne envie de tenir le sien.

À lire également dans la même collection : *L'Année de la Grande Peste, journal d'Alice Paynton, 1665-1666* ; *Marie-Antoinette, princesse d'Autriche à Versailles, 1769-1771* ; *SOS Titanic, journal de Julia Facchini, 1912.*

Où et comment choisir les romans pour jeunes ?

Dans une trop vaste parution, comment s'y retrouver ? Comment apprécier le sujet d'un roman, le ton, l'écriture ? Comment savoir si le thème touchera son lecteur ? Le choix d'un roman est plus difficile que celui d'un album.

Les professeurs à la recherche de textes d'écrivains qui

---

1. *Pendant la guerre de Cent Ans, journal de Jeanne Letourneur, 1418,* Brigitte Coppin ; *L'Année de la Grande Peste, journal d'Alice Paynton, 1665-1666* ; *Marie-Antoinette, princesse d'Autriche à Versailles, 1769-1771* ; *SOS Titanic, journal de Julia Facchini, 1912,* coll. Mon Histoire, Gallimard Jeunesse.

sachent capter l'attention des jeunes ont à leur disposition les listes qui accompagnent les programmes.

Les bibliothécaires et les documentalistes se livrent à un travail de sélection, de présentation et de mise en valeur des meilleurs titres. « La bibliothèque idéale » (p. 247) vous permettra d'affiner vos choix. Vous trouverez aussi en fin d'ouvrage les titres des principales revues critiques.

Il y a cent ans, on affirmait que la lecture encourageait la paresse. Il y a cinquante ans, on disait que la lecture était une perte de temps. Aujourd'hui, elle est parfois assimilée à la réussite scolaire. Mais la lecture est aussi la promesse d'une détente, d'une évasion vers des destins qui captivent, l'ouverture de portes magiques sur l'espace et le temps...

C'est l'été, dans un village de vacances, Jeanne Benameur est invitée à faire une conférence sur son travail d'écrivain. Ses romans ont été abondamment distribués à tous ceux qui voulaient les lire. Anna, 12 ans, vient de finir *Une heure, une vie*, un roman sur le divorce, et *Comme on respire*[1], un long poème sur la naissance de l'écriture. Son père et sa mère se disputent pour lire ces livres qui ont enthousiasmé leur fille. Chez eux, c'est une tradition, la mère d'Anna a non seulement plaisir à lire tous les romans que sa fille lit, mais aime en parler avec elle. Pendant les vacances, son père veut l'imiter. Dans cette famille où les livres s'échangent, la mère d'Anna avoue : « Je n'ai pas le temps pour les livres adultes mais je m'enrichis grâce aux lectures de ma fille et à travers nos discussions ! »

Livres offerts pour se changer les idées, pour échanger des idées et pour contester d'autres idées... Livres aimés, critiqués, prêtés entre jeunes, entre amis, dans la famille. Lectures et discussions partagées entre enfants et parents, car qui a lu petit lira grand...

---

1. *Une heure, une vie* et *Comme on respire*, Jeanne Benameur, éd. Thierry Magnier.

Quelle reconnaissance pour les écrivains ?

La littérature destinée aux jeunes possède déjà ses classiques. Qui ne connaît pas le célèbre humoriste anglais Roald Dahl et son œuvre : *James et la grosse pêche* ; *Charlie et la chocolaterie* ; *Fantastique Maître Renard*[1] ? Un parc d'attractions, situé à une heure de Londres, lui est consacré. Des générations d'enfants ont souhaité devenir de fabuleux braconniers avec *Danny, champion du monde*.

Dans *Tous les soirs au téléphone*[2], un père éloigné de son foyer raconte chaque jour une histoire à sa fille. Son auteur l'Italien Gianni Rodari excelle aussi dans l'humour dans *Nouvelles à la machine*[3]. Tout comme Pierre Gripari dans *Les Contes de la rue Broca*[4] ou dans *Les Contes de la Folie-Méricourt*[5].

De génération en génération, les livres de ces trois écrivains récemment disparus restent appréciés.

Bien des écrivains contemporains, connus et reconnus, ont écrit pour les jeunes : Azouz Begag, François Bon, Marie Brantôme, Geneviève Brisac, Andrée Chédid, Michel Chaillou, Bernard Clavel, Jean Joubert, Jean-Marie Le Clézio, Hubert Mingarelli, Marie Nimier, Bernard Noël, Érik Orsenna, Claude Roy, Leïla Seibar, Michel Tournier et Marguerite Yourcenar – qui a réécrit pour les enfants certains contes des *Nouvelles orientales*, superbe recueil (Imaginaire, Gallimard).

Aux États-Unis, des auteurs américains spécialisés dans la

---

1. *James et la grosse pêche* ; *Charlie et la chocolaterie* ; *Fantastique Maître Renard...*, Roald Dahl, Folio Junior, Gallimard Jeunesse ; *Danny, champion du monde*, Stock.
2. *Tous les soirs au téléphone*, Gianni Rodari, Castor Poche Flammarion, et *Histoires à la courte paille*, Livre de poche Jeunesse.
3. *Nouvelles à la machine*, Gianni Rodari, éd. La Joie de Lire.
4. *Les Contes de la rue Broca*, P. Gripari, Folio Junior, Gallimard.
5. *Les Contes de la rue Broca* ; *Contes d'ailleurs et de nulle part* ; *Les Contes de la Folie Méricourt*, albums illustrés, Pierre Gripari/Claude Lapointe, Grasset Jeunesse.

littérature pour la jeunesse – Betsy Byars, Judy Blume, Robert Cormier, Sharon Creech, Caren Cushman, Anne Fine, Lois Lorry, Malcolm Bosse – jouissent d'une réputation égale à celle des écrivains de littérature générale, et certains titres de romans destinés aux jeunes peuvent figurer dans la liste des best-sellers.

En France aussi, des écrivains construisent une œuvre dans le domaine du roman pour jeunes. Citons Jeanne Benameur, Nadine Brun-Cosme, Claude Clément, Valérie Dayre, Bernard Friot, Jean-Jacques Greif, Nadèjda Garrel, Christian Grenier, Michel Grimaud, Yaël Hassan, Rachel Hausfater-Douieb, Jo Hoestland, Michel Honaker, Thierry Lenain, Yvon Mauffret, Hubert Mingarelli, Moka, Suzy Morgenstern, Marie-Aude Murail, Jean-Paul Nozière, Michel Piquemal, Bertrand Solet, Janine Teisson et bien d'autres... Contrairement à ce qui se passe aux États-Unis, ces auteurs restent cloisonnés dans un microcosme spécialisé jeunesse. Mais ils participent à de nombreuses manifestations. Les écrivains pour jeunes voyagent, ils sont reçus dans les bibliothèques et dans les écoles. Aux enfants et aux adolescents, ils parlent de leurs écrits, de leur métier, de la lecture et répondent à leurs nombreuses questions. Ces échanges sont parfois très profonds. Fêtes, festivals et salons (les chaleureuses fêtes du livre de Saint-Paul-Trois-Châteaux et de Villeurbanne, etc.) sont lieux de rencontre entre lecteurs et créateurs.

Certains titres se vendent mieux dans les collections jeunesse que dans les collections littéraires, parce qu'il y a un public qui lit – ou qui doit lire – et des médiateurs (enseignants, bibliothécaires, documentalistes, critiques) qui recherchent les titres de qualité et font l'effort de les proposer aux jeunes. En 2003, le tirage moyen d'une nouveauté jeunesse a été de 9 654 exemplaires, alors que la moyenne générale sur le marché du livre était de 7 934[1].

---

1. Chiffres de 2003, communiqués par le Syndicat national de l'édition.

Par ailleurs, le temps de rotation n'a rien de comparable (trois mois en littérature générale, plusieurs années quant aux romans pour jeunes) et certains éditeurs (Gallimard Jeunesse, l'École des Loisirs, Syros...) réimpriment pendant plus de dix ans les meilleurs titres qui peuvent dépasser les 200 000 exemplaires.

Un phénomène récent et intéressant est apparu autour de l'École des Loisirs et de sa directrice de collection Geneviève Brisac (prix Fémina en 1996 pour son roman *Scène de chasse à la mère*[1]). Certains auteurs français de cette maison d'édition naviguent avec talent des romans et nouvelles pour adultes aux livres pour enfants. C'est le cas d'Agnès Desarthe, Marie Despléchin, Christophe Honoré, Guillaume Le Touze, Sophie Chérer, Moka... Par ailleurs, Geneviève Brisac affirme : « Une nouvelle génération d'écrivains, nourrie de nos premiers romanciers, écrit à son tour des textes tout aussi fins. Ce sont Olivier Adam, Olivia Dante, Arnaud Cathrine, Xavier-Laurent Petit, Valérie Zenatti, Jean-Jacques Greif... qui, souvent enseignants, ont à cœur de communiquer leur passion à leurs élèves. Mais il y a aujourd'hui une surproduction dans ce domaine. Des éditeurs, par opportunisme, publient des textes sans valeur, sans intériorité, des faux livres, des livres dans lesquels on ne sent pas la personnalité de l'auteur. »

Autre réalité : ce marché plutôt florissant est peu défendu par les médias. Aucune émission de télévision. Quelques journaux ont des rubriques plus ou moins régulières : *Le Monde*, *Libération*, *Télérama*, *Le Nouvel Observateur*... Et une seule émission de radio : sur France Inter, « L'as-tu lu mon petit loup ? », animée par Denis Cheissoux et Patrice Wolf, dix minutes dynamiques et sympathiques : ces deux journalistes conseillent et racontent deux livres chaque samedi à 8 h 40.

---

1. *Scène de chasse à la mère*, Geneviève Brisac, L'Olivier.

Les auteurs de livres pour la jeunesse ne reçoivent donc qu'une infime reconnaissance, bien souvent limitée aux critiques littéraires spécialisés, aux bibliothécaires, aux enseignants et aux enfants. Mais les exceptionnelles rencontres qui ont lieu entre eux et leurs jeunes lecteurs sont riches et nourries de l'insatiable curiosité des enfants dans tous les domaines. Ces heures passées ensemble, si elles sont bien préparées, peuvent donner envie aux jeunes de lire de vrais romans.

13

Que faire pour ceux et celles qui disent ne pas aimer lire ?

> « Lire est si facile, disent ceux auxquels la longue pratique des livres a ôté tout respect pour la parole écrite ; mais celui qui a affaire à des choses ou à des hommes plutôt qu'à des livres, celui qui doit sortir le matin et rentrer le soir endurci, s'aperçoit, quand par hasard il se concentre sur une page, qu'il a sous les yeux quelque chose de rebutant et d'étrange, d'évanescent et en même temps de fort, qui l'agresse et le décourage. Inutile d'ajouter que ce dernier est plus proche de la vraie lecture que l'autre. »
>
> Cesare Pavese

Pourquoi lire ?

Dans notre société très inégale, dans cette période où les images télévisuelles triomphent et où les jeux électroniques sont si attirants, bien des jeunes ne connaissent pas le plaisir de lire.

Certains adolescents identifient le roman au manuel scolaire. D'autres trouvent que la lecture demande des efforts qu'ils n'ont pas envie de fournir. Ils préfèrent passer des heures à zapper devant la télévision, à visionner sur leur magnétoscope des films ou à jouer sur leur console...

Mélanie vient d'arriver dans un collège d'une lointaine banlieue. Un jour, elle tient à la main *La Quatrième Fille du docteur Klein*, roman d'Élisabeth Brami[1]. Ses copines lui arrachent le livre, le jettent par-dessus le mur en criant : « C'est débile de lire ! » Puis elles lui demandent : « Et d'abord, pourquoi tu parles l'ancien français ? » Mélanie reste stupéfaite car elle s'exprime comme ses parents, dans une langue familière mais riche. Quant à la lecture, elle n'avouera plus jamais qu'elle aime lire ! Mais comme elle trouvait passionnant le livre d'Élisabeth Brami, elle l'a racheté afin de le terminer chez elle.

Comment remédier à cet état de fait si les modèles des jeunes, leurs stars et chanteurs préférés ne se montrent jamais un livre à la main ? Dans les émissions de télé-réalité, jamais l'écrit n'apparaît. Pourtant, notre civilisation s'appuie sur la lecture : publicitaire, journalistique, technique, pratique, mais aussi littéraire, romanesque, poétique... N'est-il pas important de faire savoir les différences entre lectures scolaires obligatoires et lectures attrayantes ? Ne devons-nous pas répéter que lire offre non seulement savoir, mais aussi évasion et plaisir ?

Réapprendre à lire

Certes, il est compréhensible qu'un jeune qui a rencontré des difficultés lors de l'apprentissage rejette *a priori* tous les livres. La lecture peut lui demander trop d'efforts. Il peut avoir appris à déchiffrer mais ne pas savoir énoncer assez vite les hypothèses imaginatives : bien lire signifie parfaite-

---

1. *La Quatrième Fille du docteur Klein*, Elisabeth Brami/Yan Nascimbene, Le Seuil Jeunesse.

ment maîtriser ces deux opérations. Dans notre présent technologique, on peut, grâce à des logiciels, apprendre ou réapprendre à lire[1].

On peut aussi mettre des livres partout sur le chemin des enfants et instaurer un temps régulier qui leur sera consacré. Il faut surtout présenter ces ouvrages comme des gourmandises : albums-jeux, BD, livres de photos, de dessins, d'art, de musique... Découvrir, feuilleter, observer, caresser un album sont des premiers contacts indispensables. Il faut attirer le futur lecteur en évoquant les découvertes, les rencontres qui l'attendent, l'humour, le charme des histoires, le plaisir de s'identifier au héros, à l'héroïne, de regarder les images et aussi de savourer les mots. Si l'on réussit à personnaliser la lecture du jeune et à lui fournir le livre qui se rapporte à ses centres d'intérêt, on peut provoquer un démarrage.

Persévérez !

Si vous échouez, tentez de recommencer avec des livres-jeux ou des albums conseillés dans cet ouvrage. Lisez aussi à haute voix un court récit. Cela peut être long, mais quelle joie de réussir !

Se divertir par l'image...

Quel enfant qui dit ne pas aimer lire peut résister à *Charlie*, série de livres-devinettes aux images foisonnantes de détails où l'on doit chercher le héros, minuscule personnage au bonnet à pompon et au pull rayé ? Ce sont : *Où est Charlie ?*, *Charlie remonte le temps*, petite leçon d'histoire, ou *Charlie à Holly-*

---

1. Avec un CD-Rom, *Apprendre à lire avec Tibili*, éd. Microfolie's. Voir l'Association française pour la lecture.

wood[1], excellent pour ceux qui aiment le cinéma. Cette série ludique, où la lecture n'est qu'une plongée dans les images, permet une première approche sensorielle des albums.

Dans *Le Jour des Rois*[2], les images mènent le récit – voire les récits – que l'enfant s'invente. Des histoires sans parole qui donnent la possibilité de se perdre dans ces gravures anciennes qui mènent en Inde, en Chine, en Russie... Un livre à feuilleter, pour imaginer et rêver...

Il est possible de continuer avec des albums aux images artistiques et dans lesquels la progression de lecture se réalise par l'intermédiaire de l'illustration.

Zoom[3] du dessinateur publicitaire Istvan Banyai, artiste d'origine hongroise qui vit à New York, est un voyage merveilleux dans les images qui va du gros plan unique à de larges cadrages. De page en page, les changements surprennent et chacun imagine son histoire. Il suffit de regarder les illustrations étonnantes qui mènent de la crête d'un coq jusqu'aux îles perdues au-delà de l'Australie, en passant par New York et l'Arizona... Le tour de la terre en zoomant... Cet album est à suivre avec *Rezoom*[4]... Deux livres pour lecteurs ou non-lecteurs...

Les bandes dessinées peuvent aussi représenter une rencontre positive. *Le Génie de la boîte de raviolis*[5] est une joyeuse BD dans laquelle un employé modeste rencontre un génie qui va réaliser deux de ses vœux : un jardin et un bon repas... Tous ceux qui n'aiment pas lire accompagneront sans difficultés Armand et son génie...

---

1. Tous ces titres aux éditions Gründ, la série a été publiée en format grands albums et en format poche.
2. *Le Jour des Rois*, Pierre-Olivier Leclercq, coll. Histoire sans parole, Autrement Jeunesse. Dans la même collection, *Le Petit Nuage*, Muzo ; *L'Étoile tombée du ciel*, Raphaël Hadid ; *Petit poisson voit du pays*, Bruno Gibert.
3. *Zoom*, Istvan Banyai, éd. Circonflexe.
4. *Rezoom*, Istvan Banyai, éd. Circonflexe.
5. *Le Génie de la boîte de raviolis*, Germano Zullo/Albertine, éd. La Joie de Lire.

Pour tous les âges, rien de mieux que *Football*[1] du dessinateur Mordillo. Les dessins humoristiques racontent des histoires qui font rire...

Avec *Quel genre de bisous*, Nicole Claveloux[2], l'une des plus grandes illustratrices, offre un petit livre drôle qu'on a plaisir à regarder.

Le livre *Nabil*[3] de l'artiste Gabrielle Vincent se parcourt pour la beauté de ses dessins. Un enfant du Maghreb part de son oasis et rêve d'aller dans le désert. Mais la tempête se lève.

Jeux sur papier

Un album ludique et jubilatoire, *Ma petite fabrique à histoires*[4], propose sur chaque page trois languettes sur lesquelles sont écrits deux-trois mots : on les manipule, et une phrase-histoire naît. À partir des vingt et une petites phrases, on peut fabriquer 194 481 histoires en jouant, en riant, en étant actif...

On peut également s'amuser avec *Le Livre des pourquoi*[5] dans lequel Martine Laffon, fine questionneuse, répond aux soixante et onze interrogations que se pose tout être humain, sur le corps, la nature, les sentiments, la morale... Avec « Pourquoi on ne peut pas s'empêcher de mentir ? » ou « Pourquoi les tomates sont-elles rouges ? », etc., le lecteur découvre, s'étonne, s'instruit et en parle...

Dans un registre différent, *Les Enquêtes de la main noire*[6]

1. *Football*, Mordillon, éd. Vent d'Ouest.
2. *Quel genre de bisous*, Nicole Claveloux, éd. Être.
3. *Nabil*, Gabrielle Vincent, éd. Rue du Monde.
4. *Ma petite fabrique à histoires*, Bruno Gibert, Autrement Jeunesse
5. *Le Livre des pourquoi*, Martine Laffon, Hortense de Chabaneix/Jacques Azam, La Martinière Jeunesse.
6. *Les Enquêtes de la main noire*, Hans Jürgen Press, Actes Sud Junior.

captent plus d'un non-lecteur entre 8 et 12 ans. Le dessinateur de presse allemand Hans Jürgen Press a eu l'excellente
idée d'inventer un groupe de quatre détectives – plus un
écureuil – qui commentent un événement et posent une
question. Le lecteur doit trouver la réponse dans l'illustration
de la page de droite. Les énigmes se succèdent dans ce
best-seller traduit en onze langues.

On peut aussi lire *Lenoir et Blanc*[1] (trois titres) : quarante
énigmes à résoudre en scrutant les images.

Les éditions Gründ ont créé une série de jeux de piste :
Vivez l'aventure. On choisit ses épreuves, on progresse, on
échoue ou on réussit... Dans *Le Jardin aux cent secrets*, *La
Jungle aux cent périls* ou *La Mer aux cent défis*, l'enfant
emprunte différents chemins, s'amuse, se passionne, se fami-
liarisant avec l'album. Pour les plus grands, il existe d'autres
jeux d'observation comme *Le Nouveau Livre des labyrinthes*[2]
ou *Un château en Écosse*[3] qui attirent les adolescents dans
un vagabondage au cœur de dessins fouillés, avec indices,
personnages, pistes...

Mystérieuses photos

Chacun sait compter jusqu'à 10 ! Mais quel plaisir d'énu-
mérer les chiffres et de contempler les photos déroutantes,
amusantes, expressives, de l'album *Et si on comptait*[4]...

Mystère Mystère[5] : des doubles pages de photos romantiques, artistiques, voyageuses, ombrées, raffinées ; de vraies
mises en scène mystérieuses et colorées où chacun cherche

---

1. *Lenoir et Blanc en voient de toutes les couleurs* ; *Lenoir et Blanc en voient des vertes et
des pas mûres* ; *Lenoir et Blanc font rire jaune*, Jürg Obrist, Actes Sud Junior.
2. *Le Nouveau Livre des labyrinthes*, Jesus Gaban, Gründ.
3. *Un château en Écosse*, Scoular Anderson, Gründ.
4. *Et si on comptait*, images choisies par Marie Houblon, agence Magnum, éd. Tourbillon.
5. *Mystère Mystère*, photos de Walter Wick, devinettes de Jean Marzollo, éd. Millepages.

et trouve des objets dissimulés. Un jeu de cachettes et de devinettes, une chasse aux trésors qui peut se faire seul, entre amis, en famille. Un album superbe.

D'autres albums de photos autorisent découvertes, divagations, voyages... *A B C terres ou l'Afrique de A à Z*[1] se parcourt à travers vingt-six mots illustrés de splendides photos de la vie africaine et suggère vingt-six films qui ouvrent sur ce continent. Une promenade pour observer l'Afrique et un livre pour les enfants qui viennent du continent africain.

Dans une classe, à Marrakech, où tous les jeunes étudient l'art plastique, un professeur photographie chaque élève. *La Salle de classe*[2], d'Hicham Benohoud, est un album dans lequel les photos surprennent, interrogent et divertissent...

L'art à la page

De nombreux livres d'art sont capables d'étonner enfants et adolescents. Des peintres comme Brueghel, Bosch, Cranach, Dürer ou les surréalistes Dali, Max Ernst et particulièrement Magritte provoquent leur attention, leur curiosité et donnent une autre occasion d'approcher le livre.

Dans une classe d'enfants en difficulté, une bibliothécaire vient chaque semaine avec un livre de peinture. Ce jour-là, l'accueil est particulièrement rieur. Les élèves l'entourent et la questionnent : « Tu l'as encore ton livre dégoûtant ? » Elle réfléchit et comprend. Souriant à son tour, elle sort le magnifique livre d'art montré et commenté la semaine précédente qui représente les peintures de Lucas Cranach. Les jeunes observent à nouveau chaque toile, se moquent des corps nus tout en examinant, sur chaque tableau, le regard, la coiffure ou le chapeau, les bijoux, les mains et les pieds...

---

1. *A B C terres*, éd. de l'Œil, 7, rue de la Convention, 93100 Montreuil, tél : 01 49 88 03 57.
2. *La Salle de classe*, Hicham Benohoud, éd. de l'Œil.

L'animatrice montre également des petits livres de peinture à thèmes, *Cheveux, Chapeaux*[1]. La séance se passe dans une attention soutenue.

Puis cette bibliothécaire continue de travailler à partir de grands albums, *L'Art à la loupe et Le Louvre à la loupe*[2]. Elle termine ses séances avec *L'Art pour comprendre le monde*[3] : des œuvres afin de voyager à travers les pays. Sous sa responsabilité, le groupe visite plusieurs musées dont le Louvre. À la fin de l'année, ces élèves sont devenus sensibles à la peinture.

Un vrai livre relié de toile, *Histoire de l'art*[4] de Paul Cox, peut aussi malgré son titre sérieux plaire aux petits et aux grands. Il recèle en fait soixante pages d'aventures entre un roi méchant et quelque peu comique, un peintre sympathique et une princesse. Sur chaque page, un dessin drôle représente un monde rayé dans lequel évoluent des personnages, colorés ou non. De courtes phrases légendent chaque dessin. Cette histoire humoristique est très facile à regarder et à lire...

Fantaisie livresque

Pour tous les âges et pour ceux qui disent détester les livres, voici un choix de très beaux albums.

Rien n'est plus captivant que d'observer le ciel et ses nuages : mouvances blanches, formes excentriques grâce auxquelles on peut imaginer. *La Tête dans les nuages*[5] de Marc Solal et François David est un livre à feuilleter pour rêver...

1. *Cheveux, Chapeaux*, Agnès Rosenthiel, Autrement.
2. *L'Art à la loupe* ; *Le Louvre à la loupe*, Claire d'Harcourt, coédition Le Seuil/Le Funambule.
3. *L'Art pour comprendre le monde*, V. Antoine-Andersen/Henri Fellner, Actes Sud Junior.
4. *Histoire de l'art*, Paul Cox, Le Seuil.
5. *La Tête dans les nuages*, Marc Solal/François David, éd. Motus.

Il existe aussi *Le Petit Cul tout blanc du lièvre*[1]. L'illustrateur Zaü, à coups de traits bruns et dansants, illustre le long poème minimaliste de Thierry Cazals. La campagne et ses charmes... Un bonheur à parcourir de page en page...

Ou *Les Trois Questions*, d'après un conte de Léon Tolstoï, dans lequel l'auteur-illustrateur américain Jan J. Muth rend hommage au grand écrivain russe. Un garçon, Nikolaï, pose trois questions à Sonya le héron, à Gogol le singe, à Pouchkine le chien et à Léon la tortue... Tous répondent... Puis une terrible tempête survient et Nikolaï sauve, tour à tour, un panda puis son enfant. Une fable aux aquarelles attirantes qui parle de générosité et de sagesse...

Un autre album, *Le Chameau Abos*[2], de Raymond Rener raconte l'histoire de trois chamelles qui privent, punissent et battent Abos. Désespéré, le chameau s'éloigne, s'envole vers son étoile qui brille. Une osmose délicate entre mots et illustrations de Georges Lemoine.

Un concert rock : à la batterie Chabotte, à la guitare basse Tipoucet, au saxo B.B.D. (la Belle au Bois dormant) ; Chapouge chante en s'accompagnant à la guitare électrique. Cendrillon est la vedette et Charly P. l'imprésario de ce groupe : *La Terrible Bande à Charly P*[3]. Jaloux, Charly interrompt le concert avec le stylo de son arrière-arrière-arrière grand-père Charles Perrault. Colère, dispute, stylo perdu... Des enfants le retrouvent et, grâce à eux, le groupe redonnera un concert délirant... Un livre aux illustrations rockeuses qui fera rire et lire même ceux qui ne le veulent pas.

Une cuisine grande comme le monde[4] offre des recettes de plats délicieux de différents continents sur d'immenses

1. *Le Petit Cul tout blanc du lièvre*, Thierry Cazals/Zaü, éd. Motus.
2. *Le Chameau Abos*, Raymond Rener/Georges Lemoine, Folio Benjamin, Gallimard Jeunesse.
3. *Charly P.*, Marion Zor/Yan Thomas, éd. Rue du Monde.
4. *Une cuisine grande comme le monde*, Alain Serres/Zau, éd. Rue du Monde.

pages colorées et luxuriantes réalisées par l'illustrateur Zaü. Un livre à déguster, qui donne envie de cuisiner...

Pour tout savoir sur les chiens[1], il existe un album tonique et joyeux qui fera le bonheur de tous ceux qui aiment la gent canine, réalisé par le groupe de graphistes, affichistes, musiciens, dessinateurs qui s'est nommé Les Chats pelés. À chaque page, une trouvaille, une idée, une réalisation nouvelle. Des mêmes auteurs : *Jouons avec les chiffres/les lettres* et *Au boulot*, immense album qui captive ceux qui le découvrent.

À 10 ans, Alba ne lit plus, ce qui ennuie beaucoup sa maman. Un dimanche, elle reprend les piles de bandes dessinées de ses grands frères. Elle dévore *Mafalda* de Quino[2], *Astérix*[3] et plusieurs *Yakari*[4]. À un festival du livre, sa mère lui achète *Hélène et son lion*[5], douze histoires d'une petite fille qui se les invente, et deux petits romans : *Ma princesse collectionne les nuages* de Brigitte Smadja, et *Lettres d'amour de 0 à 10* de Suzie Morgenstern[6]. Seule, Alba lit *Hélène et son lion*. Puis le soir, sa mère commence à haute voix le premier roman, *Ma princesse collectionne les nuages*, Alba en apprécie le rythme et, les jours suivants, le termine seule. Sa maman entamera alors *Lettres d'amour de 0 à 10* et c'est elle qui le finira très vite. D'autres romans suivront. Ce temps de redécouverte de la lecture lui était sans doute nécessaire !

À lire encore *King Kong*[7], album illustré qui permet de découvrir ou de revisiter un film devenu classique. Une belle histoire qui peut séduire. Les illustrations renforcent action et inquiétude. Dans la même collection, *Robin des Bois* et *Robinson Crusoé*...

---

1. *Chiens* ; *Jouons avec les chiffres* ; *Au boulot*, Les Chats pelés, Le Seuil Jeunesse.
2. *Mafalda*, Quino, éd. Glénat.
3. *Astérix*, éd. Dargaud.
4. *Yakari*, Derib/Job, Casterman.
5. *Hélène et son lion*, Crockett Johnson, éd. Tourbillon.
6. *Lettres d'amour de 0 à 10*, Suzy Morgenstern, École des Loisirs.
7. *King Kong*, Michel Piquemal/Christophe Blain, Albin Michel Jeunesse.

Dracula[1], héros mythique qui épouvante, s'est métamorphosé en album. Il rôde dans les Carpates, provoquant quelques frayeurs... À lire d'urgence...

Comme au théâtre

Tous ceux que lire rebute seront séduits par ces albums illustrés mais aussi par la lecture à haute voix du texte. Une lecture à deux ou plusieurs voix peut s'engager avec les enfants, voire se transformer en un jeu théâtral amusant.

Max n'aime pas lire[2], mais...

C'est un petit album drôle sur la lecture, fait de dessins dynamiques et de bulles. Max refuse de lire. Il dit qu'il a horreur d'être forcé. Mais son père regarde avec lui un livre sur le football et sa sœur, lectrice passionnée, lui raconte ce qu'elle lit. Ainsi, Lili l'entraîne et, malgré lui, il devient un bon lecteur. Ce livre pour les 7-9 ans peut rassurer et aider à trouver des solutions. Un excellent questionnaire sur les livres le complète.

D'autres ouvrages au texte court peuvent mener vers la lecture : *Petite Poupée s'en va-t-en guerre*[3] est un récit délicat de Jo Hoestland. Petite Poupée, qui a l'âme d'un garçon manqué, s'ennuie. Un jour, la maman de sa maman emballe de vieux vêtements et la glisse dans le sac. Avion, débarquement dans un pays en guerre, sirènes, accident, incendie... Petite Poupée se retrouve à côté d'un jeune garçon blessé. Il la serre fort dans ses bras et avec lui elle part pour l'hôpital, sachant désormais que la guerre est « une sale

---

1. *Dracula*, Luc lefort/Blutch, Nathan.
2. *Max n'aime pas lire*, Dominique de Saint Mars/Serge Bloch, éd. Calligram.
3. *Petite poupée s'en va-t-en guerre*, Jo Hoestland, Actes Sud Junior.

aventure de bruit, de poussière et de sang ». Un texte court, au ton juste. Les mots coulent, partagés entre le charme de l'enfance et la dureté de toute guerre. Ici, l'émotion atteint le lecteur et peut le mener vers d'autres textes.

Par exemple vers un livre qui nous vient de Hollande, *Lettres de l'écureuil à la fourmi*[1] de Toon Telleren, délicatement illustré par Axel Scheffer. Les animaux et quelques objets correspondent. Des lettres fragiles comme celles de la table qui dit « des paroles lentes et hésitantes d'une chose qui s'était toujours tue » ou celles de la taupe, seule et triste au fond de son terrier, qui s'écrit à elle-même. Une correspondance fantaisiste qui peut ravir tous les non-lecteurs.

Dans la collection « Petite Poche », des romans pour les grands sont en réalité des textes courts, non illustrés, comme *Sur le bout des doigts*[2], une promenade héroïque avec la naissance d'un petit frère ; *L'Homme à l'oreille coupée*[3], un conte aux versions toujours différentes ; ou *Ma grand-mère perd la tête*[4], où s'exprime la tendresse d'une petite fille pour sa grand-mère malade. Ces histoires courtes donneront la fierté d'avoir dévoré un roman.

Les « Mini-Syros », petits livres de trente-deux pages, proposent d'excellentes histoires, mystérieuses et touchantes. Ce sont *Le Chat de Tigali* de Didier Daeninckx ou *Qui a tué Minou-Bonbon ?* de Joseph Périgot, ouvrages d'écrivains connus dans le domaine du roman policier.

Dans une bibliothèque où la violence s'est introduite, c'est un livre de cette collection qui a permis de désamorcer un conflit. *Sèvres-Babylone* de Gérard Carré[5] a été un lien pour un mieux-vivre ensemble. Voici l'histoire : un homme très laid, surnommé E.T.

---

1. *Lettres de l'écureuil à la fourmi*, Toon Telleren/Axel Scheffer, Albin Michel Jeunesse.
2. *Sur le bout des doigts*, Hanno, éd. Thierry Magnier.
3. *L'Homme à l'oreille coupée*, Jean-Claude Mourlevat, éd. Thierry Magnier.
4. *Ma grand-mère perd la tête*, Corinne Dreyfus, éd. Thierry Magnier.
5. *Sèvres-Babylone*, Gérard Carré, Mini-Syros.

dans la cité, est écrivain. En sortant, il se cogne contre une gamine de 10 ans qui « sèche » la classe parce que son père a quitté la maison. E.T. entraîne Julia en direction de l'école ; sur le chemin, il lui achète des croissants et il lui raconte qu'enfant il allait régulièrement s'asseoir à la station de métro Sèvres-Babylone pour chuchoter ses malheurs à son père qui était mort. C'est là qu'il l'avait vu la dernière fois. Devant le groupe scolaire, il laisse Julia et rentre chez lui écrire un conte. Le soir, la gamine ayant disparu, deux gendarmes viennent l'arrêter.

Les frères de Julia s'aventurent dans l'appartement de E.T. Sur son ordinateur, ils lisent qu'à Sèvres-Babylone tous ceux qui attendent retrouvent leurs parents perdus... Le père de la petite fille, qui est revenu, y court. Juste avant la fermeture de la station, Julia se précipite dans ses bras...

Quel lecteur, bon ou moins bon, quel jeune ne se laisserait pas captiver par ce texte court qui laisse l'impression qu'à cette station de métro, on retrouve ceux qu'on aime... Le roman est porteur de valeurs que les jeunes ne soupçonnent pas toujours.

Pour les plus jeunes, voici un petit livre carré, agréable à caresser et composé de phrases qui commencent toujours par *J'aime*[1]. Une réflexion joyeuse et facile à lire... « *J'aime la musique de la pluie qui goutte sur mon parapluie rouge* »...

Mais, au fil de la vie, que d'attentes ! Le beau temps, l'amour, la fin de la guerre, une lettre, un bébé, le printemps, les vacances... *Moi j'attends*[2]... Un bel album au format allongé, tout en dessins humoristiques de Serge Bloch, et des mots, poésies de l'attente. Un livre indispensable pour tous.

Le Type[3] de Philippe Barbeau est un livre-carnet sur le bien-être d'être seul et la difficulté de supporter l'autre. Il saisit le lecteur qui le parcourt d'une seule traite.

Petits et grands peuvent aussi feuilleter et lire les phrases

---

1. *J'aime*, Minne/Nathalie Fortier, Albin Michel.
2. *Moi j'attends...*, Davide Cali/Serge Bloch, éd. Sarbacane.
3. *Le Type*, Philippe Barbeau/Fabienne Cinquin, éd. Atelier du poisson soluble.

brèves de *J'ai peur*[1] qui égrène craintes, frayeurs et effrois que tous nous éprouvons à des moments différents. Un livre qui se parcourt avec curiosité et frissons.

À chacun son style

Si vous entreprenez une maïeutique douce et progressive et faites des présentations diverses, appels ludiques, livres d'énigmes, images artistiques, bandes dessinées, albums illustrés (cherchez aussi, pour les adolescents, parmi les albums à lire au collège), ouvrages de photos[2], documentaires ou premiers romans émouvants, vous ferez des lecteurs...

Et si le livre offert ne les enchante pas totalement, ils ont le droit de sauter des pages, de le laisser et de le reprendre, de le critiquer, de ne pas le terminer et d'en choisir un autre...

Cachons-nous derrière des documentaires

La fréquentation des documentaires peut être plus aisée que celle de la fiction qui exige une concentration et un effort plus importants. L'aspect psychologique de certains romans peut éloigner des lecteurs fragiles.

La plupart des bibliothèques scolaires sont riches en documents. À l'école et au collège, l'enfant apprend à constituer des dossiers : il cherche dans les livres et sur Internet des informations sur un sujet choisi par lui ou imposé.

Étudiée et raffinée quant à l'illustration, la collection « Archimède » de l'École des loisirs approfondit un sujet précis. L'histoire progresse, les informations scientifiques et

---

1. *J'ai peur*, Géraldine Kosiak, Le Seuil Jeunesse.
2. *Photos*, École des Loisirs, et *Petit à petit*, éd. La Rue du Monde.

lexicales se déploient, la lecture se déroule. Avec *Les pépins ont disparu* ou *À chaque tortue sa carapace* ; *Plus haut, plus loin* ; *Rémi répare son vélo* ; *Il y a très longtemps*, les enfants peuvent apprendre en se distrayant. *L'Eau, la Terre*[1] est un bel ouvrage de photos.

Pour voyager à travers le temps et la science, un livre conseillé par La Joie par les livres : *La Vie, une histoire de l'évolution*[2], illustré d'agréables collages... Un parcours vieux de 4 milliards d'années : l'apparition et l'extinction des dinosaures, les autres espèces animales et végétales, les premiers humains... Un livre pour remonter le temps...

Abordons l'histoire avec les *Rois de France* ou le *Moyen Âge*[3] et sa chevalerie, ses cathédrales, ses châteaux forts, son savoir : un album ludique et coloré, illustré de photos et de dessins engageants.

Mais qui n'a jamais été attiré par un étalage de bonbons ? Qui n'aime pas ces friandises ? *Le Voyage au pays des mille et un bonbons*[4] est une encyclopédie des saveurs et des couleurs qui donne toutes les informations historiques, géographiques, sociologiques et aussi les secrets de fabrication des bonbons. Elle vous emporte dans un rêve gourmand. Dans la même collection : *Des jardins à croquer.*

Les éditions Albin Michel Jeunesse ont inventé le concept du livre actif avec « Les Petits Débrouillards ». On réalise des expériences et on apprend en s'amusant. Des coffrets, comme des panières, autour de sujets divers : *À la découverte de l'eau* ; *Planète terre* ; *L'Infiniment Petit* ; *Qui sommes-nous ?* Une série d'expériences toujours très variées. Et également, *Le Goût de la cuisine* : dix expériences et dix jeux à

1. *L'Eau, la Terre*, École des Loisirs.
2. *La Vie, une histoire de l'évolution*, Steve Jenkins, éd. Circonflexe.
3. *Rois de France* ; *Moyen Âge*, Catherine Zerdoun/Pascale Estellon, Anne Weiss, éd. Mila ; à lire aussi : *Préhistoire* ; *Égypte* ; *Incas* et *Volcans du Monde* (livre-jeux).
4. *Le Voyage au pays des mille et un bonbons*, Charlotte Marion/Nathalie Tordjman, Actes Sud Junior.

faire avec des 5-7 ans pour affiner leur connaissance de la nourriture.

En fiches ou en livres, ce sont des documentaires qui rendent actifs, voire créatifs.

Pour les plus jeunes, les collections « Découverte Benjamin » et « Découverte Cadet », réalisées par Gallimard Jeunesse, présentent de nombreux thèmes. Ces ouvrages sont suivis des *Albums documentaires* comme *Des enfants comme moi*[1], sur les enfants dans le monde. Pour les 8-12 ans, *Le Potager du Roi*[2], au carrefour du conte philosophique, avec des illustrations humoristiques... Pour les collégiens, *L'Atlas de l'archéologie*[3] afin de susciter des passions et peut-être des vocations ou *L'Histoire de l'Holocauste*[4], la mémoire des horreurs de l'extermination des juifs d'Europe et des Tsiganes durant la Seconde Guerre mondiale.

Jeux olympiques et *Football*[5] sont des guides passionnants pour les fous de tous les sports...

Entre albums et documentaires, la collection « Quand ils avaient mon âge[6] » fait un saut dans le passé afin que le lecteur d'aujourd'hui comprenne mieux la génération de ses parents. Découvrir le passé pour voir plus intensément et être étonné par le présent dans *Quand papa avait mon âge* ; *Quand maman avait mon âge* ; *Quand mamie avait mon âge* ; *Quand papy avait mon âge*... Ces livres réalisés par Gilles Bonotaux et Hélène Laserre se poursuivent par trois autres titres : *Quand ils avaient mon âge : Petrograd, Berlin, Paris, 1914-1918 ; Londres, Paris, Berlin, 1939-1945 ; Alger 1954-1962*, ou la vie d'enfants pris dans la tourmente des guerres.

---

1. *Des enfants comme moi*, Inderskey/Barnabas/Anabel, Gallimard Jeunesse.
2. *Le Potager du Roi*, Manuela Morgaine/Katherine Baxter, Gallimard Jeunesse.
3. *L'Atlas de l'archéologie*, Mick Aston/Tim Taylor, Gallimard Jeunesse.
4. *L'Histoire de l'Holocauste*, Clive A. Lawton, Gallimard Jeunesse.
5. *Jeux olympiques* ; *Football*, Clive Gifford, Nathan.
6. *Quand papa avait mon âge*, Gilles Bonotaux/Hélène Laserre, Autrement Jeunesse.

À Roquemaure dans le Gard, la documentaliste, qui mène avec les collégiens un café littéraire, organise aussi un festival du livre d'une semaine. Études et travaux à partir de livres, visites d'écrivains, lectures, vente de livres... Lorsque les élèves sont au collège, ils peuvent venir feuilleter ou lire les ouvrages exposés et vendus par une libraire d'Uzès. À midi, un groupe de grandes filles se regroupent autour de *Je ne sais pas qui je suis* ; *Votre histoire à vous les filles* et *Mais pourquoi tant d'interdits ?*[1]. Elles les parcourent, discutent, rient et demandent à les emprunter.

Les livres sont l'affaire de tous

Il est souhaitable de mettre à la disposition des enfants et des adolescents des documentaires qui se rapprochent de ce qui les intéresse. Ils pourront feuilleter, picorer, lire...

Il ne faut pas oublier que le livre est l'affaire de tous. Le professeur de mathématiques peut parler des savants de l'Antiquité, le père de famille passionné de sports partagera ses revues, la scientifique ses brochures, le cuisinier ses livres de recettes... La lecture sert toutes les activités et peut être mise en valeur par des adultes bien différents.

Je déteste les romans !

À des préadolescents qui boudent toute fiction, pourquoi ne pas proposer *Histoires pressées*[2], et leur suite, de Bernard Friot... Ces courts récits d'une ou deux pages, drôles, graves, insolites, peuvent les emporter vers d'autres lectures.

---

1. *Je ne sais pas qui je suis*, Martine Laffon/Pascal Lemaître ; *Votre histoire à vous les filles*, Florence Vielcanet/Ixène ; *Mais pourquoi tant d'interdits ?*, Marc Cantin/Bruno Salamone, La Martinière Jeunesse.
2. *Histoires pressées* ; *Nouvelles histoires pressées* ; *Pressé, Pressée* ; *Encore des histoires pressées*, Bernard Friot, Milan Poche.

Il est certain que lire un roman demande une disponibilité, correspond à un acte volontaire qui engage la personne entière et répond à un projet, à un désir. L'effort de concentration et l'isolement nécessaires s'allient parfois mal au mode de vie actuel, télévision dans la chambre et jeux électroniques multiples.

Yves est documentaliste dans un collège près de Mulhouse. Il organise des temps de rencontre avec les jeunes en retard scolaire et que rien ne destine à la lecture... Aujourd'hui, il commence à haute voix l'histoire de *Léo des villes, Léo des champs*[1] de Jean-Philippe Arrou-Vignod. Léo vit en ville, tantôt chez sa mère, tantôt chez son père, et il n'apprécie guère le divorce. Léo est de petite taille, il redouble, et le psychologue lui a dit qu'il avait « un nœud dans la tête » qui bloquait sa croissance...
Yves arrête là la lecture, promettant de reprendre le récit la semaine suivante.
Et, la semaine suivante, ce sont les élèves qui lui réclament la suite. Ils apprennent que les parents de Léo l'ont envoyé chez sa grand-mère, à la campagne. Seul auprès de cette attentive mamie, Léo se lie d'amitié avec deux enfants du village. Un voisin l'entraîne au jeu d'échecs et il se révèle doué. À l'école, il suit bien. Il découvre bientôt avec joie qu'il a grandi de dix centimètres et prend alors la décision de rester vivre auprès de sa grand-mère.
Tous les jeunes ont écouté, apprécié ces séances de lecture et demandent à Yves de leur lire un autre roman.
Il choisit *35 kilos d'espoir*[2] d'Anna Gavalda. Comment trouver un peu de bonheur quand on déteste l'école, redouble et souffre ? Seul le grand-père de Grégoire l'aide. Dans son cabanon, tous deux travaillent de leurs mains et construisent des machines. Un livre à la première personne, aux phrases courtes, aux sentiments bien décrits. Un roman qui a ému tous les élèves.
Mois après mois, Yves est heureux, la lecture, dont il explique les bienfaits, progresse – à petits pas, certes, mais un certain nombre

---

1. *Léo des villes, Léo des champs*, J.-P. Arrou-Vignod, éd. Thierry Magnier.
2. *35 kilos d'espoir*, Anna Gavalda, Bayard Jeunesse.

d'élèves emportent régulièrement des romans pour les lire seuls le soir.

Lors d'une nouvelle séance, Nicolas brandit *Les Choses impossibles*[1] et crie : « J'ai lu en entier ce roman, il est super ! » Yves lui demande de le raconter : « C'est l'histoire de Tifas qui a perdu son meilleur copain qui est parti. Son père est malade, et il rêve à un amour impossible mais retrouve un nouvel ami. Ce roman est écrit comme on ressent. »

Yves est heureux. Il pense que tous les jeunes évolueront comme Nicolas vers la fiction. Ils en emprunteront, en liront de plus en plus, et se communiqueront les titres qu'ils ont appréciés. Il rêve maintenant de leur apprendre à critiquer les livres lus. Il conclut qu'il faut expliquer les bienfaits de la lecture et soutenir les lecteurs naissant au plaisir des récits.

Si c'est l'échec, il ne faut pas hésiter à retourner vers les livres d'images qui permettent de passer un excellent moment. Quelques bandes dessinées pour grands comme *Les Zappeurs* d'Ernest, la série *C.R.S. – Détresse* d'Aschdé et, sur le thème des banlieues, *Lucien* de Frank Margerin, *Kébra* de Jano ou *La Bande à moi : pit-bull contre Zoulous*[2] de Dedieu et Vullemin, portraits de notre société – peuvent être mis entre leurs mains.

Jacky anime un atelier de lecture-écriture avec des jeunes de quartier qui vont réaliser un CD-Rom, *Le Dico de la cité*. À ces adolescents, il a apporté trois romans de Guillaume Guéraud parus aux éditions du Rouergue. Le premier *Cité Nique-le-Ciel*[3] raconte l'histoire de Rachid qui voudrait devenir pilote de ligne. Mais l'ambiance de sa cité ne l'aide en rien et tout s'acharne contre lui. *Chassé-croisé*, le second, entremêle les destinées de deux enfants qui luttent pour ne pas se perdre dans la tempête

---

1. *Les Choses impossibles*, Arnaud Cathrine, coll. Medium, École des Loisirs.
2. *La Bande à moi : pit-bull contre Zoulous*, Dedieu et Vuillemin, Le Seuil Jeunesse.
3. *Cité Nique-le-Ciel* ; *Chassé-croisé* ; *Les Chiens écrasés*, Guillaume Guéraud, éd. du Rouergue.

de la vie. Dans le troisième, *Les Chiens écrasés*, chaque élève doit passer une semaine de stage en entreprise : Alex aurait aimé s'accrocher à un camion poubelle, Lucien aurait préféré jouer les journalistes. Mais, comme dans un polar, tout joue à contre-sens.

Trois romans que Jacky raconte. Il lit les passages les plus passionnants ou les plus caractéristiques. Les jeunes peuvent aussi les emprunter pour les lire. À l'atelier d'écriture, ils écrivent leurs impressions sur le quartier, leur regard sur la cité, leurs sentiments sur ceux qui les entourent et leurs difficultés personnelles. À partir de cette lecture, *Le Dico de la cité* progresse avec mots de la cité, textes, photos et dessins : à la lettre *S*, ils ont été unanimes à choisir le mot *souffrance*.

Si les jeunes rencontrent, en famille ou à l'école, un médiateur patient qui leur montre le contenu du livre comme une découverte « qui rend un peu plus intelligent », rares sont ceux qui ne se laissent pas séduire. Lorsqu'ils sont soutenus, guidés, encouragés, on se rend compte qu'ils sont ouverts à de nombreuses propositions, chacun pouvant aborder à son gré un court récit ou un long roman.

Par ailleurs, il est toujours intéressant d'expliquer comment est réalisé un livre et de décrire toutes les professions qui concourent à la création de l'objet qu'ils ont entre les mains : écrivain, illustrateur, graphiste, maquettiste, éditeur, imprimeur, relieur... Peut-être des vocations surgiront-elles ?

Les livres s'écoutent...

Il ne faut pas oublier, comme enclencheurs, les livres-cassettes qui permettent d'écouter le texte et de le lire (ou pas) après. Il existe des contes pour tous les âges, à écouter sur cassette ou CD ou à lire à voix haute.

Il faut aussi dire qu'à un grand nombre de personnes, la lecture paraît interdite – par les médias, par la mode, par le prix des livres. Lire représente une liberté souvent confisquée. De ce fait, il faut inciter les adolescents à franchir la porte de la bibliothèque et celle de la librairie, à se pencher sur les livres afin de provoquer des rencontres, des étonnements devant les livres, ce supplément d'intelligence qui doit être offert à tous...

14

L'édition aujourd'hui

Le paysage éditorial et ses mutations

Ces dernières années, le monde de l'édition a vécu de profonds bouleversements. Il y avait deux grands groupes qui représentaient 60 % du marché, c'étaient Hachette appartenant à la famille Lagardère et Vivendi dont le PDG était Jean-Marie Messier. À leurs côtés, quelques éditeurs importants et indépendants : Gallimard, Albin Michel, Le Seuil, Flammarion (ce dernier a été racheté par le groupe italien Rizzoli) et une myriade de moyens et petits éditeurs, eux aussi indépendants.

Mais le groupe de Jean-Marie Messier, deuxième éditeur français comprenant Plon, Perrin, Solar, Larousse, Littré, Le Robert, Nathan, La Découverte, Bordas, Retz, Colin, Dunod, a fait faillite. Hachette-Lagardère s'est immédiatement porté acquéreur de ce pôle important (30 % de l'édition française).

Contre ce rachat scandaleux, des éditeurs moyens et encore indépendants, Gallimard, Le Seuil, La Martinière, sont partis en guerre à Bruxelles afin qu'un gigantesque groupe éditorial (60 % de l'édition) ne voie pas le jour. Les libraires indépendants, eux aussi et séparément, se sont battus pour préserver un commerce équitable du livre.

233

La Commission européenne a, durant plus d'une année, étudié attentivement ce dossier. Elle a écouté éditeurs et libraires, enquêté, visité les librairies françaises et a, au final, pris la décision suivante : Hachette-Lagardère n'a été autorisé à racheter que 40 % de Vivendi, devenu entre-temps VUP Editis. Qu'allait-il advenir des 60 % restant ? Après de longues tractations, ces 60 % ont été acquis par Wendel Investissement dirigé par Ernest-Antoine Sellière, l'ex-président du Medef. Désormais, l'édition française est largement dominée par ces deux groupes, Hachette-Lagardère et Wendel Investissement.

En 2004, un autre événement important a bouleversé le monde de l'édition. L'un des éditeurs indépendants restants, Le Seuil, a été racheté par les éditions de La Martinière, dirigées par Hervé de La Martinière. Ce dernier détient aujourd'hui 17 % du capital et la majorité de blocage, 35 % appartiennent à la société Chanel, le reste (48 %) est détenu par des banques. Mais Hervé de La Martinière a promis de laisser chacune de ses filiales indépendante.

Changement, certes beaucoup moins important mais significatif dans le monde de la jeunesse, le groupe toulousain de presse et d'édition pour enfants et jeunes Milan a été racheté par le groupe catholique Bayard.

Quels rapports avec l'édition pour la jeunesse ?

Aujourd'hui, chaque grande maison d'édition a un secteur jeunesse qui a subi plus ou moins les effets des différentes mutations qui viennent de se produire (Le Seuil, Syros, Nathan, Bordas...).

Éditeurs et auteurs sont parfois inquiets. De nombreux directeurs et directrices changent de maison. Jacques Binstok a quitté la direction du Seuil Jeunesse pour créer sa propre maison d'édition, Panama. Françoise Mateu, qui menait avec énergie les éditions Syros, vient de prendre la direction du Seuil Jeunesse.

De moyennes maisons d'éditions jeunesse demeurent cependant indépendantes : l'École des loisirs (qui diffuse Kaléidoscope et Pastel), Cascade Rageot ; des éditeurs (le Rouergue et Thierry Magnier) ont fusionné avec Actes Sud pour une résistance plus active. Et les petites maisons, plus ou moins importantes, sont nombreuses : l'Atelier du poisson soluble, Bilboquet, Callicéphale, Circonflexe (qui a racheté Mila), Aide des lires, grandir, Être, La Renarde Rouge, L'Œil, MeMo, Millepages, Motus, Naïve, Palette, Ricochet, Sarbacane, Tourbillon... Tous ces éditeurs indépendants publient albums, livres de poésie, d'art, documentaires, romans, au prix d'efforts et d'heures de travail considérables.

Au milieu de ces vicissitudes, le chiffre d'affaires de l'édition jeunesse a progressé en 2004 de 4 %. Ce secteur représente aujourd'hui 10,5 % du chiffre d'affaires de toute l'édition.

Il faut prendre en considération que le nombre de livres pour les jeunes a régulièrement augmenté. 1985 : 3 000 titres. 2002 : 4 500 nouveautés. 2003 : 5 870 nouveautés. 2004 : plus de 6 000. Il y a trop de livres ! Françoise Guillepin, excellente libraire d'Ombres blanches à Toulouse, le confirme : « Aux mois de novembre et de décembre, il y a tant de nouveaux titres que nous pouvons passer à côté d'un album merveilleux ou d'un excellent roman tout en lisant le maximum d'ouvrages ! »

C'est la raison pour laquelle des titres peuvent être omis dans cet essai dans lequel nous avons essayé de citer à la fois des classiques devenus indispensables et de nouveaux ouvrages surprenants par leurs qualités.

L'augmentation des publications induit la baisse du chiffre de tirage des nouveautés, ainsi qu'un temps de passage en librairie plus rapide, alors que pour les livres de jeunesse il pouvait durer de nombreuses années. Aujourd'hui, la rotation des titres s'accélère et certains éditeurs ne réimpriment plus, même les livres de valeur.

Quelles conséquences cela peut-il avoir ? Le danger primordial est que le livre de jeunesse ne soit plus qu'un produit destiné à rapporter le maximum de bénéfices. L'économie l'emportant, le livre restera-t-il ce porteur de message, cet instrument de connaissance qu'il est encore ? L'éditeur pourra-t-il prendre encore le temps de réaliser l'énorme travail littéraire, graphique, esthétique, qu'exige toute création de livres pour enfants ?

La littérature de jeunesse, face à tous ses concurrents technologiques, demeure irremplaçable.

Demeurons optimistes : un nombre appréciable de nouveautés, souvent le fruit de petites maisons, restent aujourd'hui des œuvres littéraires et artistiques.

Des libraires passionnés

Éditer un livre est un travail qui exige intelligence, temps et minutie. Mais il reste encore du chemin à parcourir pour qu'il atteigne son lecteur. Après l'impression, les ouvrages doivent partir vers les diffuseurs et distributeurs qui les envoient vers les différents points de vente, dont les libraires.

En 1982, la loi Lang, en limitant à 5 % du prix de vente public les remises à la clientèle, a sauvé la librairie indépendante qui ne représente que 19 % des ventes. Les autres 81 % étant ainsi répartis : 20 % de ventes des livres dans les grandes surfaces spécialisées, 17 % dans les hypermarchés, 20 % par les clubs et la vente par correspondance, 15 % à la Fnac, 9 % dans les six cents Relais-Hachette, les magasins Virgin, le Furet du Nord et les librairies Privat.

Les librairies indépendantes luttent pour le maintien d'une littérature de choix et un contact chaleureux avec la clientèle. L'excellent libraire Jean-Marie Ozanne, dont la librairie montreuilloise possède une section jeunesse, affirme : « Nous ne sommes plus un métier du savoir car il y a trop de livres édités chaque mois. Mais certains livres sont porteurs d'une véritable civilisation, ils peuvent offrir liberté et droit à la pensée », ces titres doivent trouver leur public dans le secteur adultes comme dans le secteur jeunesse.

L'association La lecture n'est pas sorcier[1] regroupe cinquante-deux librairies indépendantes spécialisées jeunesse dans les grandes villes françaises. Ces libraires sélectionnent des livres de qualité et les conseillent aux enfants et à leurs parents. Ils éditent la revue *Citrouille*[2], magazine d'informations tiré à 3 000 exemplaires, et décernent les prix Sorcières en collaboration avec des bibliothécaires jeunesse. Ils travaillent avec les bibliothèques, les écoles, les associations et créent un cadre où jeunes et adultes aiment se rencontrer.

Une association de libraires générales publie la revue *Page*[3] dans laquelle des libraires jeunesse présentent régulièrement leurs coups de cœur.

Ce sont souvent les parents qui achètent et qui se trouvent confrontés à la surproduction actuelle dans la mesure où ils n'ont pas toujours près de leur domicile une librairie spécialisée jeunesse où on peut les conseiller. D'où l'importance de tous ces passeurs, ces médiateurs.

À la fin du XIXᵉ siècle, Jules Ferry disait : « Celui qui est maître du livre est maître de l'éducation. » Mais aujourd'hui

---

1. Association des librairies spécialisées jeunesse, siège social : 48, rue Colbert, 37000 Tours.
2. *Citrouille*, BP 3013, 38816 Grenoble Cedex 1. Tél./fax : 04 38 37 04 07. E-mail : http ://ww. Citrouille. net
3. *Page*, 13, rue de Nesles, 75006 Paris.

ces albums magnifiques et ces romans passionnants n'ouvrent-ils pas des portes vers l'imaginaire et la pensée ? N'aident-ils pas à mieux se connaître et à comprendre le monde ? Ne sont-ils pas de plus en plus indispensables ?

Marchands, marchandise, merchandising

Les enfants de la vidéosphère vivent avec les produits dérivés de leurs héros préférés : chaussettes Babar, tasses Hermione, sous-vêtements Martine, jeux Harry Potter... Ces objets multiples et plus ou moins sophistiqués relèvent de l'exploitation commerciale. Une stratégie du marketing se développe : après le livre qui marche, le film, puis tous les produits qu'on peut décliner autour et pour l'acquisition desquels les parents deviennent des victimes consentantes du désir de consommation de leurs enfants.

Dans ce contexte, il est indispensable que les éditeurs réfléchissent à leurs publications et veillent à garder un catalogue de qualité : le livre doit demeurer un objet unique, une création issue de l'imaginaire d'un auteur qui rencontre ses lecteurs dans le bonheur de vues partagées.

15

Télévision et jeux électroniques : chaque chose en son temps

> « Les bonnes manières de lire aujourd'hui, c'est d'arriver à traiter le livre comme on écoute un disque, comme on regarde un film ou une émission de télé, comme on reçoit une chanson : tout traitement du livre qui réclamerait un respect spécial, une attention d'une autre sorte, vient d'un autre âge et condamne définitivement le livre. »
>
> Gilles Deleuze

La télévision peut être un moyen d'enrichissement culturel. Le petit écran ouvre le regard des enfants sur l'extérieur. De nombreuses émissions documentaires faites par des réalisateurs de talent leur offrent des connaissances scientifiques, historiques, artistiques. Grâce aux émissions sur la flore et la faune, sur la terre ou les fonds sous-marins, ils peuvent voyager et découvrir ce que l'on ne voit jamais à l'œil nu.

Source de distractions, la télévision peut aussi offrir aux jeunes spectateurs des fictions de qualité, « comme si on y était... », des dessins animés captivants, des films intelligents. Mais pour cela il faut surveiller les programmes et sélectionner les émissions : malheureusement, ce n'est pas toujours de cette façon que la télévision est vécue.

En France, la télévision est entrée dans la plupart des foyers, 94 % d'entre eux possédant un ou plusieurs téléviseurs et, dans certaines familles, chaque membre vit à l'heure de son émission préférée. Un téléspectateur passe en moyenne deux heures quarante-cinq quotidiennement devant son poste. De nombreux enfants consacrent autant de temps à la télévision qu'à l'école et, pour beaucoup, cela commence très tôt le matin, avant de partir en classe, et se termine tard, trop tard !

Un professeur de français avait remarqué que ses élèves de 6ᵉ, par ailleurs d'un niveau correct, étaient moins vifs le matin que l'après-midi. Elle fit une petite enquête au sujet de la télévision. Elle constata que plus de la moitié de la classe avait un récepteur dans sa chambre et regardait la télévision bien au-delà de 23 heures. Lors de la réunion avec les parents, elle intervint au sujet des méfaits d'une télévision non contrôlée alors qu'avec un magnétoscope et un lecteur de DVD on pouvait gérer leur choix d'émissions, attirant l'attention sur la fatigue des enfants. Elle mit en garde les parents contre le fait d'avoir une télévision dans chaque chambre. S'ensuivit un échange où furent aussi évoqués l'absence de discussion familiale, le fait de grignoter sans cesse devant la télé, le manque de sommeil, le temps perdu durant lequel on ne pratique pas de sports, on ne joue pas, on ne lit pas... Après cette rencontre, certains parents ôtèrent la télévision de la chambre de leur enfant et tentèrent de réfléchir avec lui à son programme télévisuel. Des élèves vinrent trouver leur professeur et lui dirent : « C'est malin, à cause de vous on ne voit plus de films ! » Elle rit et leur promit qu'un jour ils la remercieraient. C'est ce qui arriva quelques mois plus tard lorsque ce professeur complimenta une élève qui avait progressé considérablement ; celle-ci lui avoua : « C'est grâce à vous ! Avant je faisais mes devoirs devant la télé, maintenant qu'elle n'est plus dans ma chambre, je me concentre mieux ! »

Une statistique confirme en effet que 43 % des 8-16 ans possèdent une télévision dans leur chambre, ce qui signifie qu'il est impossible de contrôler le choix des programmes et que l'heure de dormir est laissée à l'appréciation de l'adolescent lui-même.

Par ailleurs, le zapping est parfois permanent et devient une attitude que l'enfant reprend inconsciemment à l'école avec ses professeurs. Les enseignants qui ont une dizaine d'années ou plus d'expérience sont unanimes à reconnaître que l'attention des élèves diminue, même chez les petits de l'école maternelle[1].

Faut-il laisser cet usage abusif du petit écran s'installer chez les enfants, du plus petit au plus grand ?

La télévision éternellement branchée comme un fond sonore est particulièrement néfaste pour les tout-petits qu'elle rend passifs et éloigne du langage et du jeu absolument nécessaire dans la petite enfance. Les 4-7 ans qui fréquentent ainsi l'écran cathodique s'habituent à une autre perception, un enchaînement des sons et des images qui s'oppose à l'effort et à la concentration que demande l'apprentissage de la lecture[2].

De plus, les enfants qui passent leur temps devant le petit écran ont plus de risques de devenir obèses que les autres : la sédentarité peut entraîner un surpoids. Ceux qui regardent régulièrement la télé le soir après l'école et tous les après-midi des jours de repos – ainsi que ceux qui jouent aux jeux vidéo plus de deux heures par jour – ne sont pas en aussi bonne forme physique que ceux qui courent, sautent ou pratiquent un sport.

Le fils aîné de Marie est malade. Pour lui tenir compagnie, elle passe exceptionnellement le mercredi entier devant la télévision avec lui et son frère cadet. « Excellente leçon ! dit-elle. Je suis maintenant bien informée. J'ai vu les Pokémons, les Tortues Ninja,

1. *Violence à la télé : l'enfant fasciné*, L. Lurçat, Syros.
2. *Comment lui donner le goût de lire*, Valérie Mabille, Nathan.

Dragon Ball Z, Capitaine Corsaire et bien d'autres, ainsi que quelques mauvais feuilletons. J'ai découvert que mes enfants étaient absorbés par les dessins animés japonais ou américains. Je leur parlais, ils ne m'entendaient pas, demeuraient captivés, prisonniers de ce qui se passait sur le petit écran. Et souvent l'action entraînait le héros à se défendre par des actes violents. À la fin de la journée, nous étions tous les trois totalement ahuris. »

Parents, comme cette mère de famille, faites l'expérience...

Le héros de dessin animé, être d'image, n'engage à rien, ne fait pas réfléchir à partir de soi à ce qui lui arrive, n'a pas la subtilité de l'être humain que l'on retrouve dans les livres.

Contrairement au cinéma et au théâtre qui possèdent de multiples signifiants de démarcation (rituel du lieu et installation dans une salle, face à un vaste écran, face à une scène), trop de dessins animés fournissent sans distanciation à l'imaginaire de l'enfant des modèles déréalisés. Avec de tels héros, un climat déstabilisant peut se développer. C'est un problème capital aujourd'hui, car certains enfants, voire des adolescents, ne distinguent plus la réalité de la fiction. Les explications de l'adulte et sa présence sont d'autant plus indispensables.

En outre, l'usage généralisé de la télévision contribue à développer une société où les enfants se retrouvent entre eux. Avec les copains, ils partagent les héros à la mode et s'échappent de l'atmosphère familiale, coupés ainsi du monde adulte qui les entoure. Ce qui peut devenir grave dans les familles où l'on parle peu, dans les foyers déjà fragilisés [1].

Actuellement, de nombreuses familles avouent ressentir la nécessité de gérer les heures des enfants devant l'écran.

---

1. *L'Enfant au siècle des images*, Claude Allard, Albin Michel.

Mais elles disent ne pas avoir toujours la détermination que cela exige. Il suffit pourtant d'un adulte vigilant qui demeure à leurs côtés pour limiter fermement le temps passé devant l'écran en les aidant à choisir leurs programmes et en leur proposant de passer ensuite à d'autres jeux et d'autres loisirs. Le magnétoscope permet de plus d'enregistrer des dessins animés de qualité, des documentaires, des films, d'acquérir des vidéos qui développeront leurs capacités critiques et feront d'eux des téléspectateurs intelligents.

Le bon usage de la télévision passe par l'éducation et par le partage : regarder ensemble les émissions et en parler.

> Une orthophoniste, qui vivait seule avec ses deux filles et travaillait, s'inquiétait du temps que ses enfants perdaient devant le petit écran Elle constata qu'elles ne lisaient presque plus. Elle acheta un magnétoscope et décida de prendre à tout prix le temps de regarder les programmes avec ses enfants. Elle tenta de les éduquer à l'image. Elle justifia à chaque fois le fait d'aimer ou de détester une émission. Toutes trois parlèrent beaucoup de leur choix.
>
> Quelques mois plus tard, ses filles regardaient moins la télévision, savaient être sévères par rapport à leur sélection, en exprimer les raisons, et elles avaient repris la lecture comme par le passé.

Les mêmes limites sont à imposer par rapport à la Gameboy, à la Play-station ou aux jeux sur écran. Autrefois, le Monopoly (toujours passionnant) et les jeux de cartes étaient des moments de joie et de retrouvailles familiales. Aujourd'hui, la technique a envahi les foyers. Si on ne peut éloigner les enfants de ces supports avec lesquels demain ils seront en contact permanent, on doit leur apprendre à réduire leur temps de pratique. La plupart des jeux sur écran sont trop absorbants. Les sports, les promenades, les visites des musées ou autres lieux peuvent les divertir et écarter de ce face-à-face solitaire.

243

Pierre, père de deux garçons et d'une fille, en avait assez d'entendre les pétarades qui venaient de l'écran de télévision. Il décida de se mêler aux joueurs. Quelle surprise quand il découvrit que le jeu ne consistait qu'à tuer ses adversaires ! Il demanda à ses enfants qui le leur avait acheté. Ils répondirent qu'ils l'avaient emprunté à un copain. Désormais, Pierre prend soin d'aller avec sa famille au magasin, lit attentivement les notices, les fait lire et ne permet que certains achats. Après, il a plaisir lui-même à jouer avec sa fille ou son fils à créer un zoo ou à construire une ville médiévale...

Les parents d'aujourd'hui doivent être très vigilants devant les jeux électroniques qui sont proposés à leurs enfants, et aussi devant l'usage qu'ils font d'Internet, qui peut les aider à se documenter, mais aussi, parfois, devenir une drogue.

Il est rassurant de constater que les enfants et les jeunes qui lisent regardent aussi la télévision lorsque cela les captive, jouent avec une Game-boy ou une Play-station : ils vivent avec leur temps, mais ont acquis, souvent grâce à la lecture, la capacité de choisir...

Conclusion

« Des offrandes de l'imagination
un mince ruisselet de rêve »

René Char

Depuis quelques décennies, des écrivains, des artistes,
français et étrangers, apportent aux enfants de plus en plus
d'œuvres de talent : albums étonnants, fictions subtiles,
ouvrages de découverte du monde d'aujourd'hui. Des
conteurs savent les distraire, les faire rire, les emporter vers
le rêve. Des illustrateurs aux talents très divers enrichissent
leur perception. Pour eux, les enfants – du bébé qui commence à regarder les images à celui qui observe les albums
d'art – sont des lecteurs à part entière, leur affectivité, leurs
capacités de réflexion, leurs besoins, leurs droits, leur devenir sont pris en compte. Textes et illustrations viennent reflé-
ter leurs sensations, leurs émotions, leurs interrogations.

Oui, la lecture peut être un lien avec les adultes, un lieu
de partage au sein de la famille, à l'école, à la bibliothèque,
au CDI, dans les collectivités locales.

Oui, la lecture, pluie de connaissances, agrandit le
regard : elle tient boutique à l'enseigne du poète, murmure
la parole conteuse, plonge dans le cœur nu de l'écrivain et

court à la recherche du temps passé ou de l'espace retrouvé... Elle ouvre ses pages à l'artiste magicien des traits et des couleurs.

Tout un travail d'auteur, d'illustrateur, de pédagogue, d'éditeur, d'imprimeur est à l'origine de ce trésor dans lequel les jeunes peuvent piocher sans fin. Le livre développe la sensibilité, la langue, la pensée, l'intelligence. De nombreux passeurs, animateurs, médiateurs, bibliothécaires, libraires, participent ensuite à faire aimer albums et romans. Et tout ce travail, extrêmement impressionnant, fait qu'en France il existe un public exigeant de parents qui, à leur tour, transmettent à leurs enfants l'amour du livre.

Veillons à ce que l'affirmation de Jean Delas [1], directeur de l'École des Loisirs, selon laquelle « notre pays est un de ceux où familles et collectivités achètent le plus de livres pour enfants », perdure... Car, avec Geneviève Patte, spécialiste mondiale de littérature enfantine, nous pensons que « la lecture est un outil de la difficile conquête de la liberté ».

---

1. Propos recueillis à la Foire internationale du livre pour enfants de Bologne.

La bibliothèque idéale

« Lorsqu'il ferme son livre, le lecteur idéal sent que s'il ne l'avait pas lu, le monde serait plus pauvre... »

Alberto Manguel, *Pinocchio et Robinson :*
pour une éthique de la lecture,
L'Escampette, 2005.

Cette sélection accompagne le texte et les coups de cœur de Rolande Causse. Elle suggère, en complément, quelques titres relevés dans une production éditoriale dense et touffue.

Ce sont des titres ou des œuvres que je souhaite transmettre à d'autres, des jeunes d'abord, et puis des parents ou des professionnels du livre, de la lecture et de l'éducation ; il s'agit de propositions qui, je l'espère, contribueront « à une éducation quotidienne de la lecture partagée »...

Cette collaboration autour de ce projet est le fruit d'une « attitude de lecture », d'échanges et de correspondances qui dépassent largement l'amitié et la reconnaissance professionnelle mutuelle qui nous animent l'une et l'autre. Elle participe d'une « éthique de la lecture », de l'œuvre et de l'objet livre qu'illustre fort bien le propos d'Alberto Manguel cité en exergue.

Elle manifeste aussi un engagement, un choix : donner la primauté à l'imaginaire, à la poésie, à l'accompagnement artistique et à la réflexion sur le monde, d'hier à aujourd'hui, avec cet indispensable devoir de mémoire et de partage qui fait que l'homme reste... humain et généreux.

Bonne lecture !

Arlette Calavia

Des lectures pour grandir...

Achache Carole
Chantiers en cours
Thierry Magnier, 2004
Album 6 ans
Très visuel pour la vie et l'architecture d'un chantier : un jeu des « 7 erreurs »
balade l'œil des lecteurs sur divers chantiers, engins, échafaudage, fenêtre
murée, planche de bois abandonnée... C'est le chantier !

Alaoui M. Latifa
Marius
Illustrations de Stéphane Poulin
Atelier du poisson soluble, 2001
Album 7 ans
« Je m'appelle Marius, j'ai cinq ans et j'ai deux maisons. Maintenant
maman a un nouvel amoureux. Papa aussi a un nouvel amoureux... »

Alemagna Béatrice
Après Noël
Autrement Jeunesse, 2001
Album 5 ans
Très bel album réalisé par une jeune illustratrice italienne qui traduit la
nostalgie de l'après-Noël...

Albaut Corinne
Comptines en pyjama
Illustrations de Madeleine Brunelet
Actes Sud Junior, 2000
(Les petits bonheurs)
Album 3 ans
Dire bonsoir en « comptines » quand vient l'heure de dormir et de rêver à demain.

Angeli May
Chat
Thierry Magnier, 2001
Album 4 ans
Suivre les traces du chat parti à la chasse...
Mais jusqu'où volera donc l'oiseau qui l'emporte entre ses serres ?

Angeli May
Dis-moi
Sorbier, 1999
(Offrir)
Album 4 ans
« Dis, Maman, ils sont arrivés par la mer ?
– Ici, mon fils, presque tout le monde arrive par la mer... »
May Angeli brosse le décor, entre terre et mer, pour s'arrêter quelque part...
Très belles gravures sur bois de l'auteure.

Angeli May
Voisins de palmier
Thierry Magnier, 2004
Album 3 ans
Fourmi n'a pas sommeil... Elle grimpe sur la paroi verticale... La vie, le soir autour du palmier... Belles gravures de May Angeli.

Arrou-Vignod Jean-Philippe
Louise Titi
Illustrations de Soledad
Gallimard Jeunesse, 2004
(Gallimard album)
Album 3 ans

Louise Titi a la bougeotte, elle donne le tournis à tous ceux qui l'approchent : mais Louise n'a pas tout dit !

Ashbé Jeanne
Des papas et des mamans
Pastel, 2003
Album 3 ans
Comme on les aime les « parents », les papas et les mamans imaginés par Jeanne : tendres... comme leurs enfants !

Ashbé Jeanne
T'en as plein partout !
Pastel/École des loisirs, 2003
(Loulou et Mouf)
Album 2 ans
Un livre-jeu pour les tout-petits : bébé peut soulever les volets qui font écho à ses découvertes.

Balez Olivier
La complainte de Mandrin
Rue du monde, 2005
Album 7 ans
Partons sur les traces du célèbre bandit qui sur son chemin réconfortait la veuve et l'orphelin, volait les riches pour donner aux pauvres... Célèbre chanson revisitée par la palette d'Olivier Balez

Baronian Jean-Baptiste
De tout mon cœur
Gallimard Jeunesse, 2002
Album 2 ans
C'est un petit ours polaire qui part à la conquête du monde pour découvrir comment les autres sont aimés par leur maman. Y a-t-il une réponse ?

Battut Éric
Deux oiseaux
Autrement Jeunesse, 2004
Album 5 ans
Un petit oiseau rencontre un autre oiseau : naissance d'une amitié partagée qui fera grandir le petit...

Battut Éric
Petit bonhomme
Gautier-Languereau, 2003
Album 4 ans
« C'est un petit bonhomme assis contre son rocher » qui ne sait rien faire, ne connaît pas le monde. Un matin, il découvre une fleur et puis...

Bénas Catherine
Motifs
Casterman, 2003
Album 2 ans
Imagier... Comme un « gros catalogue d'images » colorées pour jouer entre amis. Voyage dans les formes et les couleurs...

Bisinski Pierrick
Tous les bisous
École des Loisirs, 2001
(Loulou et Compagnie)
Album 2 ans

Briggs Raymond
Le Bonhomme de neige
Grasset Jeunesse, 1998
Album 4 ans
Poétique et magique bonhomme de neige qui emporte le petit garçon pour des aventures jusqu'au ciel, bien au-dessus des toits ! Mais retour sur terre assuré !

Briggs Raymond
Lili et l'ours
Grasset Jeunesse, 1994
(Bandes dessinées)
Album 6 ans
Lili avait un ours... qui se transformait en gros ours polaire et l'accompagnait partout...

Bruel Christian
Vrrr...
Illustrations de Nicole Claveloux
Être, 2001
(Alter ego)

Album 3 ans
Vrrr... : des bruits, voiture, tracteur, jouet qui glisse sur le plancher..., un cœur qui bat. Maman, bébé et papa : tendresse et humour pour cet album à découvrir par les tout-petits.

Brown Ruth
Mon jardin en hiver
Gallimard Jeunesse, 2004
(Gallimard album)
Album 3 ans
Mais que font les animaux la nuit dans le jardin ? Ils s'agitent et vivent leur vie. Au matin, des traces dans la neige... Tout l'univers de Ruth Brown.

Browne Anthony
Tout change
Kaléidoscope, 1990
ou nouvelle édition : École des Loisirs (Lutin poche), 2004
Album 5 ans
Ce matin-là, avant de partir, le père de Joseph lui avait dit que les « choses » changeraient bientôt. Joseph ne comprenait pas ! Et puis derrière la porte, un bébé !

Burmingham John
Harquin
Seuil Jeunesse, 2002
Album 5 ans
Harquin, le jeune renard, en a assez de jouer sagement sur le haut de la colline : il part à l'aventure ! Échappera-t-il aux chasseurs ?

Chichester-Clark Emma
Ça suffit, les bisous !
Kaléidoscope, 2001
Album 3 ans
C'est l'histoire d'un jeune singe qui ne supporte plus les bisous... Mais un jour...

Claveloux Nicole
Quel genre de bisous ?
Être, 1998
(Petite collection)
Album 3 ans

Des bisous oui, mais quel genre ? Pas n'importe lesquels ! Gardez les distances et protégez sa liberté... de choix ! Indispensable pour aimer et être aimé !

Claverie Jean
Nikly Michelle
L'art de lire
Albin Michel Jeunesse, 2001
Album 7 ans
« J'ai toujours été un grand lecteur... » Lire, c'est rencontrer les autres, partager, grandir... Indispensable !

Conrod Daniel
Siam
Illustrations de François Place
Rue du monde, 2002
Album 6 ans
C'est l'histoire – vraie – de Siam, un éléphant du zoo de Vincennes né en 1946, mort en 1997. Quelle vie pour ce géant ! Porteur de bois, animal de cirque, du zoo au Muséum, Siam a tout connu !

Couprie Katy
Louchard Antonin
À table !
Thierry Magnier, 2002
Album 3 ans
Cerises pendants d'oreilles, pommes colorées, couverts de fête, poules en chocolat : on en mangerait ! Un imagier sur l'art de la table !

Couprie Katy
Louchard Antonin
Au jardin
Thierry Magnier, 2003
Album 2 ans
Photogrammes, pastels, linogravures, images numériques, dessins, peintures s'associent : un jardin renouvelé aux quatre saisons par deux artistes contemporains.

Couprie Katy
Louchard Antonin
Tout un monde : le monde en vrac

Thierry Magnier, 1999, et le Conseil général du Val-de-Marne
Album 3 ans
Bel imagier du quotidien insolite pour les tout-petits : peintures, collages, objets de la maison et du jardin répondent aux photographies détournées.

Corentin Philippe
Machin chouette
École des loisirs, 2002
Album 5 ans
C'est le chat qui parle : « Notre chien (appelons-le Machin chouette) à défaut d'être intelligent a le mérite d'être amusant. Il fait tout ce qu'on lui dit ! »
C'est connu, chien et chat ne font pas bon ménage ! Irrésistible pour les amis des bêtes !

Courgeon Rémi
Le grand arbre
Mango Jeunesse, 2002
Album 6 ans
Au menu de l'arbre, fable, poésie, écologie pour un monde où la sagesse triomphe du pouvoir. Très belles illustrations...

Cousins Lucy
Cache-cache dans la jungle
Albin Michel Jeunesse, 2002
Album 2 ans
Viens jouer à cache-cache dans la jungle et tu découvriras de nouveaux animaux !

Cousseau Alex
Je veux ëtre une maman tout de suite !
École des loisirs, 2002
(Matou)
Album 3 ans
Est-ce bien raisonnable pour Julote, petit poussin jaune, de vouloir devenir une maman tout de suite ?

Crowther Kitty
Poka et Mine : les nouvelles ailes
Pastel, 2005
Album 3 ans

Mine a déchiré ses ailes. En attendant qu'elles soient réparées, elle tente les ailes... de papillon !

Daufresne Michelle
Les éclats de mer de Victor
Syros Jeunesse, 2002
(Les petits voisins)
Album 6 ans
Victor, le petit garçon, part au bord de la mer en compagnie de ses grands-parents...

Delaunay Jacqueline
Kodiak, l'ourson
École des Loisirs, 2005
Album 3 ans
Très bel album de Jacqueline Delaunay pour conter l'histoire de l'ours Kodiak, qui vit dans le golfe de l'Alaska.

Delessert Étienne
Qui a tué rouge-gorge ?
Gallimard Jeunesse, 2004
(Gallimard album)
Album 5 ans
Imagination et sensibilité pour cette illustration d'une comptine tradition-nelle anglaise du XVIIIe siècle. Maurice Sendak qualifie cet album de « chef-d'œuvre ».

Doray Malika
Et après...
Didier Jeunesse, 2002
Album 4 ans
Parler de la mort avec les plus jeunes...

Douzou Olivier
Simon Isabelle
Les petits bonshommes sur le carreau
Éditions du Rouergue, 2002
(Jeunesse)
Album 6 ans
« Dans la buée de la fenêtre, du côté où il fait chaud, il y a un petit

bonhomme. *Un petit bonhomme sur le carreau* », *côté recto et côté verso, du côté où il fait froid, un « bonhomme-misère »... Essentiel.*

Dressler Sophie
Lucie au pays des graines
École des loisirs, 2004
(Archimède)
Album 7 ans
« *Suivre la petite route des graines et de la vie... »*

Dubois Claude K.
Que se passe-t-il Théophile ?
Pastel
École des loisirs, 2004
Album 4 ans
Mais de quoi a donc besoin Théophile ? C'est un petit prince ! Peut-être de sa maman, tout simplement.

Du Bouchet Paule
Bichoui
Illustrations de Georg Hallensleben
Hachette Jeunesse, 2001
(La fourmi et l'éléphant)
Album 7 ans
« *C'est l'histoire de Bichoui, un petit kinkajou arraché à sa forêt amazonienne et qu'on plonge dans la civilisation. Retournera-t-il chez lui ? Remarquables illustrations de Georg Hallensleben.*

Dufresne Didier
Mais... tu marches !
Illustrations d'Armelle Modéré
École des loisirs, 2003
(Matou)
Album 3 ans
Apprendre à marcher avec son nounours : les premiers pas de Mathurin. Emouvants, les premiers pas !

Dumas Philippe
Une ferme, croquis sur le vif d'une ferme d'autrefois
Archimède, 1997
(Archimède)

Album 7 ans
Pour dessiner ce bel album, Philippe Dumas s'est inspiré d'une ferme anglaise qui s'entête à vivre comme autrefois ! Merveilleuses aquarelles pour rêver d'un temps passé !

Elzbieta
Clown
Pastel, 1994
Album 3 ans
Bébé joue à faire le clown...

Elzbieta
Soleil de jour, lune de nuit
Éditions du Rouergue, 2005
(Varia)
Album 5 ans
La lune en bleu, le soleil en jaune : toute la palette d'Elzbieta pour les yeux des tout-petits et raconter le cycle du jour et de la nuit.

Falconer Ian
Olivia
Seuil Jeunesse, 2000
Album 5 ans
Olivia est une petite « cochonne » hyperactive, bref épuisante ! Pourtant... on l'aime ! Aventure à suivre.

Fender Kay
Dumas Philippe
Odette : Un printemps à Paris
École des loisirs, 2002
(Petite bibliothèque de l'École des loisirs)
Album 7 ans
Le vieux Monsieur est moins triste depuis qu'il a adopté Odette, un petit oiseau : magie du métro, du jardin des Tuileries et des petites rues de la capitale sur un air d'accordéon... pour une grande amitié.

Girard Franck
Et ma tête, alouette !
Photographies de Marie Houblon
Tourbillon, 2004
Album 3 ans

*Et ma bouche ! Et mes yeux ! Et mon cœur ! Photos d'ici et d'ailleurs
extraites du fonds de l'agence Magnum pour apprendre le corps...*

Godon Ingrid
*Bonjour, Monsieur Pouce ! : Comptines à mimer avec les tout-
petits*
Bayard, 2003
Album 2 ans
*Mimer avec les doigts, bouger, s'amuser et chanter, pour bébé, toute la
journée !*

Gondeau Eléonore
Loustic : Une aventure luni-solaire
Grasset Jeunesse, 2003
(2 × 2 = 4)
Album 4 ans
Il était une fois un petit loup amoureux de soleil...

Got Yves
Didou aime les câlins
Albin Michel Jeunesse, 2001
Album 2 ans
*Doudou aime tous les câlins, ceux de maman, de papi et de mamie, de
papa qui joue... Mais son préféré, c'est le dernier !*

Guilloppé Antoine
Loup noir
Casterman, 2004
(Les albums Duculot)
Album 4 ans
*Un loup tantôt blanc, tantôt noir, un garçon solitaire dans la forêt. Au bout
des arbres blancs, la rencontre entre l'enfant et le loup. Un album sans
texte, en noir et blanc pour dire la peur, l'émotion et la tendresse.*

Harriët van Reek
Les aventures de Léna Léna
Album traduit du néerlandais par Séverine Lebrun et Christian Bruel
Être, 2004
Album 6 ans
Suivre Léna Léna dans ses aventures au jour le jour, c'est jouer au brin

d'herbe qui chatouille, taquiner d'étranges petites bestioles, regarder, observer..., vivre ! Un chef-d'œuvre de la littérature néerlandaise...

Haseley Dennis
L'ours qui aimait les histoires
Illustrations de Jim Lamarche
Casterman, 2003
(Les albums Duculot)
Album 5 ans
Des livres, un ours, une femme : l'amitié autour de la lecture partagée et des histoires entendues par l'ours. De quoi vaincre la solitude de l'hiver !

Herbauts Anne
Lundi
Casterman, 2004
(Les albums Duculot)
Album 7 ans
Que fait Lundi ? Lundi attend les autres jours, passe les saisons avec ses amis, assis devant le grand piano...
Poésie des images, texture des pages, découpe de la couverture, un album très réussi pour dire les jours qui passent...

Herbauts Anne
Vague
Grandir, 1999
Album 7 ans
« Vague est une correspondance. C'est aussi la mer. C'est encore une incertitude. Un mal de vivre ! » Images et mots rythment un plaisir nostalgique, pareil au mouvement des vagues. Beaucoup de sensibilité dans cette œuvre.

Hoban Tana
Exactement le contraire
Kaléidoscope, 2002
Album 2 ans
Le jeu des « contraires » sur des photos de Tana Hoban ! Incontournable imagier !

Hobbie Holly
Pit et Pat au sommet du monde
Circonflexe, 2003

Album 3 ans
Deux petits cochons en quête d'aventure... se retrouvent à la pointe de l'Himalaya...

Hoestlandt Jo
La balançoire
Illustrations de Christophe Blain
Casterman, 1999
(Courant d'air)
Album 5 ans
Au fond du jardin, il y avait une balançoire qui attendait une petite fille...

Houblon Marie
De quelles couleurs... ?
Tourbillon, 2003
Album 2 ans
Des photos de l'agence Magnum pour révéler la magie des couleurs aux tout-petits.

Iwamura Kazuo
Ma vie de grenouille
Autrement Jeunesse
Album 5 ans
Cachées sous les feuilles, la souris et la petite grenouille philosophent... sur le sens de la vie avec humour et tendresse.

Janovitz Marilyn
Dors bien, mon petit...
Pêche Pomme Poire, 2003
Album 3 ans
S'endormir dans les bras de maman le temps d'un câlin...

Jolivet Joëlle
Zoo logique
Seuil Jeunesse, 2002
Album 5 ans
« Bestiaire imagier géant » pour petits curieux.

Jouet Jacques
En ville, je peux ?
Cheminement graphique Juliette Barbier

Passage Piétons, 2004
Album 3 ans

Kimura Ken
Murakimi Yasunari
999 tétards
Autrement Jeunesse, 2005
Album 4 ans
Comment maman Grenouille et ses 999 enfants ont sauvé papa Grenouille !

Kubler Annie
Si tu es joyeux...
Albin Michel Jeunesse, 2003
(La danse des bébés)
Album 2 ans
Bébé découvre son corps...

Lecaye Olga
Neige
Illustrations de Grégoire Solotareff
École des loisirs, 2000
Album 3 ans
Il était une fois un loup blanc. Abandonné à sa naissance, parce que différent, il rejoint la forêt pour une vie solitaire. Rencontrera-t-il un ami ?

Lenain Thierry
Graine de bébé
Illustrations de Serge Bloch
Nathan Jeunesse, 2003
Album 5 ans
L'humour de Serge Bloch et le talent de Thierry Lenain pour répondre à une grande question : Dis, comment on fait les bébés ?

Bébé s'éveille
École des loisirs, 2003
(Loulou et Compagnie)
Album 2 ans
Une bouille ronde de bébé... qui s'éveille à la vie... Craquant !

Le Saux Alain
Comment élever son papa
Rivages, 2003
Album 3 ans
D'habitude, on élève... les enfants. Essayons avec papa : humour, dérision, tendresse. C'est dur d'être toujours parfait quand on est grand !

Louchard Antonin
Gribouillis, gribouillons
Seuil Jeunesse 2002
Album 2 ans
Des gribouillis ? Cheveux, queue de souris ou fumée sur les toits ? C'est mon cahier de brouillon ! Gribouillis-gribouillons !

Mari Iela
L'arbre, le loir et les oiseaux
École des loisirs, 1982
Ou nouvelle édition 2003
Album 3 ans
Au fil des jours et des saisons, tout se transforme, change, grandit, disparaît, et renaît : le cycle de la vie. Indispensable.

Mets Alan
Le voleur de doudous
École des loisirs, 2003
Album 4 ans
« Connaissez-vous le voleur de doudous ? La nuit, sans bruit, il entre dans les maisons en passant par la cheminée ! »

Mets, Alan
Le petit paradis
École des loisirs, 1999
Album 4 ans
Et si le gros chat et la petite souris devenaient des amis pour retrouver le paradis ? Mais quel paradis ?

Mollet Charlotte
Un éléphant qui...
Didier Jeunesse, 1996
(Pirouette)
Album 3 ans

Pour mieux « se balancer », apprendre la comptine... et recommencer ! De 1 à 9, pour mieux compter !

Morgenstern Susie
Pas
Illustrations de Thérésa Bronn
Éditions du Rouergue, 2003
Album 3 ans
S'affirmer, plus qu'un jeu à 3 ans... Un petit air de Max (Max et les Maximonstres !) *pour ce héros de Susie... qui conteste. Drôle !*

Munari Bruno
Zoo
Seuil Jeunesse, 2003
Album 3 ans
Un choix d'animaux hors grillage pour zoo hors norme ! Du Bruno Munari vif, plein d'humour, coloré.

Munari Bruno
Toc toc : Qui est là ? Ouvre la porte
Seuil Jeunesse, 2004
Album 3 ans
Un livre-jeu qui met en scène des animaux globe-trotters.

Mwankumi Dominique
Les fruits du soleil
École des loisirs, 2002
(Archimède)
Album 4 ans
Découvrons les fruits d'ailleurs : à goûter pour le plaisir des yeux !

Nikly Michelle
Claverie Jean
L'art des bises
Albin Michel Jeunesse, 1993, et le Conseil général du Val-de-Marne
Album 3 ans
« Des bises, baisers, bisous, mimis et autres poutous, et de bon usage. » Un régal !

Nishimura Shigeo
Aman Kimiko
La luge
Autrement Jeunesse, 2004
(Albums)
Album 5 ans
Jeux de neige, jeux de luge pour une enfant et un petit renard qui ont peur de glisser...

Pacovska Kveta
Ponctuation
Seuil, 2004
Album 5 ans
Les signes de ponctuation illustrés avec force : c'est presque un livre d'art !

Pagni Gianpaolo
Tourbillon
Seuil Jeunesse, 2002
Album 3 ans
Associer des idées et des illustrations : favoriser l'imaginaire !

Perrin Martine
Méli-mélo
Milan Jeunesse, 2003
(Albums)
Album 3 ans
Découpe et jeu de pages pour cet album qui part à la découverte des habitants et des animaux de l'Afrique.

Pommaux Yvan
John Chatterton, détective
École des loisirs, 1993
Album 7 ans
John Chatterton retrouvera-t-il la petite fille habillée tout en rouge ? Et vous, l'avez-vous reconnue ? Enquête à suivre.

Pommaux Yvan
Lilas : Une enquête de John Chatterton
École des loisirs, 1995
Album 7 ans

Qui est cette jeune fille nommée Lilas et qu'il faut retrouver ?
Blanche-Neige « revisitée » par Yvan Pommaux !

Pommaux Yvan
Lola : Dix histoires instructives
Sorbier, 1997
(Lola)
Album 7 ans
« Instructives si on veut », commente Lola, dix histoires à partager assumées par l'impertinente Lola qui vous présentera la famille Campagnol, son papa, l'oncle Alberto et les autres...

Potter Beatrix
Joyeux Noël, Pierre Lapin !
Gallimard Jeunesse, 2003
(Pierre Lapin pour les tout-petits)
Album 2 ans
C'est bien connu, les tout-petits adorent Noël, surtout en compagnie de Pierre Lapin !

Ramos Mario
Quand j'étais petit
Pastel, 1997
Album 3 ans
Quand j'étais petit, j'aimais les fleurs des champs, j'étais le roi, je grimpais dans les arbres : un livre-jeu pour les tout-petits.

Rascal
C'est un papa...
Illustrations de Louis Joos
Pastel
École des loisirs, 2001
Album 7 ans
« C'est un papa. Un papa ours... Il a quitté sa femme et ses enfants !! Il vit seul. Mais aujourd'hui il attend les enfants, Paul et Fanny : il a tout préparé ! Réconfortant...

Rodari Gianni
Quel cafouillage !
Illustrations d'Alessandro Sanna
Kaléidoscope, 2005

Album 5 ans
« Dis, grand-père, raconte-moi le Petit Chaperon rouge »... Mais grand-père connaît-il encore bien l'histoire ? Un texte de Rodari enrichi par une illustration « dynamique » d'Alessandro Sanna. Un régal !

Ross Tony
Je veux ma maman !
Gallimard Jeunesse, 2004
(Les histoires de la petite princesse)
Album 3 ans
Ce n'est pas toujours facile de grandir... même pour une petite princesse.

Sara
La petite fille sur l'océan
Circonflexe, 2001
Album 5 ans
La mer, un bateau, une rencontre : l'homme, la petite fille et le chien. Vivront-ils ensemble ? Une belle histoire sur fond de papiers découpés.

Schuch Steve
La symphonie des baleines
Illustrations de Peter Sylvada
Syros Jeunesse, 2000
(Albums)
Album 6 ans
En Alaska, une petite fille sauvera des baleines.

Sendak Maurice
Cuisine de nuit
École des loisirs, 2000
Album 4 ans
« Voilà comment, grâce à Mickey, vous avez du pain brioché pour votre petit déjeuner » : un chef-d'œuvre !

Serres Alain
L'abécédire
Photographies de Lily Franey
Illustrations d'Olivier Tallec
Rue du monde, 2001
(L'album photo)
Album 3 ans

Serres Alain
Une cuisine grande comme un jardin
Illustrations de Martin Jarrie
Rue du monde, 2004
(Vaste monde)
Album 6 ans

Silverstein Shel
L'arbre généreux
École des loisirs, 1982
Album 6 ans
À la vie, à la mort ! C'est l'amitié de l'arbre pour le petit garçon : don et générosité tissent cette histoire.

Tejima Keizaburo
Le rêve de renard
Traduit du japonais par Nicole Coulom
École des loisirs, 1988
Album 3 ans
Il fait froid, le renard a faim : il se lance à la poursuite du lapin...

Truong Marcelino
Fleur d'eau
Gautier-Languereau, 2002
Album 7 ans
Le Vietnam dans cet album : Reflet de Lune connaîtrait le bonheur, si elle avait un enfant. Et si elle retrouvait l'oiseau qu'on lui a volé. Avec son mari, elle se rend jusqu'à Hué visiter la « Dame Céleste » dans sa pagode...

Ungerer Tomi
Jean de la Lune
École des loisirs, 1981
(Lutin poche)
Album 5 ans
Jean de la Lune a décidé de visiter la Terre. Sera-t-il bien accueilli chez les hommes ? L'histoire le dira.

Ungerer Tomi
Les trois brigands
École des loisirs, 1988

Album 4 ans
« Il était une fois trois méchants brigands avec de grands manteaux noirs et de hauts chapeaux noirs »... Emporteront-ils tous les enfants ?

Van Allsburg Chris
Boréal express
École des loisirs, 2004
Album 5 ans
Prendre le train, le « Boréal Express », et rejoindre le pôle Nord, là où sont fabriqués tous les jouets du Père Noël !

Vochelle Dominique
Le petit monde de Miki
Illustrations de Chiaki Miyamoto
Gallimard Jeunesse, 2005
(Giboulées)
Album 3 ans
Découvrir Miki au Japon : ses émotions, les saisons, la neige, la pluie... Un petit album aux airs de haïku.

Wabbes Marie
Mon bébé chéri
Sorbier, 2000
Album 0 à 3 ans
L'histoire de bébé... racontée... par son nounours préféré. Tendre.

Wabbes Marie
Petit Doux n'a peur de rien
La Martinière Jeunesse, 1998
Album 4 ans
Petit Doux aime jouer avec Gros Loup. Mais soudain Gros Loup devient très méchant. Comment s'en débarrasser ? Petit Doux apprend alors à dire non !

Wabbes Marie
Papa, maman, écoutez-moi !
Gallimard Jeunesse, 2004
Album 4 ans
Toute la tendresse du graphisme de Marie Wabbes pour évoquer, dans cet album sensible, la séparation des parents d'un tout-petit

Wilson Henrike
C'est toujours moi ! dit petit lion
Seuil Jeunesse, 2003
Album 2 ans
Petit Lion veut qu'on le laisse tranquille, enfin sauf pour l'histoire, les jeux avec papa et le bisou du soir !

Des lectures contées...

Afanassiev Aleksandr Nikolaevitch
Les oies sauvages
Traduit par Lise Gruel Apert
Raconté par France Alessi
Illustrations d'Isabelle Chatellard
Bilboquet, 2004
Conte 7 ans
Comment les oies sauvages emportent les petits enfants pour Baba Yaga, la sorcière.

Anno Mitsumasa
Le Danemark d'Andersen
École des loisirs, 2005
Album 7 ans
Un album à découvrir comme un conte : merveilleuse promenade au cœur du Danemark sur les traces d'Hans Christian Andersen : par ses dessins, son regard, Anno donne à voir la vie même de ce pays, établissant un lien avec la naissance du célèbre Danois et chacun de ses contes.

Aulnoy Marie-Catherine le Jumel de Barneville
L'oiseau bleu et autres contes
Illustrations de Laura Rosano
Seuil, 2002
(Nicole Maymat)
Conte 12 ans
« Il était une fois un roi fort riche en terres et en argent ; sa femme mourut, il en fut inconsolable. » Un recueil classique enrichi par les belles illustrations de Laura Rosano.

270

Barrie James
Peter Pan
Illustrations de Susanne Janssen
Être, 2005
(Grande collection)
Conte 10 ans
« *Tous les enfants, sauf un, grandissent. Ils savent très tôt qu'ils grandiront...* »
Entrons dans le royaume de Peter Pan sur les traces de Wendy. Illustrations très riches, très fortes de Susanne Janssen pour un livre classique. Beaucoup de plaisir à toucher, à ouvrir, à regarder et à lire cet ouvrage soigné.

Barthelemy Mimi
Vieux caiman ou comment la sagesse vient au vieil animal
Illustrations de Claudie Guyennon-Duchêne
Lirabelle, 2001
Conte 8 ans
Mimi Barthélémy, conteuse haïtienne, nous donne à entendre un conte bien rythmé des grandes îles de la mer caraïbe, merveilleusement servi par les gravures de Claudie Guyennon-Duchêne

Benameur Jeanne
Prince de naissance, attentif de nature
Illustrations et photos de Katy Couprie
Thierry Magnier, 2004
Conte 10 ans
Sa mère mourut. Son père mourut. Et il fut roi...
Un conte sur l'exercice du pouvoir.

Ben Kemoun Hubert
Les Rouges et les Noirs
Illustrations de Stéphane Girel
Père Castor Flammarion, 2002
Conte 7 ans
« *Un Noir avec une Rouge ! c'est inacceptable !* » *Au pays des Rouges, la guerre est déclarée : comment l'éviter ?*

Bigot Gigi
Mateo Pepito
Bouche cousue

Illustrations de Stéphane Girel
Didier Jeunesse, 2001
Conte contemporain 6 ans

Bloch Muriel
La marchande de soleils
Illustrations de Blaise Patrix
Musique de Guilla Thiam
Thierry Magnier, 2002
(Livre-CD)
Conte 9 ans
Entre conte et musique, on découvre Dakar sur les traces d'Aïssata la petite marchande...

Bloch Muriel
Le loup et la mésange
Illustrations de Martine Bourre
Didier Jeunesse, 1998
(À petits petons)
Conte 5 ans
Ou comment la mésange s'échappe du ventre d'un vieux loup maigre et gris qui avait grand faim !

Bloch Muriel
Schamp Tom
Mary jolie
Seuil Jeunesse, 2004
Marie est bien jolie au bord du bayou. Mais quel caractère ! Trouvera-t-elle mari ? Entre blues et musique cajun, Muriel Bloch conte l'histoire d'une fille difficile à marier au cœur de la Louisiane.

Boucle d'or et les trois ours
Conte classique réécrit par Henriette Bichonnier sur des images de Danièle Bour
Conception de François Ruy-Vidal
Éditions des Lires, 2003
(Centourloupes)
Conte 5 ans
Boucle d'Or est partie au cœur de la forêt. Dans la maison des trois ours, elle s'est endormie...

Bresner Lisa
Un cheval blanc n'est pas un cheval : Cinq énigmes chinoises
Illustrations de Chen Jiang Hong
École des loisirs, 1995
(Archimède)
Conte 8 ans
« *Ba San est un petit garçon chinois : chaque soir avant qu'il s'endorme, sa mère, Sha Sha, lui soumet une énigme...* » *Ban San est très futé !*

Calvino Italo
Aventures
Illustrations de Yan Nascimbene
Seuil, 2001
(Contes et récits)
Conte 12 ans
Tout l'univers de Calvino... Des histoires d'amour extraordinaires servies par les illustrations de Yan Nascimbene.

Calvino Italo
Romarine
Traduit de l'italien par Nino Franck
Illustrations de Morgan
Pocket Jeunesse, 2003
(Kid pocket)
Connaissez-vous Romarine, la fille qui se cache dans un pied de romarin, Poirette, Pomme et les autres ? Huit contes issus du folklore italien...

Carroll Lewis
Alice au pays des merveilles
Illustrations d'Anne Herbauts
Casterman, 2002
(Les albums Duculot)
Conte 8 ans
À chacun son Alice : Anne Herbauts suit les pas d'Alice et nous donne des illustrations très personnelles pour ce texte fondateur...

Carroll Lewis
Alice au pays des merveilles
Illustrations d'Alain Gauthier
Rageot, 1991

Conte 10 ans
À chacun son Alice, celle d'Alain Gauthier frôle l'univers surréaliste...

Chedid Andrée
Le jardin perdu
Calligraphie de Hassan Massoudy
Alternatives, 1997
(Grand pollen)
Conte 12 ans
« Avant c'était l'Éden... » Adam et Ève, ou le paradis perdu : à l'aube de cette humanité, « malfaisante et pourtant radieuse », en marche vers le même avenir, celui des hommes... À consulter en bibliothèque.

Collodi Carlo
Les aventures de Pinocchio
Illustrations de Roberto Innocenti
Gallimard Jeunesse, 1996 et 2005
(Album junior)
Conte 9 ans
Comme la célèbre marionnette, chacun d'entre nous naît, se transforme et apprend à grandir. Très réussie, cette édition illustrée par Roberto Innocenti.

Crowther Kitty
L'enfant racine
Pastel, 2003
Conte 6 ans
C'est l'histoire de Leslie, la femme, et de l'enfant-Racine, celui qu'elle a trouvé dans la forêt profonde, celle dont on ne sait pas où « elle commence, ni où elle se termine »... Belle amitié !

Curatolo Justine
Princesse charmante
Illustrations de Marc Lizano
Éditions du Rouergue, 2002
(Varia)
Conte 7 ans
Une belle histoire de prince charmant où amour rime avec humour

Galdone Paul
Poule Plumette
Circonflexe, 2004

(Albums)
Conte 4 ans
Un jour, Poule Plumette picorait dans les feuilles...

Galdone Paul
Les trois ours
Circonflexe, 2003
(Aux couleurs du temps)
Conte 4 ans
C'est l'histoire de trois ours qui vivaient dans une maison dans la forêt.
Un jour une petite fille... Une version des Trois Ours *et de Boucle d'or.*

Gendrin Catherine
Tour du monde des contes : Sur les ailes d'un oiseau
Illustrations de Laurent Corvaisier
Rue du monde, 2005
Conte 8 ans
Découvrir des contes des quatre coins du monde revisités par Catherine
Gendrin.

Gougaud Henri
Contes du Pacifique
Illustrations de Laura Rosano
Seuil, 2000
(Contes et récits)
Conte 10 ans
Des contes du bout du monde enrichis par les illustrations colorées de
Laura Rosano.

Graves Robert
Le grand livre vert
Illustrations de Maurice Sendak
Gallimard Jeunesse, 2003
(Gallimard album)
Conte 8 ans
Mais quel est donc ce grand livre vert, caché sous un vieux sac, que Jack
découvre dans le grenier de son oncle et sa tante ?

Hoestlandt Jo
Portraits en pied des princes, princesses et autres bergères des
contes de notre enfance

Illustrations de Nathalie Novi
Thierry Magnier, 2001
Conte 7 ans
Les textes de Jo Hoestlandt et les tableaux de Nathalie Novi se répondent pour ce musée imaginaire dédié aux personnages de quelques contes célèbres.

Ikhlef Anne
Gauthier Alain
Ma peau d'âne
Seuil Jeunesse, 2002
Conte 12 ans
« Majesté, vous êtes mon père et je ne peux vous épouser... » Et la princesse devra s'échapper, revêtue de la peau de l'âne que son père a sacrifié pour elle...

Kerisel Françoise
Li Po le fou & Tou Fou le sage
Didier Jeunesse, 2004
Conte 8 ans
Il y a bien longtemps, en Chine, le poète Li Po parcourait les paysages sur son cheval en chantant des poèmes et en peignant...
Le jeune poète Tou Fou partit sur ses traces et partagea sa sagesse...
Remarquables illustrations de Martine Bourre.

Khemir Esma et Nacer
L'alphabet des sables
Syros jeunesse, 1999
Conte 9 ans
Calligraphie arabe pour cet alphabet original qui conte l'histoire des animaux des quatre coins du monde : plaisir des yeux et des oreilles !

Konaté Dialiba
L'épopée de Soundiata Keita
Seuil Jeunesse, 2002
Conte 10 ans
Dialiba Konaté nous raconte tel un griot l'épopée de Soundiata Keïta, le fondateur de l'empire du Mali. Une histoire transmise oralement et qu'il a mise en images.

Morel Jean-Michel
Makka Kishu, l'homme qui voulait posséder tous les chevaux du monde
Illustrations de Philippe Moriaud
Points de suspension, 2005
Contes 8 ans
« Il était une fois par le monde un homme qui voulait posséder tous les chevaux... les blancs, les noirs, les bais... » Conte de sagesse sur la possession servi par le trait de Philippe Moriaud.

La moufle
Racontée par Diane Barbara
Illustrations de Frédérick Mansot
Actes Sud Junior, 2001
(Les contes à plusieurs voix)
Conte 5 ans
C'est l'hiver, la neige est glacée : la petite souris partagera-t-elle l'abri bien chaud qu'elle a trouvé ?

Les plus beaux contes des conteurs
Syros jeunesse, 1999
(Paroles de conteurs)
Conte 8 ans
Répertoire « contemporain » pour 60 contes sélectionnés dans la production d'aujourd'hui : Pepito Mateo, Mimi Barthélemy et d'autres...

Les plus beaux contes nomades
Illustrations de Nathalie Novi
Syros jeunesse, 2004
Conte 8 ans
De Bali à la Guyane, un choix de contes pour découvrir le monde...

Mateo Pepito
Le petit Cepou et autres contes
Syros jeunesse, 1994
(Paroles de conteurs)
Conte 6 ans
« Saint-Denis, banlieue Nord, le tram numéro 7 glisse sur les rails luisants comme des serpents. Il dévale la rue des Petits-Cailloux... »

Maunoury Jean-Louis
Nasr Eddin Hodja, un drôle d'idiot
Illustrations d'Henri Galeron
Motus, 1996
Conte 10 ans
Sage ou idiot ? Ces histoires vous le diront ! À vous de choisir !

Nikly Michelle
Le jardin des quatre saisons
Albin Michel Jeunesse, 2003
Album 8 ans
En ce temps-là au Japon, les orphelines avaient peu de chance. Nasumi est recueillie par Madame Hakura et sera servante. Un papillon, qu'elle sauve, deviendra son ami et la conduira chez le roi des papillons... La chance tourne !

Nikly Michelle
Claverie Jean
Le royaume des parfums
Albin Michel Jeunesse, 1997
Conte 12 ans
Dans un lointain royaume d'Orient, découvrons l'art des parfums avec Isé, première femme nommée « Parfumeur royal »...

Noguès Jean-Côme
Le Prince de Venise
Illustrations d'Anne Romby
Milan jeunesse, 2003
Conte 9 ans
Jeune, beau et riche, le jeune prince de Venise aime à être admiré. Cela durera-t-il toujours ? Mais quel est donc ce rival qui approche ? Laissez-vous porter par l'eau de la lagune... pour cette promenade vénitienne

Paola Tomie de
Strega Nonna ou le chaudron magique
Flammarion Jeunesse, 1984
Conte 7 ans
Dans un petit village de Calabre, en Italie, vivait il y a longtemps une vieille dame qu'on appelait « Strega Nonna », grand-mère sorcière. Elle avait un don magique...

Parain Nathalie
Baba Yaga : Conte populaire russe
Illustrations de Nathalie Parain
Père Castor Flammarion, 1996
Conte 5 ans
Célèbre conte russe merveilleusement illustré par Nathalie Parain. Comment se débarrasser d'une jolie petite fille... quand on est une marâtre ? En appelant Baba Yaga, la cruelle ogresse !

Perrault Charles
Jonas Anne
Peau d'Âne
Illustrations d'Anne Romby
Milan, 2002
(Albums)
Conte 7 ans
Une très belle interprétation de ce conte classique illustré avec sensibilité et intelligence par Anne Romby

Perrault Charles
Le Petit Chaperon rouge
Illustrations de Sarah Moon
Grasset Jeunesse, 1983
Conte 8 ans
Illustrée par la photographe Sarah Moon, l'histoire du Petit Chaperon rouge qui, comme on le sait, fut... croqué par le méchant loup.

Roule galette
Raconté par Natha Caputo
Illustrations de Pierre Belvès
Père Castor Flammarion, 2001
(Les classiques en scène)
Conte 6 ans
L'histoire de la galette qui voulait parcourir le monde... toujours plus loin, toujours plus loin...

Singer Isaac Bashevis
Histoire des trois souhaits et autres contes
Illustrations de François Roca
Seuil, 2000

Conte 12 ans
Contes empruntés à la tradition yiddish...

Tanaka Béatrice

La montagne aux trois questions
Illustrations de Chen Jiang Hong
Albin Michel Jeunesse, 1998
(Petits contes de sagesse)
Conte 8 ans
Comment un jeune homme « laid » et très « malheureux » partit à la recherche de la montagne où le ciel rencontre la terre...

Van de Vendel Edward

Rouge rouge Petit Chaperon Rouge
Illustrations d'Isabelle Vandenabeele
Éditions du Rouergue, 2003
(Varia)
Conte 6 ans
Le conte du Petit Chaperon rouge revisité ! Un très bel album entre le rouge et le noir qui interpelle.

Vaugelade Anaïs

Une soupe au caillou
École des loisirs, 2000
Conte 3 ans
C'est bien le loup qui prépare la soupe... au caillou chez la poule : à chacun sa soupe !

Zemach Margot

Ça pourrait être pire
Un conte yiddish adapté et illustré par Margot Zemach
Traduit de l'américain et préfacé par Muriel Bloch
Circonflexe, 1999
(Aux couleurs du temps)
Conte 10 ans
Conte facétieux de la tradition yiddish, plein d'humour... et de sagesse. À recommander !

Zor Marion
Thomas Yan

La terrible bande à Charly P.

Rue du monde, 1997
(Pas comme les autres)
Conte 7 ans
Du bon usage de l'hommage... à Charles Perrault !

Des lectures poétiques...
Jeux d'écriture et de langage

Bergèse Paul
Le coucou du haïku
Gravures de Titi Bergèse
La Renarde rouge, 2003
(La petite collection)
Poésie 8 ans
À chacun son haïku pour commencer la journée : petits gestes quotidiens,
« pendants d'oreilles cerises, le cœur a 10 ans »... bonheur !

Cabral Tristan
Mourir à Vukovar : Petit carnet de Bosnie
Illustrations de Martine Mellinette
Cheyne, 1997
(Poèmes pour grandir)
Poésie 10 ans
Ici, deux choses n'arrêtent pas de pousser : les jardins et les tombes. Sarajevo.

Causse Rolande
J'écris des poésies : Des poèmes à lire, des jeux pour en écrire
Illustrations de Jean Claverie
Albin Michel Jeunesse, 2004
Poésie 8 ans
Entendre les mots, les collectionner, les assembler grâce à des jeux poéti-
ques : bref, écrire de la poésie pour dire les rires, les peines, les colères,
les souvenirs et... le bonheur de vivre !

Causse Rolande
Mots perdus, mots retrouvés
Illustrations d'Alain Millerand
Actes Sud/Actes Sud junior, 2002

(Des poèmes plein les poches)
Poésie 8 ans
Des mots pour construire une langue amie, une langue poésie...

Causse Rolande
Paris poésies
Illustrations de Georges Lemoine
Actes Sud junior, 2003
(Des poèmes plein les poches)
Poésie 9 ans
Né de la collaboration de Rolande Causse et Georges Lemoine, voici un petit livre de poésies sur Paris pour aimer Paris au fil des balades dans les rues, au gré du vent, des saisons, neige et soleil...

Comptines de ma grand-mère
Choix de Jean-Hugues Malineau
Illustrations de Claude Lapointe
Avec CD audio
Actes Sud junior, 2001
Album 2 ans
Chanter pour rythmer la journée des tout-petits...

Comptines et berceuses du baobab, 30 comptines africaines et françaises
Illustrations d'Elodie Nouhen
Musique de Paul Mindy
Didier Jeunesse, 2002
Album 3 ans
Entrons dans la culture africaine, bercés par la musique et les comptines de la Côte d'Ivoire au Rwanda.

Chanter contre la misère
Préface de Yan Arthus-Bertrand
Photos Enfants Tapori/ATD Quart-monde
Mango Jeunesse
Quart Monde, 2004
(Albums dada)
Avec un CD audio
Poésie
Pour tous

Deharme Lise
Le cœur de pic
Illustrations : vingt photographies de Claude Cahun
MeMo, 2004
Poésie 8 ans
Réédition de cet ouvrage contenant 32 poèmes pour les enfants, illustrés avec talent par Claude Cahun, publiés en 1937 par José Corti avec un frontispice de Paul Eluard.

Desnos Robert
Le pélican
Illustrations de Laurent Corvaisier
Rue du monde, 2002
(Petits géants)
Album/Poésie 4 ans
Poème tiré du recueil Chantefables et Chantefleurs, *« le Pélican »... se fait capturer par le capitaine Jonathan... et pond un œuf tout blanc...*

Éluard Paul
Liberté
Illustrations de Claude Goiran
Père Castor Flammarion, 1997
Poésie 7 ans
Le célèbre poème de Paul Eluard, extrait du « Rendez-Vous allemand » mis en images par Claude Goiran.

Fort Paul
Le bonheur
Illustrations de Katy Couprie
Rue du monde, 2004
(Petits géants)
Poésie 4 ans

Gibert Bruno
Ma petite fabrique à histoires
Autrement Jeunesse, 2004
(Albums)
Langage 8 ans
Apprendre à « fabriquer » soi-même des histoires courtes façon Raymond

Queneau : spirales et pages découpées en quatre parties aident le lecteur à créer ses phrases et à jouer avec les mots et les couleurs.

Houdart Emmanuelle
Poèmes à rire et à jouer
Textes choisis par Élisabeth Brami
Illustrations d'Emmanuelle Houdart
Seuil Jeunesse, 2004
Poésie 6 ans
Une anthologie pour s'amuser avec la poésie : rendez-vous avec Hugo, Prévert ou Tardieu...

Hugo Victor
Au Jardin des Plantes
Illustrations d'Éric Battut
Rue du monde, 2002
(Petits géants)
Poésie 3 ans
Un poème de Victor Hugo, tiré du recueil L'Art d'être grand-père, *pour accompagner une visite au Jardin des Plantes.*

Jacques Prévert
Jacques Prévert
Textes et poèmes illustrés par Gabriel Lefebvre
La Renaissance du livre, 2002
(Jeunesse)
Poésie 10 ans
Mise en pages soignée et élégante pour ce choix de poèmes de Jacques Prévert.

Laâbi Abdellatif
L'orange bleue
Illustrations de Laura Rosano
Seuil, 1995
(Livres fresques)
Album pour tous
Livre-fresque réalisé par Laura Rosano autour d'un poème d'Abdellatif Laâbi : à consulter en bibliothèque.

La cour couleurs : Anthologie de poèmes contre le racisme
Poèmes rassemblés par Jean-Marie Henry

Illustrations de Zaü
Rue du monde, 1997
(La poésie)
Poésie 7 ans
Poèmes d'amitié, poèmes du monde à partager avec tous les enfants de l'univers afin que la paix les accompagne.

La poésie algérienne : Petite anthologie
Illustrations de Rachid Koraïchi
Mango Jeunesse
Institut du monde arabe, 2003
(Il suffit de passer le pont)
Poésie 10 ans
Anthologie de la poésie algérienne.

La poésie arabe : Petite anthologie
Poèmes choisis par Farouk Mardam-Bey
Illustrations de Rachid Koraïchi
Calligraphie de Abdallah Akkar
Mango Jeunesse
Institut du monde arabe, 1999
(Il suffit de passer le pont)
Poésie 10 ans
« Il y a des jardins qui n'ont plus de pays et qui sont seuls avec l'eau. Des colombes les traversent bleues et sans nids », Georges Schéhadé.

Lassara Christine
Le Hugo
Mango Jeunesse, Album dada, 2002
(Il suffit de passer le pont)
Poésie 10 ans
Hommage de l'auteur à Victor Hugo : 19 poèmes qui inspirent sa palette et font découvrir le « géant de la poésie française ».

Lenain Thierry
Tu existes encore
Photographies de Patricia Baud
Syros, 2005
Poésie 8 ans et plus
Dire l'absence, dire la mort, dire la présence et la mémoire de celui ou de celle qui existe dans le cœur... Un album excellent sur ce thème.

285

Le Paul Éluard
Illustrations de Mo Xia
Mango Jeunesse, Album dada, 2002
(Il suffit de passer le pont)
Poésie 10 ans
Découvrir Paul Eluard, le poète de l'amour et de la paix : Gala, Nusch, Dominique. Choix de poèmes à partager.

Le Prévert
Textes de Jacques Prévert
Photos de Robert Doisneau
Collage de Natali
Mango Jeunesse, Album dada, 1997
(Il suffit de passer le pont)
Poésie 7 ans
Dire, écouter, lire du Prévert, c'est visiter Paris et le cœur du poète : 19 poèmes illustrés à partager.

Le René Char
Poèmes et textes de René Char
Illustrations de Chloé Poizat
Mango Jeunesse, Albums dada
(Il suffit de passer le pont)
Poésie 10 ans
Hommage à René Char : « A chaque effondrement des preuves, le poète répond par une salve d'avenir », René Char.

Le Vian
Illustrations de Baldo Jopsé
Mango Jeunesse, Album dada, 2000
(Il suffit de passer le pont)
Poésie 10 ans
19 chansons de Boris Vian : des textes connus, comme « Le déserteur », aux moins connus : humour, dérision, révolte...

Manier Jean-François
C'est moi
Accompagné d'une suite d'huiles de Martine Mellinette
Cheyne, 1996
(Poèmes pour grandir)

Poésie, 12 ans
« C'est moi », c'est tout ce que dit la voix qui n'est pas une voix...
Long poème-souvenir rendant hommage à un être cher disparu.

Paul Verlaine
Poèmes illustrés par Louis Joos
La Renaissance du livre, 2004
(Jeunesse)
Poésie 12 ans
Tout l'art poétique de Verlaine dans ce choix de poèmes illustrés avec force par Louis Joos : entre les mots et les dessins, un jeu de correspondances émouvantes...

Paroles du Japon : Haïkus
Présentés par Jean-Hugues Malineau
Albin Michel, 1997
(Carnets de sagesse)
Poésie 10 ans
Afin d'illustrer ce choix de haïkus présentés par Jean-Hugues Malineau, des images d'Hokusai et de Hiroshige, maîtres incontestés de l'estampe japonaise.

Pinchon Serge
Mot pour mot
Illustrations d'Hervé Coffinières
Gallimard, 2004
Langage/mots 10 ans
« Petit chagrin ou tristesse infime » ? Savoir exprimer ses sentiments et ses émotions avec justesse, le « bon mot » avec un zeste d'humour et de fantaisie !

Pinguilly Yves
Belleguie André
Jeux, jongleries, rimes : assortiment poétique du temps des cathédrales à la naissance de la tour Eiffel
Illustrations d'André Belleguie
Somogy, 2000
Poésie 10 ans
« La poésie doit être faite par tous. Non par un », disait Lautréamont. De

Chrétien de Troyes à Paul Verlaine, pour les inconditionnels des rimes et de la poésie. Étonnant !

Planète poésie
Édité par Jean-Marie Henry
Trois volumes : *La cour couleurs* ; *Naturellement* ; *Ma planète poésie, anthologie des poèmes que j'aime*
Choix de poèmes
Illustrations de Zaü, Yan Thomas et Nathalie Noui
Rue du monde, 2002
Poésie 10 ans
150 poèmes richement illustrés pour partager la beauté du monde...

Promenade de Quentin Blake au pays de la poésie française
Illustrations de Quentin Blake
Gallimard Jeunesse, 2003
Poésie 8 ans
Quentin Blake aime la France et sa poésie : il nous donne à lire son « choix de poèmes »...

Queneau Raymond
Exercices de style
Illustrations par un collectif d'illustrateurs, Blake, Place, Pef, Tardi, etc.
Gallimard Jeunesse, 2002
Album/Littérature 11 ans
À chacun son « exercice de style » pour les illustrateurs et les graphistes qui ont choisi d'imager Raymond Queneau.

Queneau Raymond
L'arbre qui pense
Illustrations de Régis Lejone
Rue du monde, 2002
(Les petits géants)
Poésie 3 ans
Tiré du recueil Le Chien à la mandoline, *un court poème pour apprendre à penser !*

Rascal
Bonhomme pendu
Pastel, 2005
Album poétique, 8 ans et plus

« Comme l'éphémère
Ou comme l'été
J'ai la vie brève
Je ne fais que passer » et suivre la *« Ballade des pendus »* avec *François*
Villon...

Renard Jules
Le sourire de Jules
Illustrations de Michèle Daufresne
Calligraphies de Patrick Cutté
Alternatives, 1999
(Pollen)
Poésie 10 ans
« Le papillon, ce billet doux plié en deux, cherche une adresse de fleur »
et quelques autres petits poèmes en prose de Jules Renard... Délicieux !

Rochedy André
Ma maison, c'est la nuit
Avec les gouaches de Martine Mellinette
Cheyne, 2002
(Poèmes pour grandir)
Poésie 12 ans
« Il fait nuit noire. Elle veille dans la chambre immense, un enfant vient
d'appeler...
- J'ai peur de mourir, dit la petite voix, cache-moi dans tes yeux »...

Roubaud Jacques
Les animaux de tout le monde
Illustrations et maquette de Jean-Yves Cousseau et Marie Borel
Seghers, 1990
(Volubile)
Poésie 8 ans
« Il y a beaucoup d'animaux
Des longs des courts des gras des beaux
À chacun je donne un poème », Jacques Roubaud.

Roubaud Jacques
Le crocodile
Illustrations de Zaü
Rue du monde, 2001
(Les petits géants)

Poésie 4 ans
Le crocodile n'a qu'une idée en tête : croquer Odile !

Supervielle Jules
Le lac endormi et autres poèmes
Illustrations de Charlotte Labaronne
Gallimard Jeunesse, 2003
(Enfance en poésie)
Poésie 8 ans
« La Poésie, c'est un peu cela : faire exister ce qui n'existe pas », Guy
Gofette.
Suivre Jules Supervielle, le matin en promenade... pour ce choix de poèmes.

Tardy Anne
*Mon carnet de haïkus : 200 haïkus pour les moments de tous
les jours*
Illustrations de Georges Lemoine
Gallimard Jeunesse, 2004
Poésie 10 ans
*Pratiquez-vous le haïku ? Ouvrez ce joli carnet... Art et poésie s'y mêlent
avec grâce.*

White Kenneth
Isolario : Les îles de la grande solitude
Sur une maquette peinte et calligraphiée par Roger Druet
Alternatives, 2002
(Pollen)
Poésie 14 ans
*« Invitation est maintenant faite au lecteur de s'embarquer le long des
rivages de la mer, dans tous les climats de la terre : le pilote de ce livre
est un pilote poète. »*

Des lectures artistiques...

Album
Photographies choisies par Gabriel Bauret et Grégoire Solotareff
École des loisirs, 1995
Album 3 ans

Des mots à mettre sur des photos « choisies » extraites de l'œuvre des plus grands noms de l'histoire de la photographie. Incontournable !

Alessi France
Battut Éric
Une balle, une pomme
Illustrations d'Éric Battut
Bilboquet, 2004
(Clin d'œil)
Album 5 ans
Petite promenade en ville et au jardin public à la rencontre de... l'art et des « petits métiers » de la fin du XIXᵉ siècle et du début du XXᵉ siècle.

Alessi France
Battut Éric
Un pont
Illustrations d'Éric Battut
Bilboquet, 2004
(Clin d'œil)
Album 5 ans

Beaujean-Deschamps Rachel
Heugel Louise
Quatre amis
Thierry Magnier
Musée du Louvre, 2004
(Les contes du Louvre)
Album 5 ans
S'initier à l'art...

Bougeault Pascale
Pourquoi si fâchée ? Petit catalogue d'art traditionnel
École des loisirs, 1999
Album 4 ans
Découvrir les secrets de l'« art primitif » dès le plus jeune âge !

Boutan Mila
Le grand livre de la couleur
Avec la collaboration de Concé Forgia
Gallimard Jeunesse, 2004
(Gallimard album)

Album 3 ans
Une invitation à découvrir l'art des couleurs : très visuel pour les tout-petits, couleurs primaires, complémentaires, froides...

Breunesse Caroline
À la rencontre de Vincent Van Gogh
Ed. Palette
(L'art & la manière)
Documentaire illustré 9 ans
Découvrir l'œuvre de Van Gogh et l'homme Vincent...

Chen Jiang Hong
Le cheval magique de Han Gan
Paris/Musées
École des loisirs, 2004
Une belle légende pour conter l'histoire de Han Gan, peintre de l'empereur de Chine qui dessinait d'étranges et beaux chevaux...

Clément Frédéric
Muséum : Petite collection d'ailes et d'âmes trouvées sur l'Amazone
Ipomée-Albin Michel, 1999
Livre d'artiste 12 ans
Battements d'ailes et frémissements pour âmes voyageuses et papiers légers, Frédéric Clément donne à voir... un véritable livre d'artiste.

Guiloineau Jean
Le sourire de la Joconde
Illustrations de Frédéric Malenfer
Réunion des musées nationaux, 2002
Album 7 ans

Harcourt Claire d'
Du coq à l'âne : Les animaux racontent l'art
Seuil, 2002
Album 4 ans... et pour tous
Voici un bestiaire des plus insolites, du « coq à l'âne », qui donne à voir tous les animaux qui peuplent l'histoire de l'art, de l'art rupestre à l'art moderne...

Harcourt Claire d'
Chefs-d'œuvre à la loupe
Seuil Jeunesse, 2004
(Funambule)
Album 8 ans
S'initier à l'histoire de l'art...

Lambilly Élisabeth de
A comme... art : L'abécédaire des animaux
Réunion des musées nationaux, 2003
Album 7 ans

Jeanguyot Michelle
Séguier-Guis Martine
L'herbier voyageur : Histoire des fruits, légumes et épices du monde
Plume de Carotte, 2004
Documentaire illustré 12 ans
À feuilleter comme un livre d'art pour petits et grands : fantastique herbier !

Larminat, Max-Henri de
Chagall, le double portrait au verre de vin
Ed. du Centre Pompidou, 1993
(L'art en jeu)
Album 8 ans
Un tableau, une histoire d'amour : Marc Chagall le peintre et sa femme Bella au centre de l'univers car le feu, l'air, l'eau et la terre sont invités !

Lionni Léo
Le rêve d'Albert
École des loisirs, 1991
Album 7 ans
« Un jour on emmena Albert et sa classe au musée, c'était la première fois. » Albert en rêva. Albert deviendra peintre...

Maja Daniel
Animaux de toutes sortes
Bilboquet, 2001
(L'art en page)
Album 5 ans

Entrons dans le bestiaire de Daniel Maja : celui qu'il constitue au gré de son trait..., celui qu'il a rencontré dans les musées.

Pfleger Susanne
Une journée avec Picasso
Ed. Palette, 2004
(L'art et la manière)
Documentaire illustré 9 ans
Découvrir l'œuvre de Picasso et l'homme Pablo...

Petit musée
Images choisies par Alain Le Saux et Grégoire Solotareff
École des loisirs, 1992
Album 3 ans
Reproductions de toiles célèbres, natures mortes et autres chefs-d'œuvre de l'histoire de l'art pour un imagier d'éveil à l'éducation artistique : incontournable !

Place François
Le vieux fou de dessin
Gallimard Jeunesse, 2001
Album 10 ans
Très bel hommage de François Place au maître de l'estampe, le peintre Hokusai, dans cette fiction qui s'inspire de la vie du « vieux fou de dessin ».

Radevsky Anton
Merveilles de l'architecture
Flammarion, 2004
Documentaire illustré pour tous

Sellier Marie
L'Afrique, petit Chaka...
Illustrations de Marion Lesage
Réunion des musées nationaux, 2000
Album 5 ans
« Écoute les histoires de Papa Dembo, ce sont les histoires de l'Afrique : voyage au cœur de l'art primitif et de la tradition orale. »

Sellier Marie
Mon petit Picasso

Réunion des musées nationaux, 2002
Album 7 ans

Simon Isabelle
Livre de cailloux
Thierry Magnier, 2003
Album 4 ans
Des sculptures... à têtes de cailloux : « art naturel » pour tous.

Wenzel Angela
Le monde fou, fou, fou de Dali
Ed. Palette, 2004
(L'art et la manière)
Documentaire illustré 9 ans
Découvrir l'œuvre de Salvador Dali.

Wenzel Angela
Le mystère Magritte
Ed. Palette, 2004
(L'art et la manière)
Documentaire illustré 9 ans
Découvrir l'œuvre de René Magritte.

Des lectures pour la mémoire, la paix, la vie

Andersen Hans Christian
La petite marchande d'allumettes : aux enfants du monde victimes des barbares
Illustrations de Georges Lemoine
Nathan, 1999
Conte 8 ans
La petite marchande vivait en Bosnie entre 1993 et 1994, lorsque la guerre y faisait rage... Avec ce reportage photos, « retouché », Georges Lemoine donne là une nouvelle version du conte d'Andersen. Une lecture à croiser avec Allumette *de Tomi Ungerer.*

Ashbé Jeanne
Le vélo rose

Pastel, 2000
Album 7 ans
Zoran vient d'un pays où les hommes ont fait parler les armes : il rencontre la petite fille au manteau rose...

Baussier Sylvie
Petite histoire de la guerre et de la paix
Illustrations de May Angeli
Syros Jeunesse, 2004
(Petites histoires des hommes)
Une histoire de la paix à travers les siècles : indispensable !

Baussier Sylvie
Petite histoire des écritures
Illustrations de Daniel Maja
Syros Jeunesse, 2003
(Petites histoires des hommes)
Documentaire illustré 10 ans
Comprendre le rôle de l'écriture dans l'histoire humaine...

Bigot Robert
Grenier Christian
Le mal en patience
Syros, 2005
(Les uns les autres)
Roman 14 ans
Histoire écrite à quatre mains. Deux amis correspondent, Patrick et Romain. Le premier se trouve en Bosnie, le second est resté en France : les lettres dévoilent projets... et secrets, réflexions sur le monde et missions humanitaires...

Causse Rolande
Les enfants d'Izieu
Illustrations de Georges Lemoine
Syros Jeunesse, 2004
(Tempo)
Poésie 12 ans
« Ce sont des enfants, quarante-quatre. Ils habitent une maison au nom étrange, la maison des enfants réfugiés de l'Hérault... » Long « poème-prose » à la mémoire des enfants d'Izieu... Bouleversant !

Causse Rolande
Oradour la douleur
Illustrations de Georges Lemoine
Syros Jeunesse, 2001
(Les uns les autres)
Poésie 12 ans
Livre-poème à la mémoire des 205 enfants d'Oradour-sur-Glane et de tous les disparus de ce village brûlés le 10 juin 1944, illustré avec beaucoup de sensibilité par Georges Lemoine.

Chanter pour la paix
Illustrations de Gianpaolo Pagni
Mango, 2003
(Allons z'enfants)
avec un CD
Poésie/chanson 11 ans
19 chansons pour la paix, de Boris Vian à Léonard Cohen.

Clavel Bernard
Le commencement du monde
Illustrations de Daniel Maja
Albin Michel Jeunesse, 1999
Album 10 ans
Complicité de l'écriture de Bernard Clavel et du trait de Daniel Maja pour ce conte des origines. Nature exubérante, animaux et bientôt les hommes : paradis perdu...

Clément Jean-Baptiste
Le temps des cerises
Illustrations de Philippe Dumas
École des loisirs, 1990
Album 10 ans
« Quand nous en serons au temps des cerises, et gai rossignol et merle moqueur seront tous en fête »... Hommage de Philippe Dumas à Louise Michel et à la Commune de Paris.

Deedy Carmen Agra
Srensen Henri
L'étoile jaune : La légende du roi Christian X du Danemark
Texte Carmen Agra Deedy

Illustrations d'Henri Sorensen
Mijade, 2003
Album 8 ans
La légende de Christian X roi du Danemark qui, lorsque les Allemands envahirent son pays, se rangea au côté des juifs du Danemark et les défendit avec cœur.

Du Bouchet Paule
Chante Luna
Gallimard Jeunesse, 2004
Roman 12 ans
Varsovie 1939 : Lulla, que son père appelle Luna, est passionnée de musique et de chant. Sa voix enchante déjà tous ceux qui l'écoutent. Mais l'armée allemande envahit la Pologne : Varsovie se plie alors au nouvel ordre mondial et enferme sa population juive dans le ghetto.

Éluard Paul
L'enfant qui ne voulait pas grandir
Illustrations de Jacqueline Duhême
Nathan Jeunesse, 1995, nouvelle édition 2005
(Albums Nathan)
Album 7 ans
Aux actualités, la petite fille a vu des images de guerre : c'est décidé, elle ne grandira plus dans ce monde déchiré, violent.

Elzbieta
Flon-flon et musette
Pastel, 1993
Album 4 ans
Flon-Flon aime Musette... Musette aime Flon-Flon... Cela finira par un mariage... de l'autre côté du ruisseau ! Bientôt une haie d'épines va les séparer : la guerre fait rage.

Filipovic Zlata
Le journal de Zlata
Pocket Jeunesse, 2004
(Jeunes adultes)
Roman 13 ans
Zlata, 11 ans, vit à Sarajevo : elle écrit son journal. Puis la guerre éclate, le journal se fait l'écho de son enfance volée... comme Anne Frank...

Garnier Pascal
La gare de Rachid
Syros Jeunesse, 2003
(Les uns les autres)
Roman 14 ans
Conçu comme une nouvelle, ce texte bref et pudique aborde avec tendresse et lucidité la fragilité de ceux qui n'ont rien et qui ont traversé le chômage et le racisme conjugués à l'exclusion.

Giono Jean
L'homme qui plantait des arbres
Illustrations de Frédéric Back
Gallimard Jeunesse, 1989
Album 10 ans
Entre Drôme et Durance, un homme rescapé de Verdun, après cinq ans de guerre, marche à la rencontre d'un berger planteur d'arbres, Elzéard Bouffier : chênes, hêtres, bouleaux poussent, répandus à perte de vue...

Grenier Christian
Août 1944 : Paris sur scène
Nathan Jeunesse, 2002
(Les romans de la mémoire)
Roman 12 ans
Paris au mois d'août 1944 : Michel, bientôt 16 ans, fréquente les coulisses de la Comédie-Française, découvre la passion « amoureuse », observe et goûte un autre spectacle, celui de Paris qui prépare sa libération.

Hausfater-Douïeb, Rachel
Le petit garçon étoile
Illustrations d'Olivier Latyk
Casterman, 2003
(Les albums Duculot)
Album 8 ans
Porter une étoile... « jaune », le petit garçon ne savait pas que c'était dangereux... Bientôt, il devra vivre caché, seul... jusqu'à la fin de la guerre.

Hoestlandt Jo
La grande peur sous les étoiles
Illustrations de Johanna Kang
Préface de Claude Roy

Syros Jeunesse, 1993
Album 8 ans
16 juillet 1942 : les rafles des juifs à Paris pendant l'Occupation. Hélène et Lydia sont amies, Lydia porte une étoile jaune... Lydia ne reviendra pas.

Henry Jean-Marie
Serres Alain
On n'aime guère que la paix
Illustrations de Nathalie Novi
Rue du monde, 2003
(Des poèmes dans les yeux)
Poésie 7 ans
36 poèmes d'origines variées qui disent la guerre et la paix sur les clichés des photographes de l'agence Magnum auxquels répondent les pastels de Nathalie Novi.

Jover José
Orieux Bérangère
Mon album de l'immigration en France
Illustrations de Farid Boudjellal, José Jover, Jef Martinez et Pef
Tartamudo, 2003
(Citoyen en marche)
Album 9 ans
« Des créateurs et des personnalités issus de l'immigration témoignent, expliquent, racontent... » Une certaine idée de la France, celle de la liberté et de la lutte contre le racisme, au pays des droits de l'homme.

Kressmann Taylor Kathrine
Inconnu à cette adresse
Autrement, 2002
(Littératures 14 ans)
1933 : un échange de lettres entre deux amis, Max, galeriste aux Etats-Unis, et Martin, Allemand séduit par le parti nazi... Mais la rupture surgit, implacable... Publié en 1938, ce texte était prémonitoire.

Mingarelli Hubert
Quatre soldats
Seuil, 2003
Roman 14 ans
1919, du côté du front Russe, quatre soldats viennent de passer un hiver

terrible, et puis un jeune enrôlé volontaire, encore un enfant, rejoint leur groupe...

Molènes Thalie de
Le Bahau
Fanlac, 2003
Roman 14 ans
Entre 1939 et 1945, la vie en Périgord est transformée par l'arrivée des Alsaciens réfugiés, des juifs cachés, des résistants confrontés à la milice : le « Bahau », tout « claudiquant », en est le témoin...

Morpurgo Michael
Soldat Peaceful
Gallimard Jeunesse, 2004
Roman 12 ans
Tommo, 17 ans, suit son grand frère Charlie sur les chemins de la guerre de 14-18. Reviendront-ils de cet enfer ? Récit émouvant qui rend hommage aux malheureux soldats passés par le peloton d'exécution.

Pavloff Franck
Matin brun
Cheyne, 1998
Roman 12 ans
Charlie et son copain vivent une époque trouble, celle de la montée d'un régime politique extrême : l'État brun.

Piatek Dorothée
L'horizon bleu
Illustrations de Yann Hamonic
Petit à petit, 2002
Album 10 ans
1914 ! c'est la guerre... Pierre quitte son métier de jeune instituteur pour rejoindre le front. Reviendra-t-il ?

Quint Michel
Effroyables jardins
J. Losfeld, 2003
(Arcanes)
Roman 14 ans
Mon père était le plus triste des clowns tristes... Au procès de Maurice

Papon à Bordeaux, la police a empêché un clown de rentrer dans la salle d'audience... Sans vérité, comment peut-il y avoir de l'espoir ?

Ramos Mario
Le petit soldat qui cherchait la guerre
Pastel, 1998
Album 7 ans
« Eustache est un p'tit soldat toujours prêt, toujours là, un petit fier-à-bras, courageux et tout ça... » Un peu ! Mais faire la guerre n'est pas un jeu !

Rapaport Gilles
Grand-père
Circonflexe, 1999
Album 8 ans
« C'est l'histoire d'une vie. Celle de Grand-père, né sous une mauvaise étoile de tissu – jaune – que l'on a cousue sur sa veste » : Gilles Rapaport nous transmet la mémoire de son grand-père déporté, un survivant des camps de la mort.

Rapaport Gilles
10 petits soldats
Circonflexe, 2002
Album 5 ans
On apprend à compter jusqu'à 10 dans cet album, comme 10 soldats qui partent à la guerre... Quel est celui qui dira non à la guerre ?

Rodari Gianni
Alemagna Béatrice
Un et sept
Textes de Gianni Rodari
Illustrations de Béatrice Alemagna
Seuil Jeunesse, 2001
Album 7 ans
Sept enfants aux quatre coins du monde, tous différents, tous pareils lorsqu'ils rient et se partagent le monde... pour n'être qu'un !

Roger Marie-Sabine
Le quatrième soupirail
Thierry Magnier
(Roman)
Roman 12 ans

Le père de Pablo édite des livres..., de la poésie révolutionnaire dans un pays placé sous la dictature : il sera arrêté, enlevé, torturé. Pablo décide de le retrouver... et pour cela il s'engagera aux côtés de ceux qui résistent.

Sara
Révolution
Seuil Jeunesse, 2003
Album 10 ans
Vibrant hommage à la liberté et à ceux qui rêvent la révolution. Ce livre tire sa force des illustrations et de leur sobriété : tout l'art de Sara dans cet album.

Sebbar Leïla
Le baiser
Hachette Jeunesse, 1997
(Courts toujours !)
Roman 14 ans
Neuf nouvelles très courtes interpellent le lecteur et nous renvoient l'image furtive de celui qui interroge notre cœur : Algérie, Bosnie, Maroc, Vietnam, terres d'enfance échangées contre une terre d'exil, la France, parfois terre d'espoir...

Sebbar Leïla
La jeune fille au balcon
Seuil, 1996
(Fictions)
Roman 12 ans
Fille de France, fille d'Algérie, Leïla Sebbar laisse parler son cœur : six nouvelles qui abordent identité, guerres coloniales, dualité entre tradition et modernité.

Sebbar Leïla
Soldats
Seuil, 1999
Roman 14 ans
Sept nouvelles qui racontent le quotidien tragique des jeunes soldats, de l'Afghanistan à Israël.

Serres Alain
Hiroshima, deux cerisiers et un poisson-lune
Illustrations de Zaü

Rue du monde, 2005
Album 8 ans
Parler d'Hiroshima soixante ans après...

Serres Alain
On vous écrit de la terre : 100 enfants du monde s'adressent à vous
Illustrations de Martin Jarrie
Rue du monde, 2001
(Les grands livres)
Album 8 ans

Skarmeta Antonio
La rédaction
Illustrations de Alfonso Ruano
Syros Jeunesse, 2003
Roman 10 ans
Ce que Pedro préfère, c'est bien entendu son ballon de foot qu'il a reçu pour son anniversaire. Il est heureux, Pedro, avec papa et maman jusqu'au 11 septembre 1973. Les rues de son quartier se remplissent alors de militaires. 11 septembre 1973... Chili.

Spiegelman Art
Maus : Un survivant raconte
(tomes 1 et 2)
Flammarion, 2001
(L'intégrale)
Album/BD 10 ans
« Maus est un livre que l'on ne referme pas, même pour dormir. Lorsque deux des souris parlent d'amour, on est ému, lorsqu'elles souffrent, on pleure. » Umberto Eco.

Ungerer Tomi
Otto : Autobiographie d'un ours en peluche
École des loisirs, 2004
(Petite bibliothèque de l'École des loisirs)
Album 7 ans
C'est l'histoire d'Otto, un petit ours en peluche qui traverse l'histoire cruelle des conflits du XXe siècle, de l'Europe aux États-Unis, et qui retrouvera David et Oskar, deux vieux amis...

Couprie Katy, Louchard Antonin
Un monde palestinien
Maquette Véronique Puvilland
Thierry Magnier, 2002
Album Jeunesse 6-12 ans

Vittori Jean-Pierre
Midi pile, l'Algérie
Illustrations de Jacques Ferrandez
Rue du monde, 2001
(Histoire d'histoire)
Album 12 ans
Ancien appelé pendant la guerre d'Algérie, Jean-Pierre Vittori livre ses impressions à travers le témoignage du vieux « soldat » et du vieux « fellagha », « leur guerre d'Algérie ». À noter, l'illustration de Jacques Ferrandez. Indispensable.

Des lectures plaisir à partager...

Begag Azouz
Le théorème de Mamadou
Illustrations de Jean Claverie
Seuil Jeunesse, 2002
Album 8 ans
« Je le savais ! Ça sert à rien d'aller à l'école, puisqu'on oublie tout quand on devient vieux... » C'est le théorème de Mamadou qui ne comprend pas que ses grands-parents ont vieilli... Fort heureusement pour lui, il a un bon maître d'école !

Begag Azouz
Un train pour chez nous
Illustrations de Catherine Louis
Thierry Magnier, 2001
Album 8 ans
Récit « illustré » des vacances « algériennes » d'Azouz Begag quand il était enfant... Tendre et nostalgique, plein d'émotion.

Belli Gioconda
L'atelier des papillons
Illustrations de Wolf Erlbruch
Être, 2003
Album 8 ans
Les papillons ne pèsent presque rien. Ils sont aussi légers que le battement de paupières d'un soleil ébloui, légers comme un soupir d'arc-en-ciel! Bouleverser l'ordre des choses...

Bernard Fred
Roca François
L'homme bonsaï
Albin Michel Jeunesse, 2003
Album 8 ans
Construit comme une épopée, voici conté le récit d'aventure d'Amédée le potier devenu pirate malgré lui et qui se transforma en « homme-bonsaï »...

Bernard Fred
L'indien de la tour Eiffel
Illustrations de François Roca
Seuil Jeunesse, 2004
Album 10 ans
Avec pour toile de fond Paris, lors de la construction de la tour Eiffel, voici une très belle histoire d'amour qui se terminera mal entre Billy l'Indien et la Garenne, chanteuse de cabaret... Illustrations somptueuses de François Roca pour son complice Fred Bernard.

Brami Élisabeth
Des espérances
Illustrations de Georges Lemoine
Seuil, 2004
Album 9 ans
Une femme, seule, et une petite fille vont se rencontrer : les images de Georges Lemoine se font plus douces pour dire l'échange et la tendresse...

Brami Élisabeth
Rue des deux maisons
Seuil, 2001
Album 8 ans

Une maison « bonheur » et une maison « malheur » pour aborder l'insupportable solitude de l'enfant... Et si l'enfant retrouvait confiance et espoir ? Poésie, sensibilité, émotion pour cet album délicat.

Brun-Cosme Nadine
Entre fleuve et canal
Illustrations d'Anne Brouillard
Points de suspension, 2002
Album 9 ans
Entre « fleuve et canal », entre son père et sa mère, l'enfant ressent la séparation de ses parents qui se fait proche. Trouvera-t-il le chemin qui tissera le lien de l'un à l'autre ? Illustrations remarquables d'Anne Brouillard pour un très beau texte de Nadine Brun-Cosme

Burningham John
France
Seuil, 1999
Album 8 ans
La France vue par un grand illustrateur anglais : c'est bien connu, les Anglais adorent la France ! Avec humour, poésie, tendresse, et beaucoup d'amour, John Burningham épingle nos « vrais » petits défauts !

Causse Rolande
Mère absente fille tourmente
Illustrations de Georges Lemoine
Gallimard Jeunesse, 2002
Album 10 ans
Anne se dédouble : présente/absente, tout à l'idée de l'absente, celle qui s'est éloignée, sa mère... Retrouvera-t-elle la douceur des jours ?

Dahl Roald
Les nouvelles recettes irrésistibles de Roald Dahl
Illustrations de Quentin Blake
Gallimard Jeunesse
(Gallimard album)
Album 8 ans
Pour les inconditionnels de Roald Dahl et de Quentin Blake ! Humour féroce pour cet ultime album...

Desmarteau Claudine
Dictionnaire : Le petit rebelle

Seuil Jeunesse, 2001
Album 8 ans
Drôle de petit dictionnaire qui fait réfléchir... sur les parents, le travail et l'amour ! Humour garanti !

Edy-Legrand Edouard Leon Louis
Macao et Cosmage ou l'expérience du bonheur
Circonflexe, 2000
(Aux couleurs du temps)
Album 8 ans
Ils étaient heureux, Macao et Cosmage, sur leur île déserte ! Puis vint la « civilisation » : mythe de l'île paradisiaque et de la robinsonnade. Belles planches illustrées aux images influencées par les courants avant-gardistes des années 1900.

Fastier Yann
Savoir-vivre
L'Atelier du poisson soluble
Album 8 ans
« Fais pas ci ! Fais pas ça ! » Sois sage comme une image ! Un humour grinçant pour ce petit code de bonne conduite à mettre entre les mains des parents !

Hoestlandt Jo
Un mouchoir de ciel bleu
Illustrations de Nathalie Novi
Thierry Magnier, 2003
Album 8 ans
Tous les « chagrins » du monde sont réunis dans cet album ; mais voilà qu'un petit bout de ciel bleu tombe sur la terre et devient... « mouchoir ». Trouvera-t-il son chagrin ?

Houdart Emmanuelle
Monstres malades
Thierry Magnier, 2004
Album 8 ans
Même les monstres peuvent être malades ! À chacun son remède ! Beaucoup de recettes et de potions magiques dans ce grand album remarqué par les spécialistes du livre jeunesse.

Jean Didier
Libellule
Peintures de Zad
Atelier du poisson soluble, 2005
Album 8 ans
« À cet instant surgit de ma mémoire le visage d'une petite fille que je croyais avoir oublié... » Très bel album réalisé à quatre mains par le couple Didier Jean et Zad sur le thème de la mémoire de l'enfance...

Lenain Thierry
Petit zizi
Illustrations de Stéphane Poulin
Les 400 coups, 2000
(Grimace)
Album 8 ans
Est-ce grave d'avoir un... petit zizi ? Martin s'inquiétait. Mais l'amour, « ce n'est pas une question de zizi, grand ou petit ».

Le Saux Alain
Interdit/toléré
Rivages, 1996
Album 8 ans
Jeux de mots, jeux d'images pour apprendre à « bien » se conduire en société ! Indispensable !

Maïakovsky Vladimirovitch
Le petit cheval de feu
Illustrations de Flavio Costantini
Des Lires, 2003
Album 8 ans
Petit cheval de bois à roulettes pour enfant joyeux... Et si ce petit cheval-là était celui de la liberté ? Chef-d'œuvre incontournable du poète russe avec zeste d'anarchie ! Très belle technique d'illustration (version bilingue français-cyrillique).

Martingay Claude
Ruano Alfonso
Le cerisier
Joie de Lire, 1998
(Dialogues avec grand-père)

Roman 8 ans
Avec l'histoire du cerisier, de ses fleurs, de ses feuilles et de ses fruits à venir, un grand-père apprend à son petit-fils la connaissance des choses et des êtres.

Martingay Claude
Le mendiant
Illustrations de Philippe Dumas
Joie de Lire, 2003
Album 8 ans
Dans les rues de la ville, un grand-père et son petit-fils dialoguent... d'une rencontre avec un mendiant et de la correspondance que ce dernier établit avec le narrateur, car « un mendiant est aussi un homme ».
Exceptionnelles illustrations de Philippe Dumas pour traduire le regard porté sur ceux qui habitent... la rue.

Morpurgo Michaël
La sagesse de Wombat
Illustrations de Christian Burmingham
Gautier-Languereau, 1999
Album 8 ans
Australie : Wombat, petit rongeur, passe son temps à creuser des trous... et réfléchit au devenir du monde. Mais tous se moquent de lui : il est trop différent ! Mais la différence peut parfois se révéler un véritable atout !

Perec Georges
« Je me souviens »
Illustrations d'Yvan Pommaux
Sorbier, 1997
Pour tous
« Je me souviens »... et vous ? Yvan Pommaux répond avec humour et délice à Georges Perec... Un brin nostalgique ! Mais tellement délicieux !

Place François
Atlas des géographes d'Orbae (3 tomes)
Casterman/Gallimard, 1996-1998-2000
Album 10 ans
D'histoire en conte, de conte en voyage illustré, François Place nous emporte au cœur de pays imaginaires que l'on croit reconnaître : véritable chef-d'œuvre de la littérature illustrée, une lecture incontournable !

Pommaux Yvan
Avant la télé
Couleurs Nicole Pommaux
École des loisirs, 2002
(Archimède)
Album 8 ans
Que faisaient les enfants avant la télé, juste après la guerre ? Souvenirs, souvenirs !! Certes, la vie a beaucoup changé, mais pas le monde des copains ! On s'aime toujours autant !

Poncelet Béatrice
Chez elle ou chez elle
Seuil Jeunesse, 1997
Album 10 ans
« Souvent, pour des raisons de grandes personnes que je ne comprends pas, on m'envoie chez les uns ou les autres... Je ne choisis pas, c'est comme ça... »
Diversité des techniques d'illustration, de la typographie et de la mise en pages pour cet album très personnel de Béatrice Poncelet.

Seguy Fabienne
On-dit
Illustrations de Yann Fastier
L'Atelier du poisson soluble, 2005
Album 10 ans
« Tandis que tombe la neige, la rumeur court la ville... » Album très subtil à l'atmosphère inquiétante, pleine de suspense, rendue par les illustrations de Yann Fastier.

Thompson Kay
Knight Hilary
Éloïse, déluge au Plaza
Gallimard Jeunesse, 2003
(Gallimard album)
Album 8 ans
Éloïse, une héroïne à rencontrer : observer et surprendre les travers des adultes et de leur monde. Humour, fantaisie...

Ungerer Tomi
Pas de baiser pour maman

École des loisirs, 1976
(Mouche)
Album 8 ans
Décidément, Jo est bien trop grand pour apprécier les baisers, surtout ceux de maman Chattemite, sa mère : il les déteste !

Vautier Mireille
Sacrés caractères
Gallimard, 2004
(Giboulées)
Album 8 ans
Ulysse, Hercule et Pandore portent des noms « antiques » qui symbolisent leur... caractère ! Malin, costaud, ou tout simplement curieuse. Ils évoluent avec humour selon le trait prêté par l'illustration à leur personnalité. Drôle ! À partir de 8 ans...

Quelques romans
À partir de 8 ans

Beaude Pierre-Marie
Fleur des neiges
Illustrations de Claude Cachin
Gallimard Jeunesse, 2004
Roman 10 ans
Fleur des neiges est fascinée par l'écrivain public qui habite au bout du village : elle rêve de l'imiter. Toute la poésie du Japon dans ce récit construit comme un conte qui s'adresse à tous.

Beaude Pierre-Marie
Jeremy Cheval
Illustrations de Gianni de Conno
Gallimard Jeunesse, 2004
(Hors-piste)
Roman 10 ans
Jérémy fuit le ranch où il a grandi afin de retrouver sa mère. Un cheval sauvage l'aidera...

Benameur Jeanne
Korkos Alain
Édouard et Julie c'est pour la vie
Thierry Magnier, 1999
Roman 12 ans
Récit à quatre mains pour décrire un amour adolescent entre Édouard et Julie. Tendre : le duo de Jeanne Benameur et d'Alain Korkos fait merveille !

Chédid Andrée
Le message
Flammarion, 2000
Roman 14 ans
Dans une ville en guerre, une jeune femme est mortellement blessée par la balle d'un snipper, alors qu'elle tente de rejoindre de l'autre côté du pont celui qu'elle aime. Un vieux couple l'accompagne dans ces derniers instants...
Couple, amour, vie, monde en guerre, mort et violence, Andrée Chédid donne là un de ses plus forts « romans-poèmes ».

Cuvellier Vincent
La chauffeuse de bus
Illustrations de Candice Hayat
Éditions du Rouergue, 2002
(Zigzag)
Roman 9 ans
« Elle pue, elle est moche, elle a de la moustache, certains disent même que c'est un homme... C'est Yvette la chauffeuse de bus !! Tous les jours, elle conduit les enfants à l'école : parmi eux, Benjamin.

Dahl Roald
Mauvaises intentions : Neuf histoires à faire frémir
Gallimard Jeunesse, 2000
Roman 12 ans
Ironie, cruauté, tendresse, neuf histoires pour tous les âges par l'auteur de Sacrées Sorcières *et de* Matilda. *Humour grinçant garanti pour les fans du grand écrivain anglais.*

Ferdjoukh Malika
Quatre sœurs, 4 tomes
École des loisirs, 2003

(Médium)
Roman 12 ans
Quatre, plutôt cinq orphelines, les sœurs Verdelaine, Charlie, Geneviève, Bettina, Hortense, et puis Enid. Elles habitent en bord de mer une grande villa, « la Vill'Hervé ». Chacune, à sa manière, raconte cette fratrie peu ordinaire.

Fine Anne
Journal d'un chat assassin
Illustrations de Véronique Deiss
École des loisirs, 1997
(Mouche)
Roman 8 ans
Tuffy le chat n'en peut plus ! Il ne comprend pas les crises de larmes d'Ellie sa petite maîtresse, ni la colère de sa famille ! Alors il prend la plume pour nous raconter une semaine de sa vie de chat, quoi ! Drôle, joyeux !

Friot Bernard
Folle
Thierry Magnier, 2002
(Roman)
Roman 12 ans
Franck se sent perdu, abandonné : sa mère est entrée dans un hôpital psychiatrique...

Grenier Christian
Allers simples pour le futur
Mango Jeunesse, 2004
(Autres mondes)
Roman science-fiction 11 ans
Six nouvelles qui abordent le monde d'aujourd'hui avec un futur menacé par la pollution, les modifications génétiques et le virtuel. De quoi réfléchir !

Grenier Christian
Mercredi mensonge
Bayard Jeunesse. 2004
(Millezime)
Roman 11 ans
Isabelle apprécie beaucoup la compagnie de son grand-père, Papy Constant. Chaque mercredi, ce dernier aussi rend visite à son fils, le père

d'Isabelle, mais celui-ci ne montre pas beaucoup d'intérêt à ces rencontres jusqu'au jour où il devra partir...

Gutman Claude
Toufdepoil
Illustrations de Pef
Pocket Jeunesse, 1995
Roman 9 ans
Bastien a dû apprendre à vivre seul avec son père : maman est partie. Et pour son anniversaire, elle lui envoie... un chien ! « Cadeau empoisonné », Toufdepoil deviendra son meilleur copain !

Hagerup Hilde
Quelque chose que je regrette
Seuil, 2005
(Romans)
Roman 13-14 ans
Une adolescente s'interroge sur l'absence de son père disparu en mer.

Hassan Yael
De l'autre côté du mur
Illustrations de Christophe Merlin
Casterman, 2003
(Romans Junior)
Roman 10 ans
Suite à un accident de cheval, Louise vit dans un fauteuil roulant. Repliée, elle ne supporte plus personne, même plus le chant des oiseaux, jusqu'au jour où elle entend de l'autre côté du mur une voix...

Hausfater Rachel
Pourquoi ça fait mal ?
Thierry Magnier, 2005
(Roman)
Roman 14 ans
Premier amour, première blessure, c'est l'histoire d'un coup de foudre qui commence... dans un bus.
De jeune fille en jeune femme, la narratrice quitte l'adolescence : beau roman juste et sensible.

Härtling Peter
Oma, ma grand-mère à moi

Illustrations de Mette Ivers
Pocket Jeunesse, 1995
Roman 9 ans
Kalle a perdu ses parents quand il avait cinq ans : il sera élevé par Oma, sa grand-mère. Mais se comprennent-ils toujours ? Joies et difficultés sont partagées dans ce roman réaliste plein de tendresse.

Hirsching Nicolas de
Joly Fanny
Qui a piqué les contrôles de français ?
Casterman, 1999
Roman 10 ans
Humour et réalisme pour ce petit livre qui traite de la vie dans une classe après un contrôle de français.

Jaouen Hervé
Mamie mémoire
Gallimard Jeunesse, 2002
(Scripto)
Roman 12 ans

Kawa-Topor Xavier
Mon roman de Renard
Illustrations de Benjamin Bachelier
Actes Sud Junior,
(Les grands livres)
Roman 10 ans
Le célèbre récit du Moyen Âge revisité, enrichi par les illustrations pleines de mystère de Benjamin Bachelier. Avec un CD pour l'accompagner.

Labalestra Rose-Claire
Ésie-la-bête
Thierry Magnier, 1999
Roman 13 ans
Élisabeth « Ésie-la-bête » a des parents handicapés mentaux. Élevée dans leur amour simple et dans l'affection de ses éducateurs, elle ne supporte pourtant plus cette situation. Saura-t-elle la surmonter ?

Lindgren Astrid
Fifi Brindacier
Illustrations de Daniel Maja

Hachette Jeunesse, 2001
(Le livre de poche jeunesse)
Roman 8 ans
Née en 1945 de l'imagination débordante d'Astrid Lindgren, cette fillette de 9 ans n'a rien d'une héroïne ordinaire : douée d'une force peu commune, vive, espiègle, elle observe le monde et donne son opinion ! Rien ne lui résiste ! Un classique.

L'Homme Erik
Les maîtres des brisants : Chien-de-la-lune, volume I
Le secret des abîmes, volume II
Gallimard Jeunesse, 2004-2005
(Hors-piste)
Roman 9 ans
Lune, Xavier, Morgane et Mark embarquent sur le vaisseau Chien-de-la-lune pour une périlleuse mission : sauver la galaxie.

London Jack
Construire un feu
Illustrations de Nathaële Vogel
Actes Sud Junior, 1997
(Les romans)
Roman 10 ans
« Le jour pointait, gris et froid quand l'homme quitta la piste du Yukon... »
Construire un feu *est extrait des* Récits du Klondike *écrits par Jack London.*

Mauffret Yvon
Pépé la Boulange
École des loisirs, 1986
(Neuf)
Roman 11 ans
L'histoire du grand-père de Thomas : le jeune garçon accepte de l'accompagner à Belle-Île, sur les traces de son enfance... Émouvant, nostalgique, ce roman est essentiel sur les rapports avec les grands-parents.

Maymat Nicole
Entre eux, la rivière
Seuil Jeunesse, 2004
(Romans)
Roman 13 ans

Au XVIIIe siècle, sur les bords de la Loire, l'histoire d'une famille qui tient une auberge ; chronique de la vie quotidienne...

Maymat Nicole
Vanille, flibustière des Antilles
Seuil Jeunesse, 2001
Illustrations de François Roca
Roman 13 ans
XVIe siècle : découvrir la vie d'une jeune flibustière au temps de l'aventure maritime, Vanille, née d'une princesse Maya et d'un déserteur espagnol.

Mazard Claire
L'absente
Syros Jeunesse, 2002
(Les uns les autres)
Roman 14 ans
Dernier cours de français pour Mathilde, professeur qui a 60 ans et va prendre sa retraite... Dernier sujet : « On n'est pas sérieux quand on a dix-sept ans... », Arthur Rimbaud. Mathilde se souvient : à 17 ans, elle accoucha d'une petite fille née sous X. Récit bouleversant sur la quête de l'enfant, l'abandon, l'adoption...

Morpurgo Michael
Le royaume de Kensuke
Illustrations de François Place
Gallimard Jeunesse, 2000
Roman 11 ans
« Le royaume de Kensuke » ou l'extraordinaire aventure d'un jeune Anglais qui disparut en mer le 28 juillet 1988... et échoua sur une île déserte où il rencontra Kensuké, un vieil ermite solitaire, unique rescapé d'une histoire douloureuse... Merveilleux pour la robinsonnade et pour les « vignettes » de François Place.

Morpurgo Michael
Le secret de Renard
Pocket Jeunesse, 2002
(Pocket junior)
Roman 9 ans
L'amitié d'un jeune garçon solitaire, Billy Bunch, pour un petit renard...

Morgenstern Susie
Lettres d'amour de 0 à 10
École des loisirs
(Neuf)
Roman 11 ans
« *La vie d'Ernest n'a rien de drôle : sa mère est morte, son père a disparu, et il vit avec sa grand-mère ! Mais Victoire débarque dans sa classe ! Et il retrouve la trace de son père* ». *Chaleureux, comme tous les romans de Susie !*

Murail Marie-Aude
Oh, boy
École des loisirs, 2000
(Médium)
Roman 13 ans
Siméon, Morgane et Venise sont frère et sœurs, des orphelins : ils ont juré qu'on ne les séparerait jamais ! Mais qui va les accueillir, ils n'ont plus de famille ? Beaucoup d'émotion à suivre leur parcours.

Murail Marie-Aude
Vive la République
Pocket Jeunesse
(Littérature)
Roman 13 ans
« *Je veux être utile à vivre et à rêver. À quoi ça sert une chanson si elle est désarmée ?* » *Julien Clerc.*
Cécile a enfin réalisé son rêve de petite fille : elle est maîtresse à l'école Louis-Guilloux ; c'est parfois bien difficile... mais elle résiste ! Tendre, contemporain, plein d'humour : du Marie-Aude Murail !

Nozière Jean-Paul
Tu seras la risée du monde
La Martinière, 2004
(Confessions)
Roman 12 ans
L'enfance... d'un garçon pendant les années 50 : petits bonheurs, petites blessures et un problème d'énurésie à surmonter. Sincère, humain.

Paronuzzi Fred
10 ans 3/4

La Dilettante, 2003
Roman 12 ans
Frédéric, 10 ans 3/4, est fils d'immigrés italiens en Savoie : il s'éveille au monde et découvre le sens des mots comme solitude, racisme, Alzheimer, mort, bref, la vie...

Peet Malcom
Le gardien
Gallimard Jeunesse
(Hors-piste)
Roman 11 ans
Devenir le meilleur joueur de foot du monde : un rêve que partagent beaucoup de garçons !

Porte Catherine
Rencontres secrètes
Rageot, 1999
(Cascade 11-13 ans)
Roman 8 ans
Ce que Manu préfère, c'est son refuge au fond du jardin, enseveli sous les broussailles, et puis son chat... tendre et nostalgique.

Rascal
Les quatre saisons de Rose
Illustrations de Nathalie Novi
Rue du monde, 2004
Roman 9 ans
Dans ce premier roman, Rascal révèle le personnage de Rose, petite fille sensible qui découvre les joies et les peines de la vie lors de ses vacances à la campagne, chez ses grands-parents.

Rodari Gianni
Ciel ! Les Martiens !
Illustrations de Bruno Heitz
Rue du monde, 2004
Roman 8 ans
Gags, extraterrestres, humains et animaux pour les trois nouvelles de Rodari, mais le message passe : attention à la société de consommation ! Drôle !

Risa Wataya
Appel du pied
Picquier, 2005
Roman 12 ans
Journal intime d'une jeune fille japonaise : plein d'humour, sensible, contemporain par tout ce qu'il donne à voir du Japon et de la vie d'une jeune écolière tout à son adolescence. Excellent.

Schmitt Eric-Emmanuel
Monsieur Ibrahim et les fleurs du Coran
Albin Michel, 2001
Roman 14 ans
Un garçon juif, un vieil homme musulman, une rencontre et une forte amitié : Ibrahim, le vieil épicier, consolera Moïse de la mort de son père et de sa solitude, l'aidera à grandir dans cette épreuve. Essentiel pour sa tendresse et son humanité, ce récit est à partager avec tous.

Vermot Marie-Sophie
Voilà pourquoi les vieillards sourient
Rouergue, 2003
(DoAdo)
Roman 12 ans
Harold et son grand-père passent une dernière journée ensemble avant l'ultime séparation : le petit-fils part aux États-Unis, le grand-père rejoindra la maison de retraite. Souvenirs et histoires de famille.

Verne Jules
Le Chancellor
Illustrations de Ludovic Debeurme
Actes Sud Junior/Ville de Nantes, 2004
Roman 10 ans
« Dans ce chef-d'œuvre du suspense, et peut-être son roman le plus noir, Jules Verne nous entraîne dans une terrible aventure inspirée du radeau de la Méduse. »

Bibliographie

Atlas et dictionnaires indispensables

Mon atlas, ma planète, Milan.
L'État du monde junior, La Découverte/Syros (afin de découvrir le monde : de multiples connaissances indispensables et des cartes des pays).
Atlas du monde benjamin, Nathan.
Atlas du xxᵉ siècle, Nathan.
Mon 1 000 mots, La Martinière. Un premier dictionnaire pour les 5-7 ans, illustré par Florence Guiraud et Pascale Wirth.
Le Dictionnaire du Père Castor, Père Castor Flammarion, 5 000 mots/1 500 images pour les 5-8 ans (CP et classes suivantes).
Le Petit Fleurus (pour les élèves de CP et CE).
Le Robert junior (à partir de 8 ans).
Le Petit Robert (à partir de 10 ans).
Le Premier Larousse des pourquoi.
Larousse junior de la mythologie.

Ouvrages généraux

Allard Claude, *L'Enfant au siècle des images*, Albin Michel.
Barbé-Julien Colette, *Tout petits, déjà lecteurs*, éd. du Sorbier.
Barthes Roland, *Le Degré zéro de l'écriture*, Seuil.

323

Bauchau Henry, *L'Écriture à l'écoute*, Actes Sud.

Beau Nathalie, *89 titres sélectionnés pour entrer dans l'univers d'une autre langue*, IBBY FRANCE, 25 bd Strasbourg, 75010 PARIS ; tél. : 01 55 33 44 55.

Bettelheim Bruno, *Psychanalyse des contes de fées*, Robert Laffont.

Bonnafé Marie, *Les livres, c'est bon pour les bébés*, Calmann-Lévy.

Cheissoux Denis, Wolf Patrice, *L'as-tu lu mon petit loup ?*, Guide annuel à l'usage des parents, Seuil.

Duborgel B., *Imaginaire et Pédagogie*, Être.

Escarpit Denise, Bernadette Poulou, *Le Récit d'enfance*, éd. du Sorbier.

Grenier Christian, *Je suis un auteur jeunesse*, Rageot Éditeur.

Grenier Christian, *La S-F à l'usage de ceux qui ne l'aiment pas*, éd. du Sorbier.

Kundera Milan, *L'Art du roman*, Gallimard.

L'Enfant et l'Art, Autrement.

Le Bouffant Michel, *Lectures et lecteurs à l'école*, éd. Bertrand-Lacoste.

Mabille Valérie, *Comment lui donner le goût de lire*, Nathan.

Maja Daniel, *Illustrateur jeunesse*, éd. du Sorbier.

Murail Marie-Aude, *Auteur jeunesse*, éd. du Sorbier.

Murail Marie-Aude, *Nous, on n'aime pas lire*, La Martinière.

Nicodème Béatrice, *Le Roman policier*, éd. du Sorbier.

Perrot Jean, *LE SECRET DE PINOCCHIO GEORGE SAND ET CARLO COLLODI*, éd. Presse Éditions/Lectures d'enfance.

Patte Geneviève, *Laissez-les lire*, éditions Ouvrières.

Pennac Daniel, *Comme un roman*, Folio Gallimard.

Perrin Raymond, *Un siècle de fiction pour les 8 à 15 ans*, L'Harmattan.

Perrot Jean (sous la direction de), *Jeux graphiques dans l'album pour la jeunesse*, CRDP Académie de Créteil-Université Paris-Nord.

Perrot Jean, *Du jeu, des enfants et des livres*, éd. du Cercle de la Librairie.

Perrot Jean, *Jeux et enjeux du livre d'enfance et de jeunesse*, Cercle de la Librairie.

Perrot Jean, *Les Métamorphoses du conte*, éd. Peter Lang.

Perrot Jean, *Un baroque art d'enfance*, Presses universitaires de Nancy.

Picard Michel, *La Lecture comme jeu*, éditions de Minuit.

Pol Anne-Marie, *Les Séries, Chronique d'un malentendu littéraire*, éd. du Sorbier.

Poslaniec Christian, *Comment donner le goût de lire*, éd. du Sorbier.

Proust Marcel, *Sur la lecture*, Actes Sud.

Rodari Giovani, *La Grammaire de l'imaginaire*, éd. Rue du Monde.

Schnitzer Luda, *Ce que disent les contes*, éd. du Sorbier.

Solet Bertrand, *Le Roman historique*, éd. du Sorbier.

Zoughebi Henriette, *La Littérature dès l'alphabet*, Gallimard Jeunesse.

Quelques revues spécialisées

Argos, revue du CNDP, Académie de Créteil, 20, rue Daniel Casanova, 94170 Le Perreux.

Le Bulletin du CRILJ, revue du Centre de recherche international de la littérature de jeunesse, 3 numéros par an. Abonnement 39, rue de Chateaudun, 75009 Paris. Tél. 01 45 26 70 06.

Citrouille : des livres pour vos enfants, revue de l'Association des libraires spécialisés pour la jeunesse, 4 numéros par an. Abonnement à *Citrouille* : 12, allée de la Rosière, 38240 Meylan.

La Revue de la Charte des auteurs et des illustrateurs jeunesse, association loi 1901 agréée par le ministère de la Jeunesse et des Sports, 39, rue de Chateaudun, 75009 Paris. Tél. 01 42 81 19 93.

Griffon, revue des livres enfance jeunesse – série thématique et série carte blanche aux auteurs. Abonnement : 4, rue Trousseau, 75011 Paris.

La Revue des livres pour enfants et *Takam Tikou* (informations

sur l'édition africaine et arabe) édités par l'association La Joie par
les livres (centre de ressources et de formation), 25, bd de Strasbourg, 75010 Paris.

Livres jeunes aujourd'hui, revue de critiques de livres pour
enfants et jeunes – Union nationale et Bibliothèques pour tous.
Abonnement : OGP, 175, avenue Jean-Jaurès, 75019 Paris.

Livres au trésor, Centre de documentation sur le livre de jeu-
nesse créé en 1989 à l'initiative du Conseil général de la Seine-
Saint-Denis en coopération avec la ville de Bobigny. Revues et
sélections annuelles conçues et coordonnées par Véronique
Soulé, 4, rue de l'Union, 93000 Bobigny. Tél. 01 48 30 54 42.
Courriel : livres. au.trésor@ville-bobigny.fr.

Petit page, revue annuelle sur la littérature de jeunesse parais-
sant dans le cadre de *Page* des libraires, 13, rue de Nesles, 75006
Paris.

Nous voulons lire, revue d'informations sur le livre d'enfance
et de jeunesse publiée avec le concours du Centre régional des
lettres Aquitaine. Abonnement : Bibliothèque de Bordeaux, 85,
cours du maréchal Juin, 33075 Bordeaux Cedex.

Index des ouvrages cités dans le texte

Remerciements

Remerciements à Viviane Ezraty, Lucette Savier, Jacky Tremblais et tous les éditeurs qui m'ont reçue chaleureusement et envoyé des livres.

Remerciements à la bibliothèque jeunesse L'Heure joyeuse, Paris 5e.

Remerciements à la bibliothèque francophone multimédia de Limoges pour la consultation gracieuse de tous les documents du secteur jeunesse.

Table

DANS LA MÊME COLLECTION

Emmanuelle RIGON
Pourquoi pleurent-ils ? – Comprendre le développement de l'enfant, de la naissance à 1 an
Hetty van de RIJT et Frans X. PLOOIJ

Aidez-moi à trouver mes marques ! – Les repères du tout-petit
Michael ROHR

Toutes les questions que vous vous posez sur l'école maternelle
Nicole du SAUSSOIS

Les Risques de l'adolescence
Gérard SÉVÉRIN

Crèches, nounous et Cie – Modes de garde, mode d'emploi
Anne WAGNER et Jacqueline TARKIEL

Hors collection

Petites histoires pour devenir grand 1 – À lire le soir pour aborder avec l'enfant ses peurs, ses tracas, ses questions
Sophie CARQUAIN

Petites histoires pour devenir grand 2 – Des contes pour leur apprendre à bien s'occuper d'eux
Sophie CARQUAIN

Composition IGS
Impression : Imprimerie Floch, août 2005
Éditions Albin Michel
22, rue Huyghens, 75014 Paris
www.albin michel.fr
ISBN : 2-226-15550-3
ISSN : 1275-4390
N° d'édition : 22810. – N° d'impression : 63649
Dépôt légal : septembre 2005
Imprimé en France.